Dziennik nimfomanki

Valérie Tasso

Dziennik nimfomanki

Z hiszpańskiego przełożyła
Katarzyna Adamska

Tytuł oryginału
DIARIO DE UNA NINFÓMANA

Projekt okładki
Ewa Łukasik

Zdjęcie na okładce
Flash Press Media

Redaktor prowadzący
Magdalena Hildebrand

Redakcja
Joanna Figlewska

Redakcja techniczna
Lidia Lamparska

Korekta
Urszula Okrzeja

Świat Książki
Warszawa 2007

Bertelsmann Media Sp. z o.o.
ul. Rosoła 10,
02-786 Warszawa

Wyłączna dystrybucja Platon Sp. z o.o.
ul. Kolejowa 19/21, 01-217 Warszawa
tel./fax (22) 631-08-15
e-mail: platon@platon.com.pl
www.platon_com.pl

Skład i łamanie
KOLONEL

Druk i oprawa
Finidr, Czechy

ISBN 978-83-247-1008-9
Nr 6300

Dla Giovanniego

SPIS TREŚCI

④ PODZIĘKOWANIA

Davidowi Triasowi, mojemu wydawcy, który od samego początku we mnie wierzył.

Isabeli Pisano, bez niej bowiem ta książka nigdy by nie powstała. Nieprawdopodobnie ją kocham.

Jordiemu, mojemu przyjacielowi. Wiem, że czeka z długopisem w dłoni, żebym podpisała mu pierwszy egzemplarz.

Soemu, który bez szemrania zaakceptował moją izolację i który zawsze służył mi całą swoją pomocą i oparciem.

Mimi, która wielokrotnie zabierała mnie z mojego świata, żeby pokazać mi swój.

I w końcu Giovanniemu, który dał mi wszystko, nigdy o nic nie prosząc.

Dziękuję wszystkim z całego serca.

OD AUTORKI

Wszystkie imiona pojawiające się w książce zostały zmyślone, by obronić prywatność występujących w niej postaci. Jakiekolwiek podobieństwo tych imion do rzeczywistych osób jest czystym przypadkiem.

Mój bieg maratoński na 1200 metrów

Spotkania następują, ale nigdy nie są do siebie podobne...

Dziewictwo straciłam 17 lipca 1984 roku o godzinie 02.46,50 nad ranem. Miałam wtedy piętnaście lat, takiej chwili nie można zapomnieć nigdy.

Stało się to podczas pewnych wakacji, które spędzałam w górskiej wiosce, w domu babci mojej przyjaciółki Emmy.

Od razu zachwyciło mnie to miejsce, dając poczucie nieśmiertelności, oraz grupa chłopaków, z którymi się prowadzałyśmy. Ale tylko jeden zwrócił moją uwagę: Edouard.

Dom babci, otoczony przez prześliczny ogród, stał na brzegu malutkiej rzeczki, przydającej świeżości letniemu powietrzu. Naprzeciwko znajdowała się łąka zarośnięta trawą ponadmetrowej wysokości, charakterystyczną dla miejsc, w których z reguły często pada deszcz. Emma i ja całe dnie spędzałyśmy ukryte w tych zaroślach, gadając z chłopakami i gniotąc trawę ciężarami naszych dojrzałych gorących ciał. Nocami przechodziłyśmy przez mur otaczający dom, żeby znów spotkać się z chłopakami i flirtować.

Nigdy nie opowiedziałam Emmie, co się stało. Pewnej nocy Edouard zabrał mnie do swojego domu. Pamiętam, że nie czułam nic poza potwornym wstydem, że nie krwawię, i przedziwnym wrażeniem, że zsikałam się do łóżka. Uciekłam z jego domu, kryjąc się za hałasem wywołanym przez pociągnięcie łańcuszka w ubikacji, a lecąca woda zagłuszyła moje kroki na schodach.

Edouarda spotkałam jedenaście lat później w Paryżu, na konferencji zorganizowanej w jednym z hoteli. Zamknęliśmy się w męskiej toalecie, próbując przeżyć ponownie uniesienie, jakie odczuliśmy ponad dekadę wcześniej. Może zrobiliśmy to ze strachu, że dorośliśmy, a może z nostalgii. Nie było to już jednak to samo, i znowu pociągnięcie za łańcuszek w publicznej toalecie stało się zapowiedzią mojego odejścia z jego życia, tym razem na zawsze.

Po moim pierwszym razie pojawiło się poczucie winy, o którym chciałam zapomnieć lub przynajmniej je zmniejszyć, powtarzając te doświadczenia aż do osiągnięcia pełnoletności. Nie miałam jakiejś szczególnej ochoty na „te rzeczy", a nowych doświadczeń pragnęłam raczej z czystej ciekawości.

Początkowo zrzucałam winę za swój pociąg do mężczyzn na matkę naturę, która obdarzyła mnie wyjątkową wrażliwością, z jaką reagowało moje ciało; działo się tak do momentu, gdy wstąpiłam na uniwersytet pod koniec lat osiemdziesiątych.

W czasie studiów byłam znacznie wstrzemięźliwsza, bardziej koncentrowałam się na karierze niż interesowałam chłopcami. Pragnęłam pracować jako dyplomata. W końcu jednak musiałam zmienić kierunek studiów i, bez większego wysiłku, magisterium zrobiłam na kierunku Zarządzania i Lingwistyki Stosowanej.

Rodzina bardzo starannie mnie wychowała i wpoiła dobre maniery. Odebrałam dość tradycyjne wychowanie, w całości przesiąknięte całkowitym brakiem porozumienia, co sprawiło, że w coraz większym stopniu stawałam się introwertyczką i ukrywałam swoje uczucia. Panienka z dobrego domu, taka jak ja, nie mogła opowiedzieć swoim rodzicom, że dużo za wcześnie zaczęła wchodzić w dorosłe życie.

Na ostatnim roku studiów ponownie rzuciłam się w wir życia seksualnego. Zdałam też sobie sprawę z tego, że mam w sobie coś szczególnego, co przyciągało do mnie ludzi podobnej konduity. Będąc wiedźmą, zaczęłam poszukiwać we wszystkich zakątkach miasta urzekających Merlinów, ludzi z biglem, kochanków, u których małe żyłki widoczne pod skórą wywoływały dreszcz podniecenia. Mężczyzn, u których zawsze można było wyczuć mocny puls w nadgarstku. Facetów zdolnych usłyszeć długopis piszący po papierze i zachwycać się wielkością plamy atramentu na białej kartce. Samców, tak jak ja dostrzegających cząsteczki, z których składa się powietrze, obdarzonych percepcją pozwalającą im dostrzec różnice kolorystyczne tych cząsteczek. Ludzi, którym smród zatkanego kibla w dyskotece o czwartej nad ranem przypominał o nietrwałości ludzkiego bytu.

Ci ludzie pozwalali mi czuć, że żyję.

Wiem, że w gruncie rzeczy to poszukiwanie było objawem strasz-liwej choroby wynikającej z: ciszy, samotności, braku zrozumienia. Dlatego właśnie postanowiłam przekazać swoje doświadczenia w pamiętniku. Wydaje mi się, że to była jedyna forma oddania się i komunikowania z innymi osobami. Próbowałam tego wielokrotnie w bardziej naturalny sposób – używając języka; było to jednak nie-zręczne, ponieważ wyrzucałam z siebie słowa, nieświadoma tego co powiem. To było coś niedopuszczalnego i wróżącego fatalny początek dla przyszłego dyplomaty!

Moje prawdziwe porozumienie z ludźmi rozpoczęło się za pośrednictwem ciała, ruchu bioder, spojrzenia... Kiedy odpowiedź brzmiała „tak", była przekazywana poprzez zwilżenie warg językiem bądź spojrzenie, jeżeli „nie", dany osobnik krzyżował ramiona – wtedy rozumiałam.

Niektórzy mężczyźni uwielbiają, kiedy podczas aktu miłosnego kobieta mówi. Nigdy nie umiałam tego dobrze robić i przeżyłam przez to wiele nieprzyjemnych sytuacji. Mężczyźni znikali z mojego życia po pierwszej randce, uznając, że pod każdym względem byłam dobrą kochanką – brakowało nam tylko nici porozumienia.

– Co ty wiesz o zrozumieniu? – mówiłam, każąc delikwentowi wyjść i zatrzaskując mu drzwi przed nosem.

Zrozumiałam, że ludzie potrzebują, chcą, nazywać rzeczy po imieniu, upraszczając je za pomocą słów. Mylili się, uważając, że dzięki temu sami będą mogli je zrozumieć. A ja, wprost przeciwnie, starałam się coraz rzadziej komunikować za pomocą słów i coraz bardziej liczyć na porozumienie ciał.

Jeśli chcecie mnie jakoś nazwać... bardzo proszę! Nieważne! Wiedzcie jednak, że tak naprawdę jestem nimfą. Nereidą, driadą. Po prostu nimfomanką.

Coca-cola jest silnym afrodyzjakiem

20 marca 1997

Dzisiaj odebrałam w biurze telefon od Hassana. Hassan... Już od dwóch lat nie miałam od niego żadnej wiadomości.

„Ty łajzo" – to były pierwsze, słowa jakie od niego usłyszałam – „zniknęłaś z mapy. Ale widzisz, umiem cię znaleźć. W tym tygodniu muszę jechać do Barcelony, w sprawach mojego czasopisma. Mam ochotę się z tobą spotkać".

Hassan...

Byłam w związku z Hassanem przez dwa lata (ale nie z rzędu). Miał (może ma nadal?) szczególny zwyczaj wpychania mi do pochwy butelek po ćwierćlitrowej coca-coli. Najpierw kazał mi ją wypijać, a potem... Nie wiem skąd wzięła się ta obsesja coca-coli, a może lepiej – buteleczki. Sądzę, że Hassan cierpi na kompleks penisa, który, prawdę mówiąc, nie ma większych wartości ani czysto fizycznych, ani technicznych.

Poza uprawianiem seksu mało rozmawialiśmy, ale czytaliśmy razem „Małego Księcia" Saint-Exupéry'ego i dzieliliśmy marzenia o tym, czym jest prawdziwa historia miłosna, wzdychając jedno do drugiego. Zawsze jednak wiedziałam, że nie była to historia mojej miłości. On jest Marokańczykiem, a ja Francuzką. I w jakiś sposób dawało mu to poczucie, że mając mnie za kochankę, pieprzy całą Francję i jej kolonializm.

Zatem dzisiaj żadnego seksu, ale za to telefon i miłe perspektywy...

22 marca 1997

Dziś, kiedy wyszłam z domu, zobaczyłam na ulicy faceta i po tym, jak nasze spojrzenia się spotkały, postanowiliśmy się pieprzyć. W apartamencie hotelu Vía Augusta wziął mnie na ręce i zaniósł do kuchni, gdzie bardzo ostrożnie położył na marmurowym blacie, jakbym była porcelanową laleczką. Na początku nie miał odwagi mnie dotknąć. Ale później ściągnął ze mnie bawełnianą, mokrą od potu koszulkę i zbliżył ją do swojej twarzy. Nagle zaczął bardzo głęboko oddychać i powoli obwąchiwać moją koszulkę, centymetr po centymetrze, milimetr po milimetrze, każdą nitkę. Napawał się moim zapachem. Nie mogłam przestać na niego patrzeć, rozbawił mnie ten jego fetyszyzm, którego się nie spodziewałam. Na czole ma kropelki potu – błyszczą jak perły i umierają w jego brwiach. Delikatnie zbliżam się do niego i równie delikatnie muskam każdą z nich językiem, spijam je z niego. Mogę czuć jego oddech na policzku; nie oddycha równo. Podniecenie uciska mi podbrzusze, a uda same się rozsuwają. Nie mam już władzy nad własnym ciałem. Nagle czuję dyskomfort, moje ciało krzyczy, prosząc, by rozedrzeć mu skórę, żeby mogło się rozpuścić w tym nieznajomym. Pochyla się lekko i rozpoczyna poszukiwania pod moją spódnicą, aż w końcu znajduje elastyczny materiał moich majteczek. Oczywiście jestem przekonana, że zaraz je ze mnie zdejmie. Ale nic takiego się nie dzieje. Podnosi spódnicę i przesuwa majteczki na jedną stronę. Tak mnie bierze, cały czas patrząc mi w oczy i analizując wszystkie reakcje widoczne na mojej twarzy.

Kiedy rozstajemy się na ulicy, nie chcę go prosić o numer telefonu. On też nie zamierza mi go dać. Nie mam zwyczaju zobowiązywać się do takich jak to spotkań obietnicami, że jeszcze je powtórzymy. Ponowne zrobienie tego samego z nim nie interesuje mnie. Wolę znaleźć innego na ulicy.

23 marca 1997

Dziś Hassan przyjeżdża do Barcelony. Umówiliśmy się w hotelu Majestic.

– Przyjdź o siódmej po południu. Poproś o klucz w recepcji i idź natychmiast do pokoju. Przyjadę trochę później. Proszę cię o zachowanie dyskrecji. Przyjdę ze swoimi ochroniarzami. No to w porządku, już wiesz co masz robić – powiedział mi przez telefon tego ranka.

Zjawiam się w hotelu za pięć siódma. Proszę o klucz i wjeżdżam na górę windą, w której paru zagranicznych otyłych biznesmenów tańczy ze mną tak długo, aż znajdują kącik, w którym prawie mnie miażdżą. Sam widok takiej ilości ciała przepełnionego cholesterolem doprowadza mnie niemal do mdłości. To pewne, że nie mogą mieć udanego życia seksualnego. Poza tym faceci tego typu zazwyczaj zostawiają kobietę mokrą od ich potu, bo pocą się jak świnie.

Kiedy drzwi otwierają się na moim piętrze, wysiadam z windy, wiedząc, że świnie dokładnie obserwują mnie od pasa w dół, szczególnie natrętnie przyglądając się mojemu tyłkowi. Jeśli nadal będą się tak zachowywać, zabiorę ich wszystkich do apartamentu, chociaż mam coś ciekawszego do roboty.

Otwieram drzwi pokoju, odsuwam zasłony, żeby wpuścić trochę światła, a w następnej chwili podchodzę do minibaru ze zdecydowanym postanowieniem, że wyrzucę stamtąd wszystkie ćwierćlitrowe butelki coca-coli. Nie mam dziś nastroju do kolejnej sesji sado-maso, nawet gdyby chodziło o wersję *light*. Wręcz przeciwnie, jestem gotowa wykonać mój najlepszy *striptease*, z wymyślnym tańcem brzucha, ale bez zasłon.

Zawsze tuż przed randką staję się bardzo nerwowa. Tym razem włączam telewizor i zaczynam wykonywać ćwiczenia oddechowe w rytm uderzeń serca, w końcu usypiam. Budzi mnie hałas przy drzwiach. To on.

– Jeszcze się nie rozebrałaś? – pyta mnie z wyrzutem.

Striptease, który zaplanowałam, poszedł w diabły. Hassan uprawia ze mną miłość w ciszy, czego nigdy wcześniej nie robił, na dywanie apartamentu. Wielokrotnie zmieniamy pozycje, jakby dla zadośćuczynienia niewygodzie podłogi i łaskotkom wywoływanym przez włosie dywanu. Zastanawiam się, ile milionów roztoczy rozgnietliśmy; już sama ta myśl sprawia, że kicham przez kilka minut. Hassan wyciąga mnie z tego mikroskopijnego zoo, pieszcząc całe moje ciało, i zaskakuje mnie ilością czasu, jaką poświęca na sprawienie mi rozkoszy, całkowicie zapominając o sobie. To jego własna metoda na ponowne spotkanie, bez konieczności rozmowy, po tak długim rozstaniu. Zaczynam wierzyć, że pewne osoby, jak dobre wino, stają się coraz lepsze z biegiem lat.

– Przypominasz mi pewną przyjaciółkę, aktorkę, z którą byłem – mówi, głaszcząc moje włosy, po tym jak spuścił mi się na brzuch. – Zawsze powtarzała: „Nie zdajesz sobie nawet sprawy z tego, ile kilometrów musiałam przejechać, żeby stać się sławna!".

Zaczyna się śmiać.

– To była marokańska aktorka?

Kiwa głową, zaciągając się dymem z papierosa, którego właśnie zapalił. Wsuwa mi go później do ust, chociaż nigdy nie lubiłam czuć na wargach smaku filtra zwilżonego przez kogoś innego. Mimo wszystko godzę się na to.

– Niesamowite! W Europie to byłoby normalne, ale w Maroku? A poza tym, co to wszystko ma wspólnego ze mną? – pytam trochę poważnie, a trochę rozbawiona, opierając się na lewym łokciu.

– Nic. Tylko tyle, że mi ją przypominasz.

Po zaimprowizowanym *fellatio* obliczam, że jeśli przeciętna długość męskiego członka wynosi dwanaście centymetrów, to, żeby przekroczyć kilometr i osiągnąć nędzne tysiąc dwieście metrów, będę musiała to zrobić z dziesięcioma tysiącami mężczyzn. A przynajmniej dziesięć tysięcy razy z jednym mężczyzną. Ta druga opcja nie wydaje mi się zbyt pociągająca. Lepiej byłoby to zrobić z dziesięcioma tysiącami mężczyzn. Pozostanę przy tym wariancie.

– Pieprzyć twoją przyjaciółkę, Hassan!

– I co z nią? – pyta, ciągle pochylony nade mną.

Wyzwalam się z jego ramion i wstaję, żeby pójść do toalety. Jestem lepka i chcę zetrzeć z siebie spermę papierem toaletowym, a potem wziąć prysznic.

Nie zamierzam spać z nim tej nocy. Muszę wstać wcześnie rano, ponieważ mam zaplanowane ważne spotkanie. Kiedy Hassan zasypia, wychodzę cicho z pokoju. Zawsze wychodzę jak kot.

Dziesięć tysięcy mężczyzn. Pewnego dnia wykonam swoje własne obliczenia.

25 marca 1997

– Jedziesz ze mną do Madrytu? – pyta mnie Hassan. – Nie mogę stracić tego spotkania w La Zarzuela. Chciałbym, żebyś mi pomogła, przynajmniej w tłumaczeniach periodyków dotyczących wypadków.

Z pewną dozą ostrożności postanowiłam się zgodzić. Zarezerwowałam apartament w hotelu Michała Anioła i wsiedliśmy do ostatniego samolotu tego popołudnia. W samym środku lotu zaczął bezwstydnie dotykać moich nóg, czytając w tym czasie gazetę. Zauważyłam, że siedzący obok nas ludzie czują się skrępowani, więc rozsunęłam nieco uda, tak żeby mógł swobodnie gładzić wewnętrzną stronę jednego z nich. Poruszeni skandalicznym zachowaniem ludzie odwracają głowy. Od czasu do czasu spoglądają na nas, nieznacznie, tak żeby ich nikt nie widział. Napotykają jednak mój wzrok i znów ze złością odwracają głowy. Zawsze hipokryzja ludzka budziła we mnie niesmak – niby zszokowani, zwracają oczy ku niebu, chociaż bezsprzecznie nie są w stanie pozbyć się żarłocznej ciekawości, co też wydarzy się dalej.

Kiedy przyjechaliśmy do hotelu, Hassan dał mi do zrozumienia, że chciałby wziąć mnie pod prysznicem. Bardzo spodobał mi się ten pomysł. W końcu w łazience, stojąc za moimi plecami w strugach wody płynącej po moim ciele i jego nogach, chwyta mydło i zaczyna pieścić moje łono. Następnie obejmuje mnie ramieniem, sięgając do moich piersi. Bawi się nimi, próbując okrężnymi ruchami narysować na nich Bóg wie co. Odświeżający dotyk wody i piany z mydła powodują natychmiastową reakcję mojego ciała. Hassan intensyfikuje działanie swoich dłoni, aż do momentu, kiedy sięgam ręką do tyłu i kieruję jego członek we właściwe miejsce. Penetruje mnie przez jakieś pięć minut, a potem oboje jednocześnie przeżywamy orgazm.

26 marca 1997

W czasie gdy Hassan spotykał się ze swoim następcą tronu, próbowałam zlokalizować Victora Lópeza pracującego w biurze niezbyt oddalonym od mojego hotelu. Poznaliśmy się z Victorem na Santo Domingo, gdzie kochaliśmy się na Playa Bávaro w każdy weekend, bez wstydu, dzięki bardzo rozległej i prawie pustej plaży. W tygodniu ja byłam na Santo Domingo, a on w Santiago de los Caballeros. Dzieliło nas czterysta kilometrów. Chciałabym teraz się z nim zobaczyć, siedzę bowiem sama w apartamencie i się nudzę.

– Kto mówi? – pyta mnie niegrzecznym tonem sekretarka. Z pewnością jest, jak wiele innych, zakochana w swoim szefie, i kiedy ma połączyć rozmowę z inną kobietą, staje się zazdrosna. A już szczególnie wtedy, gdy kobieta wydaje się sympatyczna.

– Jestem przyjaciółką Victora – odpowiadam słodko, żeby zrównoważyć jej zły humor.

– Teraz nie mogę połączyć, jest nieosiągalny. Proszę zostawić numer telefonu i oddzwonię, jak tylko szef będzie wolny.

Jeśli nie przekażesz mu mojej wiadomości, zabiję cię – myślę.

Po godzinie dzwoni do mnie Victor.

– Nie wierzę! W jakiej części świata teraz jesteś? – pyta mnie uradowany.

– Dałam numer swojej komórki twojej sekretarce, żeby cię zmylić, ale jestem bardzo blisko ciebie, Victorze. – Mój tajemniczy ton intryguje go.

– Ach, tak?

Po jego głosie poznaję, że jest zazdrosny, domyślając się, gdzie mogę teraz być.

– Powiedz, gdzie jesteś?

– W Madrycie. W hotelu Michał Anioł. Ale nie przyjechałam sama, więc mogę się z tobą umówić tylko na szybką kawę.

– Cholera! Nie rób mi tego! Zapraszam cię na kolację. Ty zawsze pojawiasz się i znikasz w taki sposób. Kiedy będę miał to szczęście, by mieć cię dłużej niż przez godzinę?

Victor jest wyraźnie zdesperowany.

– Może będę mogła zjeść z tobą kolację, ale to nie zależy ode mnie, tylko od tego, czy osoba, z którą jestem, będzie miała dziś wieczór służbowe spotkanie. Umówmy się na kawę, a potem zobaczymy, okej?

Odkładam słuchawkę i gnam do łazienki, żeby choć trochę się odświeżyć, zgarniam pod pachę żakiet i zapalam papierosa. Kiedy palę, siedząc na sofie – muszę odczekać trochę czasu, bo nienawidzę przychodzić pierwsza – zaczynam myśleć o „sprzęcie" Victora. Jak pachniał? Jak Victor uprawiał miłość? Przypominam sobie kilka scen z naszych spotkań i już wiem! Victor był misjonarzem! Uznałam, że to bardzo mało prawdopodobne, żebym mogła teraz pójść z nim do łóżka.

Kończę papierosa i schodzę do holu. Rozglądam się, sprawdzając, czy już przyjechał.

Nagle ktoś staje obok i łapie mnie wpół, nie pozwalając mi się odwrócić. Po chwili trzyma mnie w ramionach. Pozostajemy w tej pozycji przez kilka minut, pod zgorszonym wzrokiem recepcjonistek, które posyłają nam ukradkowe uśmiechy i spuszczają głowy, udając, że pracują. Victor unosi palcami mój podbródek i patrzy mi w oczy, po czym całuje mnie w policzki.

– Tak się cieszę, że cię widzę! Myślałem, że jesteś w jakimś dalekim kraju i podpisujesz kontrakty. Nadal pracujesz w tej samej firmie?

– Tak, ale zaszły korzystne dla mnie zmiany, więc raczej w najbliższej przyszłości mnie nie zwolnią. W każdym razie czekają mnie dwie ważne podróże służbowe. Na razie za tydzień jadę do Francji, żeby odwiedzić babcię. A potem wyjeżdżam służbowo do Meksyku i Peru. Nie przejmuję się zbytnio sprawami organizacyjnymi. Jadę. Zobaczymy, co będzie po moim powrocie!

– A co przywiodło cię do Madrytu? Sprawy zawodowe?

– Nie całkiem. Wzięłam kilka wolnych dni, żeby dotrzymać towarzystwa przyjacielowi, szefowi pewnego czasopisma, który ma tu spotkanie na szczeblu dyplomatycznym.

Widzę, że moja odpowiedź go nie przekonuje.

– Jest coś więcej. No już! Powiedz mi prawdę.

Wyjaśniam mu, na czym polega moja znajomość z Hassanem.

– Dobra, ten facet jest moim przyjacielem z prawem do ocieractwa. Ale to cię nie zaskakuje, prawda?

– To właśnie ta przyjaciółka, którą znam! Właśnie tak! To mi się podoba! Opowiadaj, opowiadaj dalej. Jesteś jedyną osobą, z którą mogę rozmawiać na te tematy bez skrępowania. Co u niego?

Victor był naprawdę zaciekawiony, a wiem, że Victor zachowuje się naturalnie tylko wówczas, gdy jest ze mną.

– Nie będę się wdawać w szczegóły. Powiem ci tylko, że jest fajnie, chociaż mogłoby być lepiej.

– Lepiej? Jak to? Dobra, chodź. Napijemy się czegoś w barze

i wszystko mi opowiesz – mówi z taką miną, jakby chciał wiedzieć wszystko o moim związku z Hassanem.

Oczywiście, nic ze mnie nie wyciągnął. Nigdy nie lubiłam opowiadać o swoim życiu seksualnym, a już zwłaszcza o kimś takim jak Hassan. Opowiadałam, z detalami, o nieznajomych mężczyznach, ale nigdy o Hassanie.

Pożegnaliśmy się po dwóch godzinach, podczas których znalazłam wystarczająco dużo okazji, żeby rozmowa skupiła się na Victorze i jego życiu.

Byłam bardzo zaskoczona, kiedy po powrocie do pokoju zastałam w łazience kąpiącego się Hassana.

– Co ty tu robisz tak wcześnie? – spytałam.

Wyraźnie obrażony, odpowiedział mi pytaniem:

– A gdzie ty byłaś?

Tej nocy nie kochaliśmy się. Powiedział, że jest zmęczony, ale ja wiedziałam, że chciał mnie ukarać za skupienie uwagi na kimś innym.

27 marca 1997

Dzisiaj Hassan wyszedł wcześnie z hotelu, ponieważ w Pałacu Zarzuela odbywała się konferencja prasowa. Ubierając się, przeglądał listę pytań zapisaną na poskładanych kartkach. W tym czasie ja kombinowałam, jak powinnam zorganizować sobie ten dzień. Dziś miałam cztery kontakty seksualne. Dwa rano i dwa wieczorem. Doskonała równowaga.

Pierwszy raz zdarzył się w metrze. Jakiś facet dotknął mojego tyłka pod pretekstem, że wagon jest zatłoczony, a on nie ma co zrobić z rękami. Wysiedliśmy na następnej stacji i w automacie do robienia zdjęć, na poczekaniu, smakowałam łakomie jego gorący seks.

Drugi raz nastąpił około pierwszej po południu, po tym jak kupiłam sobie kanapkę. Jadłam ją właśnie za drzewem w parku Retiro, w pobliżu Kryształowego Pałacu. Wokół skakały wiewiórki, przywodzące mi na myśl maleńkich, włochatych, zalęknionych ludzików. W pewnej chwili podszedł do mnie jakiś typ i zapytał, czy nie przespałabym się z nim za pieniądze. Odrzuciłam propozycję dotyczącą pieniędzy, ale zgodziłam się z nim popieścić. Gówno mnie obchodzą pieniądze. Moja ciekawość nigdy nie pozwoliła mi przystać na tego typu układ handlowy. Poza tym uważam, że jestem bezcenna. Między nami nie doszło do zbliżenia. Mimo że bardzo koncentrowałam się na swoim zajęciu, musiałam uważać na spacerujących po parku ludzi. Nie chciałam wylądować na komisariacie eskortowana przez dwóch policjantów.

Po południu spotkałam się po raz drugi z Victorem, który przyszedł wprost do mojego apartamentu w hotelu. Wiedziałam, że Hassan wróci dopiero bardzo późnym wieczorem, poświęciłam więc trochę czasu, żeby skorzystać z towarzystwa mojego przyjaciela. Zaczęliśmy wspominać chwile z przeszłości, które spędziliśmy razem na Santo Domingo, gdy nagle, nie pytając o zgodę, Victor objął mnie i mocno przytulił, po czym zwarliśmy się w pocałunku, który był wielce obiecujący. Zdjęłam mu koszulę, obnażając silny tors, cudownie owłosiony. Dowodem na to, jak bardzo mnie pragnął, był bijący od niego żar. Zdjął mi bluzkę, zbliżył dłonie do moich piersi, uwięzionych w zbyt małym staniku, który uwypuklał i podnosił je, a potem powolutku zaczął palcami rysować na moim ciele kształt kieliszka. Położył mnie delikatnie na łóżku, podtrzymując moją głowę jedną ręką. Całował moje nogi, skubiąc je delikatnie wilgotnymi wargami, a ciszę panującą w apartamencie wypełniły drobne dźwięki wydawane przez jego łakome usta smakujące moją skórę. Moje podniecenie sięgnęło szczytu, kiedy jego usta otoczyły mój seks i nie ustawały w pieszczocie. Gdy oboje osiągnęliśmy spełnienie, postanowiliśmy zrobić to jeszcze raz. Tym razem ja przejęłam inicjatywę. Wiedziałam, że to mu się spodoba.

Po powrocie, wieczorem, Hassan znajduje mnie wyciągniętą na łóżku i wpatrzoną w telewizor. Nie wygląda na to, żeby coś podejrzewał. Nadal jednak jest w nie najlepszym humorze. Informuje mnie, że następnego dnia rano musi jechać do Maroka i że pożegnamy się na lotnisku.

Spotkanie z Cristiánem

28 marca 1997

Wcześnie rano byliśmy już na Barajas. Hassan pożegnał się ze mną szybko i chłodno, ponieważ nie lubi publicznie okazywać uczuć. To kwestia wychowania. Nie wiem, kiedy znów go zobaczę. Zresztą nie pytam go o to. Łapię połączenie lotnicze, dzięki czemu rozpoczynam mój zaharowany dzień w Barcelonie. Później, w nocy, mam zaplanowaną randkę – pewien dyrektor banku, któremu swojego czasu dałam wizytówkę z ręcznie wypisanym z tyłu telefonem prywatnym, zaprosił mnie na kolację. Nigdy nie sądziłam, że do mnie zadzwoni, a jednak to zrobił. Tej nocy zatem będę musiała się wyjątkowo dobrze prezentować.

Po całym dniu pracy rozpoczynam rytuał poprzedzający każdą randkę i biorę kąpiel. Używam mojego żelu pod prysznic o zapachu drzewa sandałowego od Cabtree and Evelyn, doskonałego na tego rodzaju spotkania. Zachwyca mnie ten zapach, ponieważ powszechnie uważa się, że woń drzewa sandałowego pobudza żądze, to znaczy jest afrodyzjakiem. Delikatna woń hipnotyzuje mnie, a pożądanie wywołuje dreszcze. Wylewam żel na dłoń, by rozprowadzić go po stopach i nogach. Kiedy pokrywa już całe moje ciało, zapalam papierosa – przez ten czas zapach drzewa sandałowego wsiąknie w moją skórę. Po kąpieli perfumuję się tym samym zapachem.

Ubierając się – a na dzisiejszy wieczór wybrałam suknię wieczorową, przezroczyste pończochy i pantofle na wysokim obcasie – myślę o momentach poprzedzających spotkanie, pełnych emocji i pożądania, najlepszych. Dlatego dzisiaj nie mam najmniejszej ochoty oddać się zbyt łatwo. Chcę, żeby te chwile trwały. Najpierw pójdziemy na kolację, podczas której będę go prowokowała i podaruję mu moje majteczki i pończochy, żeby sobie wyobraził, co może zdarzyć się później. Niech myśli o każdym milimetrze mojego ciała, nie dotykając go. Niech poczuje woń mojego pożądania. Niech pomyśli, jak ja smakuję, przeżuwając kawałek antrykotu w papryce.

Zrobiłam makijaż, ale nie za mocny – nie chcę skończyć z różem spływającym mi z policzków już przy pierwszym zbliżeniu. Taki efekt może każdemu dać odczuć, że zadał się z tanią kurwą, i jest niesmaczny. Błyszczyk na wargi. Róż na policzki. Narysowałam sobie delikatną białą kreskę po wewnętrznej stronie dolnych powiek i uważam, że to wystarczy.

Dzwonek rozległ się o umówionej porze i po zejściu na dół ujrzałam rzeczywiście bardzo atrakcyjnego mężczyznę. Ciekawe, dlaczego go takim nie zapamiętałam. Ma jedwabny, granatowy krawat z lekkim odcieniem fioletu. W garniturze o klasycznym kroju, również granatowym, i nieskazitelnie białej koszuli jest tak elegancki, że wprost nie można mu się oprzeć. Zauważając kątem oka jego buty, domyślam się, że wyczyścił je tuż przed przyjściem na spotkanie ze mną. Ten drobiazg świadczy o tym, że bardzo mu zależy na osiągnięciu celu.

Cristián ma uśmiech amerykańskiego aktora z lat pięćdziesiątych z dwoma malutkimi dołeczkami w policzkach. Kiedy spotkałam go po raz pierwszy, wyczułam, że jest ogromnie wrażliwy. Uznałam, że musi być świetnym kochankiem.

Oczywiście tej nocy nie dochodzi do niczego między nami. Mimo że nie rozmawialiśmy zbyt wiele, nie odważyłam się zrealizować planu przewidzianego na ten wieczór, żeby przełamać ciszę. Żadnych pończoch podarowanych pod stołem, żadnych sugestii z mojej strony. Zaproponował mi ponowne spotkanie, i robiąc wyjątek w moim własnym kodeksie, zgodziłam się, mówiąc „tak".

Noc 29 marca 1997

Pojechałam odwiedzić Franca, włoskiego przyjaciela, i jego rodzinę w ich wiejskim domu. Wieczorem szybko zasnęłam, odurzona świeżym powietrzem. Miałam ciekawy sen, z którego najlepiej sobie przypominam zmianę mojego wizerunku. We śnie miałam ufarbowane na czarno włosy, jak Japonka, przycięte trochę powyżej ramion, a na głowie jakąś ozdobę, której frędzle prawie całkiem zasłaniały mi oczy. To była peruka. Podeszłam do lustra, żeby się sobie przyjrzeć. Cały czas miałam wrażenie, że zmuszono mnie do takiego przebrania. Jednakże dla typu pracy, którą wykonywałam, było ono bardzo odpowiednie. Pamiętam, że byłam – z wieloma innymi dziewczynami – w jakiegoś rodzaju klasztorze. Nocami pracowałyśmy na pierwszym piętrze, na którym znajdował się, mówiąc otwarcie, lokal z gejszami. Obudziłam się cała spocona i zapaliłam pachnącą świecę, żeby się odprężyć. Odetchnęłam parę razy słodkim zapachem świecy i położyłam się na plecach, z rękami za głową wsuniętymi pod poduszki. Rozpoczęłam wtedy coś w rodzaju podróży w przestrzeni. To może wydawać się dziwne, ale widziałam wówczas swoją duszę unoszącą się i latającą nad moim ciałem. Nagle poczułam, że ktoś (wydaje mi się, że był to mężczyzna) chwycił moje ręce i pociągnął, chcąc zabrać mnie ze sobą. Szarpałam się, ale sposób, w jaki mnie trzymał, uniemożliwiał mi swobodę ruchów. Kiedy nie udało mu się powlec mnie ze sobą, podniósł się nagle i opadł na moje ciało, dążąc do zbliżenia. Pamiętam tylko, że miał na sobie ciemną tunikę. Żeby nie pozwolić mu na wejście we mnie, ponownie zapaliłam światło i przypaliłam sobie papierosa. Miałam wrażenie, że nie jestem sama w pokoju. Bałam się.

Moja przyjaciółka Sonia przedstawiła mi swoją interpretację tego snu, tłumacząc mi, że mężczyzna w czarnej tunice uosabia wszystkie moje fobie i negatywną energię, i że dobrym znakiem jest to, iż udało mi się od niego uwolnić.

– To wiadomość o początku nowego etapu w twoim życiu – powiedziała. Była dumna, że przez jeden dzień może uchodzić za jasnowidza.

30 marca 1997

W końcu wyjechałam do Francji do mojej babci, mojej ukochanej Mami. Po niekończących się poszturchiwaniach i wilgotnych całusach w obydwa policzki, idę rozpakować walizkę w pokoju, który tak starannie dla mnie przygotowała. Spokojnie jemy razem kolację, a później idę się powłóczyć po wsi i okolicach. Wczoraj mocno padało i tego wieczoru powietrze ma świeży zapach. Zdecydowałam się pójść na cmentarz. Jest to dla mnie szczególne miejsce, a już zwłaszcza wtedy, gdy wokół panuje półmrok i cisza. Muszę pomyśleć. Kiedy spaceruję alejkami, zapach ziemi wierci mnie w nosie, tak jakby wszyscy leżący tutaj nasycili ją swoimi ciałami i kośćmi, nadając jej w ten sposób specyficzny charakter. Nagle moją uwagę zwraca ogromny, wspaniały marmurowy grób i nie mogę się powstrzymać, żeby się do niego nie zbliżyć. Zaczynam pieścić zimny marmur. Ten kontakt jest jednostronny, ale przynosi mi natychmiast pocieszenie i spokój. Wyobrażam sobie, że najlepszym uwieńczeniem tej sytuacji byłoby roześmianie się śmierci w nos praktyką samego życia, czyli uprawianiem miłości na grobie.

Odgłos skrzypiących gałęzi albo czyichś kroków na opadłych liściach wyrywa mnie nagle z tego abstrakcyjnego zamyślenia. Być może to wyobraźnia bawi się ze mną w swoje gry, postanawiam więc nie niepokoić się, dopóki nie zobaczę światła. Jestem przestraszona, ale jednocześnie zaciekawiona, i idę w kierunku światła, które z każdym krokiem staje się coraz większe, tak wielkie jak księżyc, który spadł z nieba na ziemię. To chyba latarka. Świadomość, że nie jestem tu sama, sprawia, że drżę. Czuję, jak wilgotnieją mi dłonie, sama nie wiem, czy ze strachu, czy z podniecenia. Nagle dobiegają do mnie głosy. Widzę sylwetki dwóch mężczyzn, które z każdą chwilą stają się wyraźniejsze. Po chwili orientuję się, że kopią dół pośrodku cmentarza. Jeden z nich zauważa moją obecność.

– Czy ktoś tu jest?

Zbliżam się do nich i staję bezpośrednio przed strumieniem światła płynącego z latarki.

– Przepraszam, usłyszałam hałasy i przyszłam, żeby zobaczyć, co się dzieje.

– To nie jest odpowiednia pora na spacery po cmentarzu, panienko – zwraca mi uwagę jeden z nich, oglądając mnie od góry do dołu i oświetlając latarką. – Nie jest pani przesądna!

– Dlaczego pan tak mówi? Nie wierzę w żywe trupy, wie pan?

Mężczyźni wybuchają śmiechem.

– Jutro będzie pogrzeb i dlatego kopiemy grób o tej porze – mówi ten drugi.

Zerkam na jego spodnie i widzę, że się wybrzuszyły. Zauważywszy moje spojrzenie, mówi:

– Ludzka natura nigdy nie śpi, nawet w takich miejscach.

Przygląda mi się uważnie, a ponieważ moje oczy przyzwyczaiły się już do ciemności, mogę dojrzeć, jak zmienia się wyraz jego twarzy, choć niezbyt wyraźnie dostrzegam rysy mężczyzny.

Mam na sobie długą, czarną spódnicę, dopasowany top z krótkimi rękawami i golfem, w tym samym kolorze, i sandały. Mimo że jestem całkowicie okryta, top jest bardzo cienki i odrobina ostrego powietrza sprawia, że moje ciało reaguje. Czuję, jak brodawki sztywnieją, i zaczynam coraz szybciej oddychać. W ciszy panującej w tym miejscu mam wrażenie, że obydwaj mężczyźni mogą usłyszeć mój oddech i że przyglądają się moim piersiom.

Jeden z nich nagle zbliża się do mnie. Zaczyna delikatnie dotykać moich włosów, pieści moją twarz i wkłada mi dwa palce do ust.

– Possij je! – szepce.

Jestem posłuszna. Drugi ustawił się za mną, dotykając pobrudzonymi błotem dłońmi mojego tyłka. Zadziera mi spódnicę i zrywa majteczki, po czym unosi je do twarzy, żeby powąchać.

– Kochanie, ty naprawdę pachniesz życiem – mówi podniecony.

Pochyla się i bierze w garść trochę świeżo wykopanej ziemi. Zaczyna wmasowywać ją w moją pupę. Ja nadal ssę palce jego kolegi, przesuwając po nich językiem. Jego ręce mają dziwny zapach, to ręce człowieka pracującego fizycznie – poznaję to po tym, jak twarda jest pokrywająca je skóra.

Ten drugi zdejmuje spodnie, chwyta swój penis w prawą rękę i zaczyna się onanizować, wpatrując się jednocześnie w mój tyłek w świetle latarki.

– Twoja dupcia jest grzechu warta, dziewczynko!

Mimo że nie widzę jego twarzy, mogę poczuć siłę, z jaką się pociera, i to podnieca mnie jeszcze bardziej. Po chwili wiążą mi ręce sznurem, jeden z nich przewraca mnie na ziemię, tuż obok dołu wykopanego na jutrzejszy pogrzeb, i moja głowa zwisa, tak że mogę zobaczyć dno grobu. Czuję, że jeden już wytrysnął, gdy nieprawdopodobne gorąco zalewa mój brzuch. Drugi latarką oświetla moją twarz, tak jakby zamierzał mnie przesłuchiwać.

– Na pewno jej się podoba!

Ten od latarki nagle gwałtownym ruchem chwyta moją głowę i wkłada mi członek do ust. Kontakt z moją śliną sprawia, że natychmiast ma wytrysk i zalewa moje podniebienie i dziąsła. Tracę przytomność.

Nie wiem ile czasu minęło – minuty, może godziny. Podnoszę się, jestem zupełnie sama i brudna, boli mnie całe ciało. Poza tym nie ma żadnych śladów, sznur też zniknął. Postanawiam wrócić do domu.

31 marca 1997

Spędzam cały dzień na rozmyślaniu o tym, co zdarzyło się wczoraj, podczas gdy Mami robi na drutach, raz po raz spoglądając na mnie, zaintrygowana poważną miną, jaką mam, pisząc dziennik. Siedzę w małym foteliku, przykrytym kocem, żeby nie zniszczyło się obicie, ponieważ Bigudí – kot – uwielbia się na nim kłaść i myć. Bigudí siedzi przede mną, przyglądając mi się z zazdrością, gdyż zajęłam jego ulubione miejsce. Biorę go na ręce, całuję w główkę i głaszczę, żeby zaśpiewał mi moją ulubioną piosenkę, pomruk świadczący o przyjemności i zadowoleniu. Zamykam dziennik, żeby kot mógł wygodniej ułożyć mi się na kolanach, ale Bigudí, który jest bardzo uparty, nadal siedzi, nie spuszczając mnie z oczu.

– Dzisiaj znów będzie padać – mówię po chwili do Mami, obserwując, jak kot myje sobie futerko za uszami.

– To dobrze dla ogrodu – odpowiada mi z lekkim uśmiechem na ustach.

Mami zawsze się uśmiecha. Jest przemiłą babcią. Ma około metra osiemdziesięciu wzrostu i podczas drugiej wojny światowej współpracowała z ruchem oporu, przemierzając lasy, żeby dostarczyć informacje ukryte w dziecięcym wózeczku. Uwielbiam ją za to.

Przyglądam się jej uważnie, podczas gdy przerabia jedno po drugim wełniane oczka. Nie znam Mami o innym wyrazie twarzy, niż ma teraz. To tak, jakby miała amnezję przez całe życie, albo jakbym to ja straciła pamięć.

– Miałaś jakiegoś kochanka, zanim poznałaś Papi?

Wydaje się, że moje pytanie jej nie zaskoczyło. Odpowiada mi spokojnie, nie przestając koncentrować się na drutach.

– Twój dziadek był jedynym mężczyzną w moim życiu. Wyszłam za niego, ponieważ musiałam. Ale nauczyłam się go kochać. Pamiętaj, że, tak jak mówili w jakimś filmie, kobieta bez wykształcenia ma do wyboru dwie drogi w życiu: małżeństwo albo prostytucję, co właściwie wychodzi na jedno, prawda? Nigdy nie miałam przygody z innym mężczyzną, jeśli o to ci chodzi, nawet zanim poznałam twojego dziadka.

– A gdybyś mogła zacząć od początku, co byś zrobiła?

– Zaliczałabym wszystkie przygody świata, córeczko – odpowiada, śmiejąc się.

Teraz już wiem skąd mam tak liberalny charakter. Wstaję i dwukrotnie ją całuję, jakby w nagrodę za szczerość i zwierzenie, którymi mnie właśnie obdarzyła.

– Ach! Możesz w listach do mnie opisywać mi z detalami swoje przygody, kochanie.

– Obiecuję.

1 kwietnia 1997

Esperanza, Esperanza, umie tylko tańczyć cha-chę.
Esperanza, Esperanza, umie tylko tańczyć cha-chę.

Radio w taksówce, którą złapałam na lotnisku w Barcelonie, jest nastawione na maksymalną głośność. Musiałam kilkakrotnie krzyczeć do taksówkarza, podając mu adres. Nawet nie przyszło mu do głowy, żeby ściszyć radio. W samochodzie jest pełno dewocjonaliów, a na lusterku wstecznym widnieje przyklejone zdjęcie jakiegoś świętego, nie mam pojęcia jakiego. Z tyłu nawet piesek produkowany w latach sześćdziesiątych, który porusza łebkiem i nieustannie pozdrawia wszystkie jadące za nami samochody, ma przyczepiony do obroży krzyżyk.

– Pani jest z *France*? Od razu zauważyłem, panienko. Co? Przyjechała pani tutaj na wakacje?

Nie mam ochoty z nim rozmawiać i odpowiadam tylko skinieniem głowy. Wygląda na to, że nie rozumie, i cały czas gada.

– Mówię *un petit peu* po francusku. Również *speankin inglis*.

– *Speaking english* – poprawiam go.

– Jak? No właśnie, *speankin inglis* – powtarza z dumą. – Kiedy byłem młody, pojechałam do Anglii pracować jako kucharz, wie pani? I tam nauczyłem się trochę języka. Ale od tamtej pory minęło już wiele lat i mało co pamiętam. Ale nadal gotuję dla mojej żony, nie może narzekać. We wszystkie niedziele przygotowuję jej fideuá, wie pani? To wcale niełatwo zrobić dobrze, jak Pan Bóg przykazał.

Kiedy już taksówkarz opowiedział mi wszystko o kulinarnych gustach swojej żony, o pracy swoich dzieci, jakimi są dobrymi chłopcami – wie pani? – i o tym, jak to dobrze, że jego synowie znaleźli sobie żony we wsi, z której pochodzi, pożegnałam się z nim, dając mu duży napiwek.

Jest dość późno, ale może złapię jeszcze tego dyrektora banku, z którym się niedawno spotkałam. Mam ochotę go zobaczyć i zacząć to, czego nie zrobiłam podczas kolacji tamtego wieczora. Dzwonię do niego i zgłasza się poczta głosowa, więc zostawiam mu wiadomość:

– Zadzwoń do mnie na numer 644 44 44 42, o dowolnej porze.

O każdej porze? Pomyśli, że coś mi się stało albo że jestem dziwką. Wszystko mi jedno. W ten sposób przekonam się, czy naprawdę go interesuję.

Pierwsza nad ranem, nic. Druga, ciągle nic. Jest trzecia, już nie mogę, idę spać. Wpół do piątej wciąż wiercę się w łóżku, nie mogąc zmrużyć oka. Za piętnaście piąta idę zrobić siusiu. Piąta, na Boga! Nie mogę zasnąć. Kwadrans po piątej zjadam budyń czekoladowy. Dokładka? Nic z tego. Tej nocy nie mogłam spać, więc rano źle wyglądam i mam taką ochotę na seks, że nawet moja ręka nie jest w stanie jej dziś zaspokoić.

2 kwietnia 1997

Dzień mija mi dość kiepsko, ponieważ jestem zmęczona po tej nieprzespanej nocy. Rano byłam w złym humorze, a poza tym musiałam przygotować się do podróży do Peru i załatwić wszystkie związane z nią formalności. Koledzy o nic mnie nie pytali, nie odważyli się, ale byłam tak blada, że Marta, sekretarka, zapytała mnie, czy nie potrzebuję może trochę glukozy, na przykład coca-coli, żeby odzyskać siły.

– Nienawidzę jej! – powiedziałam, nie odwracając głowy od komputera.

Redaguję tekst faksu umawiającego mnie na spotkanie w pewnej peruwiańskiej firmie.

„W oczekiwaniu na naszą coca-colę, z wyrazami szacunku, pozdrawiam". Po uważnym przeczytaniu zdaję sobie sprawę z tego, że trzeba to poprawić.

– Marto, proszę, nie przeszkadzaj mi, bo piszę głupstwa – mówię z wyrzutem do biednej Marty, która odchodzi, wzdychając, i cichutko zamyka drzwi mojego gabinetu.

Nie mogę wysłać faksu. Sprawdzam numery i próbuję wysłać go ponownie. W końcu mi się udaje. Liczę na szybką odpowiedź. Mam już przewidziane kilka spotkań, ale nie chcę wyjeżdżać z Hiszpanii bez konkretnego planu wizyty.

Po południu Andrés, mój szef, wzywa mnie do swojego gabinetu, żeby przejrzeć mój *planning*.

– Jak się czujesz przed tą podróżą, córeczko?

Dlaczego upiera się, żeby mówić do mnie „córeczko"? Andrés ma jakieś sześćdziesiąt lat, a ja o trzydzieści mniej, ale tylko pracujemy razem. Jego zachowanie w stosunku do mnie sprawia, że często czuję się jak mała dziewczynka. Ma dość długie włosy, gęsto poprzetykane siwizną, i wygląda na to, że parę lat temu był bardzo niebezpiecznym kobieciarzem. Teraz, to pewne, ślimak wrócił do swojej skorupy. Dlatego też zostaje mu tylko przyjęcie postawy ojcowskiej.

– Co się z tobą dzisiaj dzieje? – pyta mnie, zdejmując okulary i przymykając małe oczka.

– Nic się ze mną nie dzieje, Andrés. Miałam fatalną noc, i nic poza tym. Dlaczego wy wszyscy uwzięliście się dzisiaj na mnie?

– Dobra, zostawmy to. Pamiętaj, córeczko, że oczekuję, że ze wszystkimi się tam spotkasz.

– Tak, tak. Nie martw się. Sprzedam duszę diabłu, jeśli to będzie konieczne. Przecież wiesz jaka jestem. – Próbuję go uspokoić słowami, w które sama nie wierzę.

– Jeżeli sprawy bardzo się skomplikują, wyślę ci kogoś do pomocy.

Wylatuję z jego gabinetu jak rakieta, ponieważ mam już dość tego popołudnia, a zostało mi bardzo dużo do zrobienia. Wychodząc, prawie wpadam na biurko Marty, zderzywszy się z kupą archiwów rzuconych na podłogę. W tej samej chwili dzwoni moja komórka.

Bez tchu i ze wściekłą miną – Marta to zauważyła, bo schowała się w swoich papierach, by nie napotkać mojego wzroku – biegnę do swojego gabinetu. Za późno. „Proszę zadzwonić pod numer 123 – otrzymane wiadomości: 1", informuje mnie poczta głosowa mojej komórki. Potwornie zdenerwowana dzwonię pod numer swojej skrzynki pocztowej, za pierwszym razem mi się nie udaje. Jestem tak roztrzęsiona, że wielokrotnie wybieram złe numery. Uspokój się, mówię do siebie. Uspokój się, bo w tym stanie nic nie zdziałasz.

„Tu Cristián. Zostawiłaś mi wczoraj w nocy wiadomość na komórce, więc oddzwaniam".

To mój dyrektor banku. Natychmiast zamykam drzwi gabinetu i wystukuję jego numer.

– Cześć, Cristián. To ja.

– Jak szybko! – odpowiada zaskoczony.

Gdybyś wiedział, jak bardzo chciałabym się z tobą potarzać, myślę.

– Widzisz, wczoraj wróciłam z Francji i chciałam się dowiedzieć, co u ciebie. Jak się masz?

– Dobrze, mam dużo pracy, ale wciąż jestem uprzywilejowany, kończę wczesnym popołudniem.

– Szczęściarz! A co robisz wieczorami? Masz chyba sporo wolnego czasu, prawda?

Chcę wiedzieć o nim jak najwięcej i sprawdzić, czy zmieszczę się w jego kalendarzu.

– Uprawiam sport. Chodzę na zakupy. A czasami, na przykład, wyskakuję na drinka do baru z jakąś ładną przyjaciółką. Co robisz jutro wieczorem?

Jest dobrze, myślę. Ma ochotę się ze mną spotkać.

– Jeśli chcesz, możemy się umówić. Nie wiem o której skończę, ale zadzwonię do ciebie, jak tylko wyjdę z pracy. W porządku? – pytam.

– Jasne. Do jutra.

Kiedy wychodzę z pracy, na miasto spada istny potop. Nie mam przy sobie parasola, ponieważ cały dzień była ładna pogoda. I właśnie, gdy wychodzę, muszę się zmienić w małego Noego bez arki. Zawsze mi się to zdarza. Wszyscy na ulicy biegną jak wariaci, przeskakując kałuże wody i błota, które zgromadziły się na chodniku. Postanawiam, że nie będę biec. Nie warto. Tak czy inaczej, zmoknę. Poza tym lubię mieć mokre włosy, kiedy jest gorąco, i chłonąć zapach wilgotnego asfaltu. Ten deszcz przypomina mi dzieciństwo i weekendy z dziadkami na wsi. A także tamte wakacje spędzone z przyjaciółką Emmą.

Jestem kompletnie przemoczona, gdy otwieram zamek swoich drzwi. Gorąca kąpiel, z dużą ilością soli zapachowych, tego potrzebuję.

W przedpokoju zdejmuję z siebie wszystko – woda kapie mi nawet ze stanika – następnie, naga, idę do salonu, żeby włączyć płytę CD – Loreeny McKennitt, *The visit*, biorę sobie kieliszek czerwonego wina i zapalam kilka wonnych świec rozstawionych w łazience. Podczas gdy dźwięczy jeden z szekspirowskich poematów, śpiewany przy akompaniamencie harfy, zanurzam się w godzinnej kąpieli, po której mam zupełnie pomarszczone stopy i dłonie. Cudownie! Chciałabym tak umrzeć. Zwierzę się, że wielokrotnie wyobrażałam sobie jak to będzie. Wydaje mi się, że przypomina to długi sen do wiecznej podróży naszej duszy. Bezsprzecznie ból jest tym czynnikiem, który przeraża ludzi. Śmierć nie może być bólem, ale jeśli ból jest fizyczny, to śmierć jest ostatecznym stanem, w którym tracimy nasze „opakowanie". Mam własną teorię na temat tego, co się dzieje, kiedy człowiek umiera. Jesteśmy czystą energią i w chwili śmierci nasze atomy mieszają się z pozostałymi atomami uniwersum. Nasza własna energia miesza się z energią kosmiczną. Nie ma ani raju, ani piekła. Tak właśnie się czuję, kiedy uprawiam miłość. Czuję przemieszaną energię własną i innego człowieka, która pozwala mi podróżować i roztopić się w innym ciele. Energia mojego orgazmu jest cząstką mnie samej, na koniec odchodząc i mieszając się ze wszechświatem, a kiedy jestem zaspokojona, wracam do swojej ludzkiej postaci. To międzygwiezdna podróż moich komórek, rozdzielających się i uwięzionych przez energetyczną burzę, o którą nie mogę zabiegać, a która nazywa się wiecznością. Dlatego właśnie zawsze chcemy powtórzyć to doświadczenie.

Żeby je lepiej zrozumieć. Oczywiście mnie nigdy nie udaje się zrozumieć niczego. To taka mała śmierć, którą za każdym razem usiłuję udomowić. Akt miłosny jest sposobem na zbliżenie się do tego stanu ekstazy. Nie mogę jednak go nigdy uchwycić i jestem skazana na powtarzanie go wielokrotnie, żeby lepiej go poznać. Innymi słowy, to jest góra, a obok niej rozciąga się ogromna przepaść, w którą nigdy nie wpadam – jedna noga na ziemi, druga w pustce. A moje ciało huśta się między człowieczeństwem i boskością, jak automat.

Jest jedenasta w nocy. Kiedy wychodzę z kąpieli, na komórce znajduję SMS-a od Cristiána.

„Deszcz, szampan, twoje ciało... dlaczego czuję się tak podniecony?".

Bez wątpienia Cristián umie prowokować za pośrednictwem sugestywnych wiadomości.

„Mam niezachwiane pragnienie dowiedzenia się wszystkiego o wielokropkach, kiedy się spotkamy", piszę mu w odpowiedzi.

„Dobranoc...", odpowiada, używając znów wielokropka, żeby dać mi do myślenia.

To sprytny facet, bez wątpienia.

Kładę się i znów mam problemy z zaśnięciem. Jego wiadomości pobudziły wszystkie moje hormony i nie wiem czy wystarczy mi cierpliwości do jutra.

3 kwietnia 1997

Umówiłam się na wieczór z Cristiánem w barze, wiedząc już, że do niczego nie dojdzie, bo mam okres. Cholera. Zaczął się tego ranka, bez żadnych wcześniejszych sygnałów. Do tego przed terminem, jakby ciało chciało dać mi do zrozumienia, że potrzebuje odrobiny odpoczynku. Powinnam była odwołać nasze spotkanie z samego rana, ale nie mogłam tego zrobić. Zbyt mocno pragnę go zobaczyć.

Po interesującej dyskusji na temat francuskiego czerwonego wina i przekąsek Cristián zaprasza mnie do bardzo modnej dyskoteki. Kiedy widzę kogoś tańczącego, w ciągu minuty wyciągam wniosek, czy jest namiętny, czy nie. W przypadku Cristiána nie ma miejsca na wątpliwości. Świetnie tańczy. I... Deszcz, szampan, twoje ciało... I znikam.

Znikam w podobnym miejscu, *huit-clos* bez snu, w którym moje ciało na wieki rozpuszcza się w okryciu trzeciej skóry, tam gdzie przyjemność przekracza granice tego co znośne i przekształca się w diamentowe kropelki w kącikach oczu. W miejscu, w którym dotyk jego rąk jest taki sam jak dotyk skrzydełek motyla, w którym wskazówki zegarka obracają się przez dwadzieścia cztery godziny do tyłu, a ja zostaję zawieszona między nimi.

Wszystko zaczyna się frenetycznym tańcem w towarzystwie przyjaciół, których spotkaliśmy w dyskotece. Drinki z rumu z coca-colą lub cytryną są mocniejsze niż muzyka wydobywająca się z głośników w lokalu. Tańczę na cienkiej jedwabnej nitce, jak maleńki linoskoczek, złapana pomiędzy ocierającą się o mnie męskość Cristiána, ukrytą pod majtkami i spodniami o włoskim kroju, a spojrzenie nieznajomego, przyglądającego się mojemu zbyt prowokującemu tańcowi. I padam. Tracę kontrolę nad sobą. Chcę czuć, że żyję.

„Zabierz mnie do domu!" – daję mu znak oczyma.

Ja, o ironio, poszukuję jakiejś specjalnej osoby, mężczyzny zdolnego okazać uczucia poprzez akt seksualny. W jego domu, przed wypiciem wywaru z tropikalnych roślin, tracę zmysły i kończę z rozwartymi nogami w obliczu jego członka, zbyt wielkiego jak na moje możliwości, ale znakomitego. Trzy długie godziny trzymam w ustach, poruszając się wzdłuż i wszerz, ten cielesny wibrator. Zamieniona w ducha komika, z prześcieradłami okrywającymi całe moje ciało, pozwalam mu mówić, że szaleje na moim punkcie, że sprawiam mu przyjemność i zjadam go, aż do momentu, gdy czuję, jak mnie kąpie każdy z jego wytrysków, które kolekcjonuję od dzieciństwa.

Moja ukryta namiętność ma dwie zasłony. Jedną usuwam momentalnie, zawstydzona, siedząc na bidecie, a drugą on zakłada mi swoją dłonią eksperta. Pozwalam mu robić ze sobą wszystko, jak niema lalka w obliczu wyższej siły, zbyt mocno podniecona.

Nie przeszkadza mi szorstkość jego zarostu, kiedy zsuwa się – w akcie łaski – do centrum grawitacji kobiecej przyjemności, zapominając, że intymność należy zdobyć, że nie można jej ukraść. Jednakże on posiada dar supernamiętności, co sprawia, że jest niebezpieczny, a ja mogę tylko to obserwować i pochwalać.

Jemu też nie przeszkadza moja niedoskonała depilacja, świadectwo tego, że nic nie zostało zaplanowane, że było spontaniczne.

Zapachu, który wyczuwam w całym mieszkaniu, nie da się porównać z żadnym innym.

– To esencja różana – mówi Cristián, czytając w moich myślach.

Wszystko się miesza. Rum z poprzedniej nocy, wywar nad ranem, róże o świcie, czarna butelka Armaniego przy każdej mojej wizycie w łazience, próbka *bagnoschiuma* z hotelu we włoskiej Melii, którą przesiąknęło moje ciało podczas błyskawicznie wziętego prysznica, żeby nie stracić ani chwili jego obecności. Wszystkie te smaki – zapachy – mieszają się, płyną w moich żyłach i w tym samym czasie, z piekielną szybkością, rozmnażają się złośliwie leukocyty w mojej krwi.

Cristián, całując mnie, gryzie moje wargi, pozostawiając małą rankę po wewnętrznej stronie ust. Ssie je jak pies, który chce uczcić swojego właściciela, po tym jak go odnalazł i stwierdził, że jego pan o nim nie zapomniał. Gryzie mnie w szyję jak kot w rui, który wie tylko, że trzeba przedłużyć zwierzęcy gatunek poprzez ten rytualny koci akt. A ja mam gęsią skórkę. Mierzwione przez wiele godzin włosy są pogniecione przy samych cebulkach.

Rano budzę się wtulona w jego włosy, kontrastujące z bladością mojego ciała.

Cristián szybko odwiózł mnie do domu. Weszłam na górę jak zombi i nagle wszystko się zmieniło, mimowolnie stałam się zaimprowizowaną Duras, ogarniętą obsesją na temat życia z mężczyzną, który doprowadził ją do szaleństwa, gdy miała piętnaście lat. Została skazana na opisanie tej namiętności, i naznaczyła ją ona na zawsze, nawet gdy była już dorosła.

Wyjeżdżam

4 kwietnia 1997

Kochana Mami,

piszę ten list, żeby powiedzieć Ci, że wczoraj w nocy widziałam gwiazdy. Z bliska. Z bardzo bliska. Jednej nawet prawie dotknęłam ręką, ale to była spadająca gwiazda i odleciała. Wczoraj, Mami, miałam jeden z najfantastyczniejszych stosunków w moim życiu. Myślę, że chciałabyś o tym wiedzieć. Poszłam do łóżka z facetem, którego widziałam zaledwie dwa razy w życiu, a którego przypadkowo spotkałam w pewnym banku. Było cudownie. Za pierwszym razem do niczego nie doszło. Chyba dlatego, że żadne z nas tego nie chciało. I wreszcie zrobiliśmy to. Poszliśmy się czegoś napić, a potem się włóczyliśmy. Później zabrał mnie do swojego domu. Ma wspaniałe mieszkanie, attykę, z ogromnym otaczającym je tarasem. Brakowało tylko dobrze wypasionego kota, który przechadzałby się po pokojach, jak Bigudí. Uprzedziłam go, że nie jestem na to przygotowana tej nocy, ponieważ akurat mam miesiączkę. Było wszystko, poza higieną... Co za wstyd! Ale on powiedział mi, że czasami podniecenie jest silniejsze od okoliczności i należy dać mu się ponieść. No i zgodziłam się. Czy w czasach Twojej młodości też wyczynialiście takie świństwa? Złamał moje zasady. I od tamtej chwili nie mogę przestać o nim myśleć. Przy mojej frywolności, czy nie zakochuję się w facecie tylko dlatego, że cudownie się pieprzy? Tak naprawdę, Mami, nie podoba mi się ten pomysł. Co mam zrobić? A jeśli do mnie zadzwoni, to sądzisz, że powinnam się z nim znów zobaczyć? Podpowiedz mi coś, proszę. Potrzebuję Twojej rady.

Przesyłam gorącego buziaka. Uważaj na siebie

Twoja wnuczka

PS W przyszłym tygodniu wyjeżdżam do Peru. Prześlę Ci faks z moimi danymi, jeśli chciałabyś do mnie napisać. Wyślę Ci również pocztówkę z Machu Picchu, bo wiem, że sprawi Ci ona dużą przyjemność.

6 kwietnia 1997

Jest czwarta po południu, a Cristián ani do mnie nie zadzwonił, ani nie przesłał żadnej wiadomości. Szlag by to trafił! Przez cały dzień nie mogę przestać o nim myśleć. Zakochuję się? Dlaczego on tak się zachowuje wobec mnie? I dlaczego powiedział, że było wspaniale? To tylko słowa...?

Mój mózg pracuje z prędkością tysiąca obrotów na godzinę i nie przestaję myśleć o tym, co on może robić w tak słoneczny dzień. Może jest na plaży w towarzystwie tych samych przyjaciół, których spotkaliśmy w dyskotece, wyśmiewając się ze sposobu, w jaki rozsuwam palce u nóg kiedy mam orgazm? Jak tylko o tym pomyślałam, mój szacunek do siebie legł w gruzach. Mógł do mnie zadzwonić, żeby jeszcze raz powiedzieć, że spędzona ze mną noc bardzo mu się podobała. Kobiety chcą, żeby takie rzeczy powtarzano im do znudzenia. A ja jestem kobietą. Cristián w ogóle nie zna się na psychologii i obraża mnie. Przecież nie proszę, żeby został ojcem moich dzieci, ale przynajmniej niech się wykaże i da znać. Zresztą nieważne. Skoro nie dzwoni, to znaczy, że nie było warto zawracać sobie nim głowy.

Na wszelki wypadek wyszukuję na regale w salonie książkę przydatną w tak nagłych wypadkach jak ten. Nosi tytuł *Jak zerwać ze swoją skłonnością do jakiejś osoby*, a napisał ją Howard M. Alpern. Czytam w spisie treści: „Niektórzy ludzie umierają z powodu toksycznego związku. Czy chcesz być jednym z nich?".

Co ja wyprawiam? Widziałam go przecież tylko dwa razy. Być

może chciał się tylko z kimś przespać i pojawiłam się ja. Dlaczego tak się gryzę przez tego człowieka?

Ciężko mi to wyznać, ale mam ochotę po prostu znów pójść z nim do łóżka. Przeczytam tę książkę i będę powtarzać aforyzmy z ostatnich stron. Nie zakochuję się, nie jestem wcale zakochana, ani trochę.

O pierwszej nad ranem budzę się na sofie, z książkę na nosie. Zasnęłam w złej pozycji i boli mnie całe ciało. Wciskając stopy w kapcie, idę do łazienki; muszę umyć zęby. Strony książki mam dokładnie odciśnięte na prawym policzku. Kładę się do łóżka w bardzo złym nastroju, z zamiarem definitywnego wymazania jutro telefonu Cristiána z mojego notesu. Byłam dla niego tylko tym... spadającą gwiazdą.

10 kwietnia 1997

– Musisz już wyjeżdżać! Ale już! – krzyczy do mnie Andrés, z okularami w ręku.

Mój szef, za każdym razem kiedy przybiera swoją nędzną, poważną postawę, zamyka oczy, tak jakby nie chciał mieć kontaktu wzrokowego z osobą, która przed nim stoi. Wrzeszczy, ale nie chce brać na siebie odpowiedzialności za wyraz oszołomienia na twarzy stojącego przed nim człowieka.

Dzisiaj siedzi na biurku w swoim gabinecie i bazgrze na rogach leżących przed nim papierów – spirale, trójwymiarowe sześciany i margerytki. W końcu kartki zostają w całości pokryte czernią, dlatego że jego długopis wielokrotnie przechodzi przez skrzyżowane linie. To byłoby bardzo interesujące dla psychologa! Tak sądzę.

– Ale nie odpowiedzieli mi nawet w sprawie tego spotkania, o które prosiłam – odpowiadam mu walecznym tonem.

– Wszystko mi jedno! Nieważne, czy masz już spakowaną walizkę ani czy masz skompletowany *planning*. A jeszcze mniej obchodzi mnie to, że masz okres. Przekładaliśmy tę podróż już wiele razy. Przyjmując posadę u nas, wiedziałaś, że będziesz musiała być przygotowana na improwizację. Po jaką cholerę zatrudniłem kobietę? Dlaczego? – pyta Martę, która właśnie weszła do gabinetu, żeby dać mi do podpisu kilka dokumentów.

Marta drży, nawet nie odważy się podejść do stołu. Andrés jest strasznie wściekły, nie ma co do tego wątpliwości. Ma purpurową twarz i przypomina smoka, który za chwilę zacznie ziać ogniem na nas dwie. Ja, oczywiście, chcę jak najszybciej zniknąć mu z oczu i robię maleńkie kroczki do tyłu, w stronę drzwi. Ale Andrés ma ochotę zrobić mi awanturę mojego życia.

– Jeszcze z tobą nie skończyłem. Jak dojedziesz na miejsce, prześladuj Prinsę. Są powolni i jeśli nie będziesz do nich codziennie dzwoniła, zapomną o tobie. Nie przejmuj się, że będziesz upierdliwa, zrozumiałaś mnie, córeczko?

– Tak, Andrés – szepcę, patrząc na jego długopis Bic, dzierżony w drżącej dłoni i zbliżający się do kartki papieru.

Długopis porusza się tak gwałtownie, że dziurawi kartkę.

– A teraz, biegiem! Spakuj walizkę i jedź na lotnisko. Wylatujesz o piątej po południu. Marta ma bilety. Jak dojedziesz, to wyślij mi faks. Powodzenia, córeczko!

Wychodzę z biura i z trudem łapię taksówkę, która zostawia mnie pod domem.

Przed drzwiami budynku stoją ludzie i wielokrotnie muszę przepraszać, żeby zrobić choć krok w tym dwunastoosobowym tłumie, który pilnuje schodów.

– Co tu się dzieje? – pytam tlenioną blondynkę z kolczykiem w nosie i ustami umalowanymi na kolor fuksji.

– Czekamy na Felipe z lokalu A. Ale jeszcze nie przyjechał, musimy więc czekać na niego na ulicy.

Felipe jest jednym z moich sąsiadów. Nie mogę z całą pewnością powiedzieć, czym się zajmuje, ale właśnie w tym lokalu ma swoją firmę. Wielokrotnie go widziałam, ale tylko się pozdrawialiśmy. Wbiegam po schodach, pokonując po dwa stopnie na raz, gwałtownie otwieram drzwi swojego mieszkania i rzucam się do pakowania walizki. Jak ja tego nienawidzę! Jednocześnie wybieram numer telefonu do Taxi Mercedes, żeby przyjechali po mnie do domu, który właśnie przekształca się w źle zorganizowany sklep z markowymi ciuchami. Nie znoszę przygotowywań do podróży w ostatniej chwili. A żeby było zabawniej, chcąc zamknąć walizkę, muszę na niej usiąść. A szyfr? Jaki jest szyfr? Jaka jest kombinacja zamka? Nie pamiętam! Taksówkarz dzwoni do mnie przez domofon, kompletna porażka, wyciągam wszystkie rzeczy z walizki. Nie mam innego wyjścia, mogę tylko wziąć inną, dlatego że nie pamiętam tej przeklętej kombinacji cyfr. Jestem na siebie wściekła. W takich chwilach jestem chodzącym nieszczęściem i zawsze mi się to zdarza, kiedy się bardzo spieszę.

Zdenerwowana, staję przed lustrem w łazience i obserwując swoją twarz małego Buddy, staram się wykonać kilka ćwiczeń oddechowych, które, jak powiadają, mają zbawienny wpływ na zrelaksowanie się. Zazwyczaj to działa. Szukając prezerwatyw, znajduję faks od mojej przyjaciółki Soni, dotychczas nie miałam czasu go przeczytać. Zrobię to w samolocie. Zjeżdżam windą – wbieganie po schodach jest korzystne dla mięśni, ale schodzenie po nich nie ma żadnego sensu. Znowu zderzam się z grupą, którą widziałam wcześniej pod drzwiami. W czasie, gdy taksówkarz pakuje moje rzeczy do bagażnika, nie mogę się powstrzymać od zapytania tej samej blondynki:

– Macie spotkanie w sprawie pracy? Ze wszystkimi umówił się na tę samą godzinę? – Chcę wiedzieć więcej o Felipe.

– Nie, mamy tylko powtórkę, ale on ma klucze – tłumaczy mi.

Wypytuję ją nadal, wsiadając do taksówki:

– Czym się zajmujecie?

Twarz blondynki promienieje z radości. Jakiś bardzo wysoki chłopak z grupy zbliża się do nas, żeby przyłączyć się do rozmowy. Zamykam drzwi taksówki i otwieram okno.

– Jesteśmy zawodowymi aktorami – wyjaśnia blondynka, unosząc z dumą swój mały podbródek.

I dodaje, jakby dla zaspokojenia mojej ciekawości, której nie mogę już ukryć, albo żeby jeszcze bardziej mnie zainteresować:

– Felipe sprzedaje kawałki życia.

Taksówkarz rzuca mi niespokojne spojrzenie we wstecznym lusterku. Orientuję się, że zaparkował w niedozwolonym miejscu, i po chwili ruszamy z piskiem opon.

Tuż przed wylotem i dokładnie w chwili, gdy chciałam wyłączyć komórkę, otrzymuję wiadomość. To Cristián. „Masz ochotę zjeść ze mną kolację dziś wieczorem?". Na miłość Boską! Wyjeżdżam z Hiszpanii z dwoma pytaniami: co miały znaczyć te słowa o kawałkach życia Felipe? I co mam teraz zrobić z Cristiánem? Przy mojej niecierpliwości i ciekawości nie wiem, czy na odpowiedzi na takie pytania będę umiała poczekać do powrotu.

Już od paru godzin lecimy, a ja grzebię w plastikowej torbie, przeglądając zakupy zrobione w *duty-free*. Muszę znosić chrapanie łysawego, gruboskórnego zwierzęcia siedzącego obok mnie. Z obrzydzeniem na twarzy odwracam się, żeby mu się przyjrzeć, i widzę, że jego głowa opada na moje ramię. Niech nawet nie przyjdzie mu do głowy opierać się o mnie!

Próbuję się czymś zająć, jak zawsze podczas lotu samolotem. Coraz bardziej boję się latać. Przypominam sobie o faksie od Soni i zaczynam go czytać.

Kochana Val,

to straszne i pospolite, ale przynajmniej wprawi Cię w dobry nastrój, dziś... Sonia.

Nigdy się nie zmieni. Sonia jest moją przyjaciółką od trzech lat i już się zdążyłam przyzwyczaić, że zawsze w odpowiednim momencie przesyła mi odpowiednią wiadomość. Pracuje jako szefowa produktu w jakichś laboratoriach farmaceutycznych i spędza życie, marząc o awansie. Kiedy zobaczyłam ją po raz pierwszy, natychmiast przypomniałam sobie bohaterkę japońskich filmów animowanych, Candy, które puszczali we francuskiej telewizji kiedy byłam mała. Candy zawsze nosiła spódniczki mini i buty do kolan. Sonia jest taka sama. Ma skórę koloru porcelany, okolone nieskończenie długimi czarnymi rzęsami ogromne oczy, zadarty nos z tysiącami piegów. A do tego zupełnie gładką twarz, bez żadnej zmarszczki. Zawsze nosi spódniczki i pantofle na płaskim obcasie. Nadaje to jej sylwetce wygląd bezkształtnej wykałaczki. Ale we wnętrzu Soni płonie czysty ogień. I nie wiadomo od jak dawna bezskutecznie poszukuje miłości swojego życia. Jeśli jej nie znajdzie, od czasu do czasu popada w depresję. A kiedy ją zmęczy ten stan, poświęca się rozśmieszaniu ludzi, żeby ponownie popaść w depresję.

Zaczynam myśleć o prawie pięciu otrzymanych faksem stronach. Nie mogę sobie wyobrazić, żebym miała w biurze czas na napisanie tak długiego listu. Sonia przytacza wiele dowcipów o mężczyznach – jest to szczególny dekalog dotyczący podstawowych błędów popełnianych przez mężczyzn w łóżku. A skoro leje tyle wody, używam techniki szybkiego czytania, którą wpojono mi na uniwersytecie, żeby wychwycić to co najzabawniejsze.

Po paru minutach chowam faks do torebki. Sonia sama już nie wie, co wymyślić, żeby być zabawną. Ale przynajmniej dzięki niej zapomniałam o obecności grubasa u mojego boku. Nagle dostrzegłam, że się obudził i przez moje ramię przygląda się temu, co czytam. Nasze spojrzenia spotykają się i na jego ustach rysuje się uśmieszek wspólnika, którego nie odwzajemniam, bo nie mam na to ochoty.

Z dużą uwagą zaczynam śledzić informacje na monitorze ukazującym mapę świata i pozycję naszego samolotu. Jesteśmy już nad Ameryką Południową. Skupiając się na tej obserwacji, zapominam o przykrych wydarzeniach ostatnich dni, o nerwicy Andrésa i mojej obsesji na punkcie Cristiána. Czekają na mnie inne przygody.

Lotnisko w Limie przypomina wielki bazar. Zaledwie postawiwszy stopę na peruwiańskiej ziemi, pogrążam się w chaosie. W końcu udaje mi się przebrnąć przez kontrolę paszportową, a nawet wywlec swój bagaż do wyjścia. Kiedy zamykają się za mną drzwi lotniska, zderzam się ze ścianą nieprzyjemnego wilgotnego upału, który zwiastuje mi duszne noce i choroby gastryczne. Dużo mnie kosztuje już samo oddychanie, a straszny zapach zgniłych owoców dodatkowo zatruwa powietrze. Zdesperowana, poszukuję taksówki z klimatyzacją. Zadowalam się w końcu samochodem z maleńkim kierowcą ubranym w koszulę z surowego lnu i zielone wojskowe spodnie. Ociera krople potu z czoła chusteczką i przygląda mi się bezustannie, jakbym była jakimś skarbem. Widząc mnie, daje mi znak ręką, że jest wolny. Ani przez chwilę się nie waham i podchodzę do niego.

– Jadę do hotelu Prado, w Miraflores. Czy w samochodzie ma pan klimatyzację?

– Oczywiście, panienko. Proszę wsiadać, zawiozę panią prędko – odpowiada, prawie wyrywając mi z rąk walizkę.

Klimatyzacja polega na kilku wiatraczkach umieszczonych w zagłówku siedzenia kierowcy, skierowanych na pasażerów, które nie przestają się z trudem obracać, produkując dźwięki przypominające brzęczenie osy. Powstrzymuję się od jakichkolwiek komentarzy, lepsze to niż nic.

Lima jest gigantycznym szałasowiskiem, gdzie wiele domów, znajdujących się w stanie ruiny, ma dachy pokryte foliowymi torebkami, udającymi zabezpieczenie przed opadami. Nigdy nie wyobrażałam sobie czegoś podobnego. Pożądliwie poszukuję wzrokiem ładnego domu, jakiejś rezydencji, wychodzących ze szkoły dzieci, ubranych w granatowe mundurki i długie skarpety, ale ich nie widzę. Zamiast tego pojawiają się malutkie brudne twarzyczki z wysuszonymi smarkami. Taksówkarz wskazuje mi palcem morze i miejskie plaże. Po postoju przed światłami zawraca i mówi:

– Niech się pani tu nigdy nie kąpie, panienko. Wszystkie plaże w Limie są zanieczyszczone. Musi pani wyjechać z miasta, żeby móc wykąpać się bez ryzyka.

Przerażona, oglądam ogromne śmietniska pokrywające plażę i z obrzydzeniem dostrzegam tam ludzi z podwiniętymi do kolan nogawkami spodni, przeszukujących świństwa, które inni wyrzucili. Mam mdłości, muszę kilka razy potrząsnąć głową, żeby nie zwymiotować. Instynktownie poszukuję w torebce mojej międzynarodowej karty szczepień i sprawdzam wszystkie wypisane ręcznie nazwy i daty zastrzyków. Podróż taksówką wydaje mi się wiecznością i już nie odważam się patrzeć przez okno, nie chcąc oglądać tego horroru. W końcu dojeżdżamy do hotelu, którego fasada świadczy, że są w nim luksusowe pokoje. Wysiadam z taksówki i natychmiast podbiega do mnie hotelowy boy, ubrany w czerwono-czarny garnitur i błyszczące buty.

– Witamy w hotelu Prado, panienko.

W recepcji jest już zawiadomienie o moim przyjeździe i otrzymuję klucze do apartamentu, którego okna wychodzą na tyły budynku. Pokój jest dokładnie taki, o jaki prosiłam. Myślę, że w końcu odnalazłam spokój. Ściany mają beżowy kolor, a w kącie stoi brązowa skórzana sofa. Ogromne łóżko jest świeżo pościelone i kładę się na chwilę, żeby zregenerować siły stracone podczas podróży samolotem i niekończącej się przejażdżki taksówką. Ale nagle przypomina mi się pierwsze zadanie, które muszę wykonać: zadzwonić do Prinsy.

Nie udaje mi się odnaleźć mojego rozmówcy, zostawiam więc wiadomość. Postanawiam znów zejść do recepcji. Dziewczyna, która się mną zajmowała, gdy przyjechałam, przedstawia mi się, nie przestając się uśmiechać – ma na imię Eva – i oferuje możliwość wynajęcia przewodnika, który pokaże mi miasto.

– Mamy ich wielu i niedrogo kosztują.

Wyciąga listę przewodników, nie czekając na moją odpowiedź, i kładzie mi ją przed samymi oczyma. Wcale nie mam zamiaru zatrudniać przewodnika, ale jedno imię przykuwa moją uwagę. Mężczyzna nazywa się tak samo jak ten hiszpański pisarz:

Rafael Mendoza
Przewodnik turystyczny
Fotograf prasowy i filmowiec
Tel.: 58 58 63
Pager: 359357934

– Zna pani Rafaela Mendozę? – pytam Evę.

– Rafael jest świetnym profesjonalistą, a poza tym doskonałym fotografem. Może chciałaby pani mieć zdjęcia z Peru?

Jej twarz rozjaśniła się, kiedy Eva wymawiała jego imię, i znów, nie pytając mnie, zapisuje mi jego numer telefonu.

Słyszę, że zostawia wiadomość na automatycznej sekretarce.

– Rafa, to ja, Eva, z hotelu Prado, to pilne. Jest dla ciebie praca.

Żegnana obietnicą Evy, że poznam Rafę następnego dnia, wsiadam do windy z taką ochotą na seks, że nawet ja nie umiem wyjaśnić jej przyczyn. Może to wpływ ciśnienia podczas tylu godzin lotu? Gdy dojeżdżam na swoje piętro i poszukuję kluczy w torebce, słyszę męski głos.

– Dobry wieczór, panienko. Co za przypadek, że zatrzymaliśmy się w tym samym hotelu!

Nawet nie zobaczywszy jego twarzy, tylko same usta, wiem z kim mam do czynienia. Natychmiast rozpoznałam ten cyniczny uśmieszek wspólnika na maleńkich ustach, które śliniły się parę godzin wcześniej na widok moich nóg, podczas lotu. Gruboskórny, łysawy facet włożył już klucze do zamka swojego pokoju. Zatrzymuję się na chwilę, żeby mu się przyjrzeć, a on korzysta z sytuacji i mówi:

– Może wejdzie pani na chwilę i napijemy się czegoś?

Sama się zdziwiłam, kiedy odpowiedziałam mu, że chętnie, to bardzo miłe z jego strony, i że to niezwykły zbieg okoliczności, że mieszkamy w tym samym hotelu, aż do chwili gdy drzwi zatrzasnęły się za moimi plecami. Zaprosił mnie, żebym usiadła na sofie, która jest dokładnie taka sama, jak ta, którą mam w swoim pokoju. Tylko ściany różnią się kolorem, u niego są jasnożółte, a zasłony kolorowe.

– Czego się pani napije? Szampana, czerwonego wina...?

– Whisky – odpowiadam bezmyślnie.
– Czystej czy z lodem?
– Poproszę z lodem.
Grubas zamawia przez telefon lód i nalewając sobie szampana, zaczyna przesłuchanie na temat przyczyn mojej obecności w Peru.
– Pracuję w agencji reklamowej – tłumaczę mu, usiłując przybrać przyjemny wyraz twarzy.
W gruncie rzeczy wydaje się miłym facetem; to jego otyłość sprawiła, że skreśliłam go od pierwszego wejrzenia. Przez chwilę czuję się winna.
– A pan?
– Pracuję dla spółki telefonicznej. Jestem informatykiem i przyjechałem doprowadzić do porządku oprogramowanie w naszej peruwiańskiej filii. Wie pani, że nasze towarzystwo zainwestowało dwa miliardy peset w Peru? – Pyta mnie jak profesor sprawdzający, czy jego uczeń dobrze przygotował się do egzaminu.
– Tak, oczywiście. Od kiedy zniknęła organizacja Sednero Luminoso, coraz więcej zagranicznych firm tu inwestuje. To bardzo dobre dla kraju. Sądzę, że sama inwestycja pańskiej spółki stanowi pięćdziesiąt procent całości inwestycji zagranicznych, jeżeli można wierzyć statystykom.
Jego spojrzenie powiedziało mi, że zdałam na piątkę. Ktoś puka do drzwi. Grubas odbiera wiaderko z rąk kelnera i kopniakiem lewej nogi zamyka drzwi. Mimo swojej nadwagi wydaje się kruchy.
Podaje mi szklankę whisky, wpatrując się w moje oczy.
– Jak długo się pani tu zatrzyma? – Chce wszystko wiedzieć.
– Myślę, że około piętnastu dni. To zależy od tego, ile czasu mi zajmie odwiedzenie wszystkich naszych klientów. Niektórzy czasami odwołują spotkania i przesuwają je, przez co cały mój *planning* się rozwala.
Proszę o następną whisky. Grubas, który ma na imię Roberto – przynajmniej tak jest napisane na jego wizytówce, którą ofiarowuje mi jak najcenniejszy skarb – przygotowuje mi drugiego drinka, którego szybko wypijam, małymi łyczkami.
Druga szklaneczka zaczyna na mnie działać i czuję mrowienie w nogach, przesuwające się w górę i koncentrujące na wysokości wzgórka łonowego. Czuję gorąco wspinające się po kręgosłupie, aż

do ciemienia. Podczas gdy on do mnie mówi, zdejmuję top i stanik. Roberto natychmiast wstrzymuje swój monolog, wyraźnie zaskoczony. Bez uprzedzenia rzuca się do moich sutków i uciska je tak, jakby chciał wypuścić powietrze z balonu. Nagle czuję, że zmieniam się w gumową kość dla szczeniaków. Następnie, zaśliniony, chwyta mój sutek pomiędzy kciuk i palec, i zaczyna nim poruszać jak ktoś poszukujący w radiu jednej z czterdziestu głównych stacji. Nie znoszę tego, ale mu na to pozwalam. Będę szczera, chciałam tego już w chwili, gdy wyraziłam zgodę na wejście do jego pokoju.

Jego niezręczne zabiegi w rejonie mojego wzgórka łonowego kończą się wplątaniem grubych palców w elastyczny materiał moich majteczek. Pomagam mu i sama je zdejmuję. Uznając to za zaproszenie do bezpośredniego kontaktu z moją waginą, wkłada mi rękę między nogi i usiłuje wepchnąć do mojej pochwy wszystkie pięć palców, tak jakby chował w kominie skradziony w banku worek. Naprawdę jest bardzo niezręczny, a jego twarz pokrywa się potem. Nie mam już nadziei na niezapomnianą przygodę. W końcu rozbiera się. I jak przystało na nowicjusza, zdejmuje wszystko poza skarpetkami. Już samo to powoduje, że mam ochotę wybuchnąć śmiechem, ale się powstrzymuję. Zrezygnowana, poszukuję jego penisa, ale tony ciała okalające jego brzuszysko dokładnie zakrywają tę część anatomii. Powinien unieść tłuszcz, żeby odbyć stosunek, inaczej cała sprawa przedstawia się fatalnie. Bez żadnych gier wstępnych ładuje we mnie swój mały narząd, który zasłaniały dotąd zbyt obszerne slipy w kolorze wątpliwej bieli, wchodzi we mnie i zaczyna poruszać się jak tłok. Mimo, że jest potwornie niezgrabny, muszę mu dać jakąś szansę. Twarz ukrył w poduszce, a ręce trzyma pod moimi pośladkami. Moje ciało drga, ale jednocześnie boję się zostać przygnieciona przez taki ciężar.

Postanawiam przejąć inicjatywę. Wydostaję się spod niego, podpierając się rękoma, a on rzuca mi spojrzenie, jakie widziałam niewiele razy. Spojrzenie płatnego mordercy. Nawet nie pyta, co się ze mną dzieje.

– Co robisz? Właśnie dochodziłem – mówi z wyrzutem.

– Połóż się na plecach – rozkazuję.

Odnoszę wrażenie, że nie podoba się mu mój ton, ale posłusznie kładzie się z rozłożonymi, lekko ugiętymi w kolanach nogami, jak zwierzątko merdające ogonem w oczekiwaniu na pieszczotę.

Widzę, że lubisz słuchać poleceń, mój grubasku, myślę z uśmiechem na ustach. Udajesz macho, ale to, co naprawdę cię rusza, to dominujące kobiety. Wystarczyło, żebyś mnie o to poprosił.

Staję na łóżku, odwracam się, żeby mógł dobrze przyjrzeć się mojemu tyłkowi, i siadam na jego maleńkim wykrzykniku. Zaczyna krzyczeć, żeby mnie zmotywować, jak trener piłki nożnej na stadionie.

– Taak! Rób tak dalej! Jak dobrze! – wrzeszczy mój grubasek.

– Dowiesz się, ile jest warta Francuzka – odpowiadam mu, odwracając twarz, żeby zobaczył jej wyraz.

– Taak! Tak, tak! – Grymas, który pojawił się na jego twarzy, świadczy o tym, że już ma wytrysk.

Po chwili ja też dochodzę.

Natychmiast wyskakuję z łóżka, idę do łazienki, żeby sprawdzić, w jakim stanie są moje włosy i makijaż, a potem wracam do pokoju. Mój grubasek leży bez sił na łóżku. Myślę, że nie było warto. Ubrana, szukam w torebce papierosów i zapalam, przyglądając mu się. Zastanawiam się, w jaki sposób ten mężczyzna mógł sprawić mi przyjemność.

– Jak cudownie! – jęczy Roberto.

Ma włoski po każdej stronie głowy, a te które mu naprawdę zostały, są zupełnie mokre.

– Mam nadzieję, że to powtórzymy.

Zamiast odpowiedzieć, uśmiecham się tylko i wychodzę z jego pokoju. Oczywiście ciało mówi samo za siebie. A to mój sposób na porozumiewanie się z ludźmi. Poza tym zrobiłam dziś dobry uczynek. Ten pan z pewnością właśnie stracił piętnaście gramów, a ja wciąż zbliżam się do mety wraz ze zwycięzcami maratonu.

Jestem z Indianinem

12 kwietnia 1997

Kiedy otwieram drzwi swojego pokoju, widzę go w koszuli w białe i czarne kwadraty, podróbce firmy Façonnalble. Pragnę zamienić się w malutki żeton do gry, żeby przemierzyć cały jego tors i plecy. Natychmiast inspiruje mnie do gry z regułami, które można łamać, jedne bardziej od drugich.

Rafael jest piękny jak bożek. Ma czarne, długie i aksamitne włosy, które ściągnął gumką w kucyk, i nie przestaje zakładać za uszy zbuntowanych kosmyków, kiedy mówi. Jego skóra ma oliwkową barwę, która mogłaby wzbudzić zazdrość w każdej czterdziestoletniej kobiecie spędzającej czas na słońcu plaż połowy świata.

Dla Rafy nie ma znaczenia kolor skóry. Dla mnie też nie. Dopuszczam nawet myśl, że wprost przeciwnie, pociąga mnie jego indiański rodowód. Jego zęby wyglądają jak zrobione z kości słoniowej i natychmiast czuję się tak, jakbym brała udział w safari i natknęła się na afrykańskiego słonia.

Po omówieniu kwestii kosztorysu jego kilkugodzinnej pracy jako przewodnika i zrobienia kilku zdjęć najbardziej interesujących obiektów w kraju, zapraszam go na szalony weekend, podczas którego jego fizyczność będzie narażona na wielkie niebezpieczeństwo. Wie o tym, ale wydaje mi się, że chce podjąć to ryzyko. Nie potrzebuję żadnego przewodnika, ale mimo to go zatrudniłam.

14 kwietnia 1997

Zachwycam się intensywnością naszych spotkań. Rafael daje mi tyle szczęścia, że sam chyba tego nie podejrzewa. Motywuje mnie i inspiruje.

Za pierwszym razem, gdy się spotkaliśmy, zastanawiałam się, czy jego skóra jest słonawa, czy nie. Później odkryłam, że pachnie jak laska wanilii, taka której używa się do aromatyzowania potraw.

Tego ranka, gdy uprawialiśmy seks, mówił do mnie po hiszpańsku, a nie w quechua. Ten detal sprawił, że odkryłam pewną nieśmiałość, jaką żywi do samego siebie, wypowiadając słowa w obcym języku, mające zaprzeczyć wściekłej chęci posiąścia mnie. Jego głos odbija się od ścian pokoju, a słowa atakują moje ciało, które gwałtownie na nie reaguje. Powoli mnie osłabia. Nigdy nie potrafię mu odmówić. Po stosunku zawsze jestem przesiąknięta słowami, moje usta smakują liśćmi koki przeżutymi przez nas oboje, a nasze włosy lśnią. Kiedy się kochamy, Rafael ma zawsze rozpuszczone włosy, które są jak delikatna ircha nasączona organicznymi proteinami, badawczo przesuwająca się po moim ciele.

Lubię namiętność jego ust i gdy ssę duży palec stopy Rafaela, obserwuję, rozbawiona, jak po jego ciele przebiega dreszcz przyjemności, półuśmiech i jak rozciąga się na łóżku, na pogniecionych prześcieradłach. Obgryzam jego pięty, jak szczeniak. Delikatne skrzypienie drewna, z którego jest zrobione łóżko, musi wywoływać u sąsiada za ścianą wrażenie, że wokół niego wiele par zajmuje się działalnością poświęconą reprodukcji. Ale nie chodzi tu o głośny dźwięk gwałtownego posiąścia samicy, jak w przypadku człowieka z Cro Magnon, tylko o coś bardziej delikatnego, co przyprawia o gęsią skórkę. W takich chwilach myślę o Roberto, moim grubasku.

Rafa wielokrotnie zabawiał się, nakładając na moje ciało dżem z gorzkich pomarańczy, który został ze śniadania – nigdy go nie lubiłam, więc był schowany w lodówce minibaru. Najpierw oblizał mnie swoim małym szpiczastym języczkiem, a następnie wsunął mi go do ust. Gorąco jego języka kontrastuje z temperaturą dżemu. Skóra Rafaela jest gładsza od włoskiego marmuru i pierwszy raz w życiu spotykam się z ciałem całkowicie pozbawionym owłosienia. Czuję dumę, mając w swoim łóżku taki specjał.

Po wielu pieszczotach i chwilach przyjemności Rafa zdejmuje prezerwatywę, która prawie eksploduje, gdyż jest tak pełna, i zostawia ją przy łóżku. Przypominam sobie nagle błąd popełniany przez wielu mężczyzn, którzy zostawiają swój zużyty kondom na widoku, ale tym razem mu to wybaczam. A nawet radosnym wzrokiem dziękuję za pozostawienie mi w darze swojego krystalicznego nasienia. Podnoszę kondom dwoma palcami i przysuwam go do nosa, poszukując zapachu morskiej wody zmieszanego z wonią białka z jajka, jednak jedyny zapach, jaki odnajduję, to woń lateksu zmieszana z substancją zwaną SK70, która – zgodnie z informacją na pudełku – zwiększa zmysłowość.

Kiedy wychodzę spod prysznica, zawinięta w jaskrawoniebieski, świeżo uprany ręcznik, który pozostawia na całym ciele maleńkie kłaczki, i staję przed lustrem, dostrzegam, że niektóre z nich ukryły się w moich najintymniejszych częściach ciała. Widząc mnie w takim stanie, Rafa, uśmiechając się, wprowadza, z dużą pewnością siebie, swoje palce we wszystkie ukryte zakamarki, jak chirurg plastyczny, który postanowił całkowicie mnie przemodelować, i delikatnie obiera mnie z tych meszków, jakby wyciągał ciernie z mojej skóry. Dzisiaj czuję się jak cały Fort Apache stojący w obliczu wodza Indian, nazywanego przez nich Siedzącym Bykiem.

– Jesteś świetna, szefowo – mówi do mnie czule.

A ty jesteś moim totemem, myślę sobie.

18 kwietnia 1997

Jest już wieczór i Rafa wiezie nas do najbardziej zakazanych miejsc Limy. Kiedy poprosiłam go, żeby mnie tam zabrał, przyjrzał mi się uważnie i powiedział:

– Dobra, szefowo, ale pod warunkiem, że zwiążesz sobie włosy i schowasz je, żeby nikt nie widział, że jesteś cudzoziemką. Poza tym będę miał przy sobie broń, na wszelki wypadek, i zamkniemy dokładnie drzwi. I żeby nie przyszło ci do głowy wysiadać z samochodu. To jasne?

– Zrozumiałam – odpowiadam bardzo poważnie.

Nie lubię mieć związanych włosów, nigdy nie lubiłam kucyków

ani warkoczy. Mam kompleks dotyczący uszu. W szkole wołali na mnie Jumbo, ponieważ wyłaziły spod moich pięknych, długich włosów. Na szczęście mama zdała sobie z tego sprawę i kazała mi je zoperować, kiedy miałam dziesięć lat. Spędziłam całe lato na Lazurowym Wybrzeżu z zabandażowaną głową. A ludzie pytali moją matkę, czy miałam jakiś wypadek albo czy jestem chora na raka. Mama przez cały czas krzyżowała palce, jakby chciała wyegzorcyzmować mnie ze wszystkich tych chorób. Sadzę, że chirurg nie był zbyt dobry, ponieważ moje uszy nadal przypominają liście kapusty i cały czas mam na tym punkcie kompleksy.

Szosa – jeśli można to tak nazwać – składa się z terenu pokrytego ziemią przypominającą piasek. Nasz samochód porusza się jak statek podczas burzy, ale ja, co ciekawe, nie bardzo się boję. Poza tym podnieca mnie świadomość, że siedzę obok uzbrojonego mężczyzny.

W oddali widzimy nieliczne światła, które pochodzą z domów osiadłych na wzgórzu.

– Zatrzymaj samochód! – mówię do Rafy.

– Słucham? – Zwalnia i odwraca się w moją stronę.

– Natychmiast zatrzymaj samochód! – Prawie krzyczę i w ciemności nie mogę dostrzec jego zakłopotanej miny, ale ją sobie wyobrażam.

– Jeśli się teraz zatrzymam, samochód nie zapali, szefowo. – Rafa próbuje mówić rozzłoszczonym tonem.

– Więc go popchniemy.

Moje rozwiązanie problemu chyba go nie przekonuje i Rafa nie zwraca na mnie uwagi.

Chwytam więc za hamulec ręczny i pewnym ruchem zaciągam go, nie zastanawiając się, jakie konsekwencje może mieć moje wywołane strachem zachowanie.

– Jesteś szalona, szefowo, mogłaś spowodować wypadek! – krzyczy na mnie.

Odpycha mnie ramieniem, uniemożliwiając zaciągnięcie hamulca do końca.

Samochód zatrzymuje się gwałtownie.

– Co się z tobą dzieje? – Jest niemal obrażony na mnie za moje zachowanie.

– Chcę, żebyś się ze mną kochał tu i teraz.

– Co? – Z trudem powstrzymuje uśmiech.

Widzę, że zrozumiał o co mi chodzi, ale nie odważa się myśleć, że jestem tak bezczelna.

– Kochaj mnie w tej chwili, tutaj, na środku drogi – mówię, usiłując otworzyć drzwi samochodu.

Sprawia mi to trudność, ponieważ wóz zablokował się na pochyłym terenie. Pcham z całej siły i za trzecim razem mi się udaje. Wyskakuję z samochodu, jakby nie istniała grawitacja, i staję pomiędzy reflektorami, żeby Rafa mógł mnie lepiej widzieć. Być może i w nim rozbudziło się libido. Otoczenie jest dość surowe, a poza tym wokół panuje głęboka cisza. Ani dźwięku. Ani śpiewu ptaków. Po jakimś czasie Rafa również opuszcza samochód i staje za mną. Jedną ręką popycha mnie na maskę i podnosi moją bluzkę. Zaczynam czuć wilgoć na czubkach jego palców, rysujących na moich plecach małe ósemki. Znak nieskończoności. Tak komunikują się ze sobą pszczoły. Czasami oblizuje sobie palec i znów rysuje te znaczki, aż dociera do moich pośladków. Niecierpliwie odpina guzik moich spodni, które opadają i przykrywają buty. Oburącz unosi moje pośladki, żeby moja wygłodniała wagina znalazła się na wysokości jego penisa, który momentalnie mu twardnieje. W tej samej chwili przelatują mi przez głowę obrazy horroru, jaki oglądałam z przyjaciółmi, kiedy studiowałam na uniwersytecie. Nosił tytuł *Mit Kazulu*. Przerażający! Była to historia potwora, który miał członek nieprawdopodobnej wielkości i gwałcił wszystkie napotkane dziewice. Potem umierały nabite na jego ogromny pal. Zazwyczaj oglądaliśmy horrory przed egzaminami semestralnymi, żeby uwolnić się od napięcia. Tej nocy też jestem zdenerwowana i wystraszona, i dlatego chcę sprowokować Rafę.

Rafa zaczyna swój wahadłowy ruch i, jęcząc, czuję, że zaraz będzie szczytował. Nie przeszkadzam mu w tym. Bardzo mi się podoba to, że nie może się powstrzymać. Wytryskuje. Po chwili ja również zaczynam dochodzić. Przypomina mi się spadająca gwiazda, w jaką zmienił się Cristián i inni mężczyźni, którzy przewinęli się przez moje życie, myślę nawet o tych, którzy dopiero się pojawią. Nigdy nie miałam aż tak jasnego umysłu. Krzyczę głośno i na pewno słychać mnie w chałupach stojących na wzgórzu.

– Rób mi zdjęcia, takie z opuszczonymi spodniami.

Rafa nie każe się prosić i uzbrojony w ogromny flesz celuje swoim trzecim okiem w moją sylwetkę.

– Uśmiechnij się – prosi i podchodzi do mnie trochę bliżej.

– Jedziemy, ale już! – rozkazuję mu, już trochę zmęczona.

Obydwoje wsiadamy do samochodu i po wielokrotnym naciśnięciu pedału gazu udaje się nam ruszyć w dalszą drogę. Kiedy wjeżdżamy na malutkie wzgórze, roztacza się przed nami widok Limy, którego nie da się z niczym porównać. Tłum dzieci oblega samochód i biegnie za nami. Zatrzymujemy się na chwilę.

– Zrób zdjęcia miasta – proszę Rafę. – I dzieciaków, dobrze?

– Tak, szefowo. Ale uspokój się, proszę! Nie chcę mieć kłopotów z tymi ludźmi. Spójrz, jak na nas patrzą!

Coraz więcej ludzi wychodzi z bud skleconych z kartonów i drewna. Są zaciekawieni, kto odważył się wjechać na terytorium zarezerwowane tyko dla najbiedniejszych, dla tych którzy nie mają nic.

Na dachach chałup widzę anteny satelitarne.

– Jak mogą mieć anteny satelitarne? Nawet ja nie mam takiej w swoim domu w Hiszpanii! – pytam kompletnie zaskoczona.

– Rząd doprowadził im elektryczność i wodę. To wydaje się niewiarygodne, ale tak jest. Są nawet autobusy, które dojeżdżają aż tutaj. To prywatne linie. Za pół sola mogą pojechać do miasta. Wielu z nich handluje w dzień owocami w centrum miasta, a potem wraca do swoich domów – wyjaśnia mi Rafa, próbując zrobić zdjęcia dzieciom.

Te świetnie się bawią, robiąc różne miny i pokazując nam języki.

– Rafa, zrób zdjęcie.

– Właśnie usiłuję.

W tej samej chwili zdaję sobie sprawę z tego, że mam rozpięty rozporek, i chcę go zapiąć, ale uniemożliwiają mi to silne uderzenia w samochód. Kiedy unoszę głowę, widzę mało przyjaźnie nastawionych ludzi usiłujących przewrócić samochód.

– Trzymaj się, szefowo, zwiewamy stąd z piskiem opon – krzyczy do mnie Rafa.

Ciska aparat na moje kolana i bardzo nerwowo wrzuca pierwszy bieg.

Ludzie się powoli rozchodzą i jedyne, co udaje nam się dostrzec, to pył, który się za nami unosi.

– Udało ci się zrobić zdjęcia? – pytam dopiero, gdy stajemy przed hotelem.

– Tak, szefowo, ale powinnaś wiedzieć, że wycieczka w takie miejsce była szaleństwem. Mogło się to dla nas źle skończyć.

– Tak, Rafa, mogło.

Nieprzyjemności

19 kwietnia 1997

Pomimo ogromnego strachu, który przeżyliśmy wczoraj, dziś jestem ożywiona i w dobrym humorze... i mam skurcze żołądka. Telefon z jednej ze spółek, w której miałam umówione spotkanie, całkowicie zmienił mój plan dnia, a dyrektor do spraw marketingu czeka na mnie w Trujillo – mieście oddalonym o jakieś pięćset kilometrów od Limy. Żeby się tam dostać, muszę polecieć samolotem.

– Pan dyrektor przyjmie panią o piątej – powiedziała mi sekretarka.

Ledwie mam czas dojechać na lotnisko i wejść do samolotu, żeby punktualnie pojawić się na spotkaniu.

Chcę zabrać ze sobą Rafę, ale on bardzo nie lubi wcześnie wstawać. Po kilku kuksańcach zmuszających go, żeby się podniósł, i trwającym wieki prysznicu niemal lecimy taksówką na lotnisko. Taksówkarz jest przestraszony i chyba sądzi, że oszalałam, kiedy mówię mu, że bardzo się spieszę. Dla niego czas ma inną wartość.

– Nic mnie nie obchodzi, że przed nami są inne samochody. Niech pan jedzie po chodniku. Niech się pan nie martwi policją. Wszystko jest pod kontrolą. Tak więc... niech pan leci!

Na lotnisku musimy stać w kolejce i wpadam w panikę, że nie uda nam się wylecieć o czasie. W końcu łapiemy właściwy lot i się uspokajam.

Po starcie podchodzi do nas stewardesa i proponuje posiłek, którego ani Rafa, ani ja nie jesteśmy w stanie zjeść.

– Czy mógłbyś zrobić kilka zdjęć w samolocie? – pytam Rafę.

– Pan jest fotografem? – pyta go stewardesa, podjeżdżając do nas z wózkiem, żeby zabrać tacki, których zawartości nawet nie tknęliśmy.

– Tak.

Stewardesa uśmiecha się do niego nieśmiało.

– Podobasz się jej – szepcę Rafie na ucho.

– Skąd wiesz?

Ma minę, jakby mu to przeszkadzało. To normalne, że Rafa podoba się kobietom. Jest bardzo przystojnym mężczyzną, choć trochę nieśmiałym.

– Kobieca intuicja.

– Nie przeszkadza ci to?

A dlaczego miałoby przeszkadzać? Nie należę do zazdrosnych kobiet. Wprost przeciwnie. Uważam za pochwałę fakt, że inną kobietę pociąga mężczyzna, który jest ze mną. A poza tym, jak mogę wymagać od mężczyzny, żeby był mi wierny, jeśli sama sypiam z każdym, na którego mam ochotę? Korci mnie, żeby opowiedzieć mu o tym, do czego doszło pomiędzy mną a Roberto w dniu mojego przyjazdu do Limy. Ale nie robię tego, z szacunku. Nie wiem, jak by to przyjął, i boję się jego reakcji. Rozumiem też, że nie wszyscy są przygotowani na wysłuchiwanie wykładu z mojej własnej filozofii życiowej.

– Wcale! Nie jestem zazdrosna, przecież wiesz. – To jedyne wyjaśnienie jakiego mu udzielam.

Do Trujillo docieramy po trwającym ponad godzinę locie. Rafa i stewardesa wymienili się w końcu telefonami, ponieważ ona, jak twierdziła, poszukuje zawodowego fotografa na komunię swojego siostrzeńca.

Pierwsze, co odczytujemy na afiszach umieszczonych na lotnisku, to informacja, że panuje epidemia cholery. Ten wirus prześladuje mnie wszędzie, gdzie się udaję, ale, według mojego lekarza – specjalisty od chorób tropikalnych – nie może on zaatakować Europejczyków, ponieważ jesteśmy dobrze odżywieni, a nasze soki żołądkowe zabijają bakterie cholery. Lepiej jednak unikać picia wody z kranu czy napojów z lodem.

Udajemy się bezpośrednio na moje spotkanie, które nie wypada tak dobrze, jak się tego spodziewałam. Później, żeby spróbować uspokoić nerwy, zwiedzamy miasto. Odkrywam, że okolice Trujillo to pustynia pełna pól szparagów. Większość z nich eksportuje się do Hiszpanii. Przyglądając się tym żyznym wydmom, czuję złość i smutek. Wiem, że spotkanie z dyrektorem do spraw marketingu Prinsy skróci mój pobyt w Peru. Te rozmowy były dla mojej agencji najważniejsze i dłuższy pobyt tutaj nie ma teraz najmniejszego sensu. Rafa jednak ciągle nic o tym nie wie. Boję się mu powiedzieć. Zawsze bierze górę moja straszna wada – odkładam na później sprawy ważne. Oczywiście nie jestem zakochana w Rafie, ale mam dla niego dużo czułości.

Noc 21 kwietnia 1997

– Jest tam kto? Proszę, niech ktoś mnie stąd wyciągnie! Duszę się.

W całkowitych ciemnościach, zdesperowana, poszukuję jakiegoś źródła światła, żeby się zorientować gdzie jestem. Boli mnie całe ciało, a zwłaszcza nogi. Nie mogę wydobyć z siebie żadnego dźwięku. Mam szeroko rozwarte i sparaliżowane szczęki.

– Niech ktoś mi pomoże!

Nie mogę się ruszyć. Teraz nie czuję własnych członków. Wydaje się, że zakopali mnie w grobie, ale nie jestem martwa.

A może to porwanie i wsadzili mnie do jakiejś skrzyni, jak ci z ETA? Dlaczego? To nie może być prawda. Nie mam nic wspólnego z problemem baskijskim. Co za cholera! Jestem w Peru, nie w Hiszpanii. Właśnie miałam spotkanie z dyrektorem do spraw marketingu spółki Prinsa S.A. Co się więc stało? A może to Sendero Luminoso?

– Jestem francuską obywatelką i mieszkam w Hiszpanii.

Przypominam sobie: Guzmán siedzi w więzieniu, inni liderzy organizacji też wpadli, od jakiegoś czasu nie było żadnych zamachów. Zatem to niemożliwe. Bez sensu. A może to te dzieci ze wzgórza trzymają mnie jako zakładnika? Ale przecież, jeśli pamięć mnie nie zawodzi, wyszliśmy stamtąd cało. Tak więc z pewnością jest to kara boska za wszystkie grzechy, które popełniłam w życiu. Tylko że ja nie zrobiłam nikomu nic złego. Po prostu poszukiwałam przyjemności.

– Wyciągnijcie mnie stąd! Zrobicie to, jeśli się uspokoję? Niech mi ktoś odpowie, ja już nie mogę.

Brakuje mi powietrza, mam atak klaustrofobii i bardzo źle się czuję. Na pewno podali mi narkotyki, bo jestem bardzo słaba. Chcę podrapać się w nos, ale nie mogę ruszyć nawet małym palcem. Próbuję poruszyć oczami, ale przypominam starego, ślepego konia.

Usłyszałam jakiś hałas. Kroki, głosy. Czuję się tak źle, że sama już nie wiem, czy to moja wyobraźnia, czy naprawdę ktoś się zbliża.

– Jestem tutaj!

Przez chwilę wydaje mi się, że ktoś zwrócił na mnie uwagę. Ale... co się dzieje? Słyszę jakiś straszny hałas i czuję wstrząsy, których pochodzenia nie umiem wyjaśnić. Trzęsienie ziemi? Znalazłam wyjaśnienie. Jestem ukryta w ruinach budynku, który się zawalił podczas trzęsienia ziemi.

– Ratunku!

Na pewno wiedzą, że ktoś przeżył. I pewnie mają ekipę ratunkową z psami. Z pewnością, w Peru bowiem trzęsienia ziemi nie należą do rzadkości.

Próbuję się uspokoić. Ale znów odczuwam powracającą falę strachu. A jeśli jestem sparaliżowana? Zaczynam się modlić.

– Ojcze Nasz, któryś jest w niebie, święć się imię Twoje. Przyjdź królestwo Twoje. Bądź wola Twoja tako w niebie, jak i na ziemi. Chleba naszego powszedniego daj nam dzisiaj i odpuść nam nasze winy...

Światło! Już je widzę. Moja modlitwa poskutkowała. Światło razi mnie w oczy, ale kogoś widzę. Kogoś?

To Roberto, mój grubasek!

– Roberto! Tu jestem! Proszę, pomóż mi! Jak się cieszę, że cię widzę! Co z tobą? Masz minę łajdaka.

Roberto zbliża się do mnie ze strasznym wyrazem twarzy, którego przyczynę próbuję zrozumieć. Oburącz gwałtownie chwyta mnie za głowę i opuszcza ją do swojego rozpiętego rozporka. Nie mam czasu nawet westchnąć.

– Masz, masz, ty pieprzona dziwko! – mówi mój grubasek, wpychając do moich kauczukowych ust swój syfilityczny członek.

22 kwietnia 1997

Budzę się z gorączką, rzucając się w łóżku w hotelu Prado i zadając sobie pytanie: Czy mam syndrom sztokholmski wobec mojego porywacza z sex-shopu?

Ten koszmar prześladuje mnie przez większą część poranka, gorączka też. Muszę się jednak skoncentrować, ponieważ mam dziś dużo spraw do załatwienia. Między innymi znalezienie jakiegoś lotu do Hiszpanii i kupno pocztówki ze zdjęciem Machu Picchu dla Mami, obiecałam jej.

W biurze Iberii udaje mi się uzyskać to co niemożliwe, czyli miejsce w samolocie następnego dnia wieczorem. Tak więc zostają mi jeszcze dwadzieścia cztery godziny. W centrum miasta znajduję wędrownego sprzedawcę książek i pocztówek. Jest bardzo sympatyczny i bawi mnie przyglądanie mu się, jak trzyma kukurydzianego papierosa w ustach, który powoli się spala, bez żadnego pociągania. Wygląda na to, że przypali mu wargi, ale staruszek się tym nie przejmuje. Kiedy pytam go o Machu Picchu, wyciąga tony wizerunków sławnej góry, kolorowe, czarno-białe, w wielu ujęciach i opisane we wszystkich językach. Tutaj na pewno znajdę to, czego szukam. Wydaje mi się, że musiał kolekcjonować je od urodzenia, ponieważ wiele z nich pożółkło i ma charakterystyczny zapach starej biblioteki. Decyduję się na kolorową pocztówkę i płacę mu podwójną cenę – współczuję temu biednemu człowiekowi, poza tym to, co mu płacę w solach, to grosze – i zadowolona z zakupu, po jego podziękowaniach i rewerencjach, które przypominają zachowanie japońskiego dyplomaty, wracam do hotelu.

> Kochana Mami,
>
> przesyłam Ci pocztówkę, tak jak obiecałam, ale muszę Ci się zwierzyć, że nie widziałam Machu Picchu. Nie było na to czasu. Miałam już spotkanie w tej firmie i jutro w nocy wracam do Hiszpanii. Zadzwonię, jak tylko dotrę do domu. Gorące całusy.
>
> Twoja wnuczka.

Zostawiam pocztówkę w recepcji, prosząc, by jak najszybciej ją wysłano. Eva mówi, żebym się tym nie martwiła. Dotrze na miejsce, ale ostrzega mnie, że to może trochę potrwać.

Następnie dzwonię do Rafy, który codziennie rano kręci na plaży program o aerobiku dla peruwiańskiej telewizji, i umawiam się z nim w południe w barze Mojito. Tego ranka wyszedł dość wcześnie, żegnając się ze mną niewinnym pocałunkiem w usta, i pognał do pracy bardzo przejęty stanem mojego zdrowia. Mam trochę czasu, żeby się zastanowić, w jaki sposób poinformować go o moim jutrzejszym wyjeździe.

Ponownie mierzę sobie temperaturę: 37,7. Trochę spadła, ale wciąż źle się czuję.

Co powiem Rafie? Jak to przyjmie? Będzie mi wyrzucał, że nie powiedziałam mu wcześniej i że czekają go dwa pożegnalne pocałunki w policzek, bez możliwości ponownego spotkania? Myślę o tym przez cały ranek i kiedy zbliża się pora posiłku, wstaję i poprawiam sobie delikatny makijaż, żeby ukryć sine worki, które pojawiły mi się pod oczami. Oczywiście i tak kiepsko wyglądam. Biorę żakiet i szybko wychodzę.

Mojito jest pełne *beautiful people* i *jet-set* mieszkających w Limie. To bardzo modne miejsce, w którym można coś zjeść i się napić. Restauracja jest dwupiętrowa. Na dole stoły i krzesła mają kolor ogrodowej zieleni i na górne piętro wchodzi się stąd po drewnianych schodach, jak w barach w amerykańskich westernach, w których zawsze pojawia się jakaś kurtyzana, ubrana w spódnicę do kankana, swawolna i z ogromną ilością piór na głowie, rzucająca groźne spojrzenia na wszystkich kowbojów opartych o bar. Drugie piętro w Mojito jest otwierane tylko wieczorami. Składa się z części wewnętrznej i kilku tarasów połączonych pojedynczym stołem, przy którym można się czegoś napić, słuchając muzyki. Szukam Rafy i znajduję go pijącego Coronę, w taki sposób jak się to robi w Meksyku. Pogryza kawałek cytryny, przyglądając się śladom swoich zębów pozostawionym w miąższu.

– Nie wyglądasz najlepiej, szefowo! – mówi i wstaje, żeby podsunąć mi krzesło.

– Myślę, że nie posłużyła mi podróż do Trujillo – odpowiadam, unikając jego wzroku.

Przywołuję gestem kelnera.

– Jesteś pewna, że nie ma innego powodu?

Widzę, że coś podejrzewa. Jest bardzo zdenerwowany, nie przestaje zrywać wilgotnej etykietki piwa i tak długo zdrapuje resztki, aż butelka jest zupełnie czysta.

– Kartę i jeszcze jedną Coronę – proszę kelnera.

Zapalam papierosa i zaczynam drżeć. Rafa to zauważa, ale nie komentuje.

Prosimy o enchiladas z serem, burritos, ale dla mnie nie ostre, i butelkę czerwonego wina. Bardzo peruwiańskie jedzenie!

– Nie jestem pewien, czy powinnaś pić alkohol.

Teraz Rafa jest bardzo poważny.

– Wypiję tylko troszeczkę. Myślę, że nie czuję się dobrze po tak ciężkim dniu, jaki miałam wczoraj. Jestem bardzo zdenerwowana i zdegustowana tymi afiszami zawiadamiającymi o cholerze w Trujillo. Mam lekkie mdłości, ale nie straciłam apetytu, wydaje mi się, że to dobry znak, prawda?

Nie udaje mi się go przekonać. Jemy w ciszy, przerywanej czasami tylko potajemnymi spojrzeniami, którymi obrzuca mnie Rafa, i urywanymi zdaniami, o tym jak mu poszło w pracy, o zdjęciach, które zrobiliśmy i które mi dał, i o okropnym kelnerze, przynoszącym nam dania jakby odmierzone kroplomierzem.

Kiedy kończymy jeść, wstajemy i informuję Rafę, że wracam do hotelu. Chcę być sama, a jeśli nie spadnie mi gorączka, zamierzam wezwać lekarza. Pochyla głowę, zgadzając się z moją decyzją, i kiedy już wsiadam do taksówki, wrzuca do mojej torebki małą tekturową, żółtą kopertę.

– Obiecaj mi, że będziesz przestrzegać wskazówek zapisanych w tej kopercie.

Jestem bardzo zaskoczona, ale mój stan nie pozwala mi zareagować i spytać, co to wszystko ma znaczyć. Kiwam głową i zatrzaskuję drzwiczki. Na światłach odwracam się i widzę Rafę z daleka, ze smutną miną. Unosi rękę w geście pożegnania. Nie wiem dlaczego, ale czuję, że już nigdy się nie zobaczymy, i on też o tym wie.

23 kwietnia 1997

Wczoraj przyszedł lekarz i postawił diagnozę, że cierpię na zapalenie żołądka i jelit. Poradził mi również, żebym po powrocie do Hiszpanii udała się do szpitala i zrobiła badania, by wyeliminować zagrożenie salmonellą. Później przespałam całe popołudnie, a po przebudzeniu usiłowałam nawiązać kontakt z Rafą, ale jego komórka przez cały czas była poza zasięgiem. Wielokrotnie wstawałam w nocy, żeby się wypróżnić, i bardzo się pociłam. Do głowy przyszło mi wspomnienie o moim spotkaniu z Roberto i koszmaru, jaki miałam ubiegłej nocy. Powietrze stało się strasznie ciężkie, naciskało na moje ciało do tego stopnia, że wydało mi się, że skończę pogrzebana żywcem. W całym pokoju panował zapach zgniłych jaj, było to ni mniej, ni więcej tylko efektem koloru ścian.

Dziś rano czuję się bez wątpienia lepiej. Gorączka zniknęła w tym samym tempie, w jakim się pojawiła, i mam ochotę na śniadanie i spakowanie walizki. Próbuję, raz jeszcze, zadzwonić do Rafy, bez skutku. Albo się na mnie obraził, albo wie, że wyjeżdżam, i chce sobie oszczędzić dramatycznych pożegnań. Nie mam mu tego za złe. Spędzam cały dzień na sporządzaniu raportów na temat klientów, z którymi się spotkałam, żeby nie rozmyślać.

Taksówka czeka na mnie przy wejściu do hotelu, żegnam się z Evą, która od pierwszej chwili bardzo przypadła mi do gustu. Będzie mi jej brakowało. Nie potrafię ukryć smutku i chce mi się płakać. Już w taksówce nie mogę się powstrzymać i pod spojrzeniem taksówkarza we wstecznym lusterku nie przestaję szlochać z kawałkiem papieru toaletowego, znalezionym w torebce, przy twarzy. Kiedy nie mam kleenexów, zawsze mam przy sobie kawałek papieru toaletowego z publicznych łazienek, którego używam do otarcia przychodzących nie w porę łez, tak jak teraz, albo żeby usunąć nadmiar tłustego potu z czoła i nosa.

Przy okienku Iberii, poszukując biletu i paszportu, znajduję malutką prostokątną kopertę, którą dał mi Rafa. Jest zamknięta pieczęcią z czerwonego wosku z inicjałem R. M. Poznaję pismo Rafy, przekazuje mi następującą wskazówkę: „Otworzyć dopiero podczas lotu". Dotykam pieczęci, żeby dowiedzieć się czegoś o zawartości. Jest bardzo twarda. Otwieram kopertę w samolocie, nie wcześniej, mimo że umieram z ciekawości. Obiecałam mu to.

Tej nocy jest dość dużo turbulencji, dużo więcej niż podczas lotu do Limy. Zdarza się to zawsze, gdy stewardesy podają posiłek. Pilnuję szklanki z sokiem, która cały czas przesuwa się z prawej strony na lewą i z powrotem, jak podczas seansu spirytystycznego.

Nagle zapala się sygnał pasów bezpieczeństwa, a moje serce zaczyna bić mocniej niż zazwyczaj. Coraz gorzej znoszę podróże samolotem. Żeby się uspokoić, muszę zapalić papierosa, ale boję się potwornej awantury, jaką zrobią mi stewardesy i inni pasażerowie.

Jestem tak sfrustrowana, że udaje mi się zaciągnąć tylko dwa razy. Ile bym dała za jeszcze dwa machy! Właśnie wtedy przypominam sobie o kopercie od Rafy i wyciągam ją tak delikatnie, jakbym trzymała w dłoni diament wart milion dolarów.

Po otwarciu koperty znajduję śliczne opakowanie z karteczką w środku. Przekaz jest bardzo krótki, ale miażdżący:

> Kochana szefowo,
> cały skarb miłości mieści się w maleńkich paczuszkach.
>
> Rafa

Rafa, dlaczego napisałeś taką krótką wiadomość? Jestem głodna twoich słów, nie miałeś mi nic więcej do powiedzenia? Wielokrotnie czytam wiadomość i zdaję sobie sprawę z jej głębi. Łzy płynące z moich oczu nie mają nic wspólnego z wylanymi w taksówce wiozącej mnie na lotnisko. To łzy przerywane cichym szlochem, które w końcu przeradzają się w szalejący potok. To łzy płynące prosto z serca pogrążonego w zbyt głębokim smutku. Nie pamiętam, żebym tak płakała przez jakiegokolwiek mężczyznę w moim życiu. Ale czy płaczę przez niego, czy za tymi szczęśliwymi chwilami, które były wyjątkowe i nigdy się nie powtórzą?

Zwrot o 180 stopni

24 kwietnia 1997

Nikt nie czekał na mnie na lotnisku. Jest jeszcze za wcześnie. Doleciałam na miejsce z nosem kompletnie zatkanym przez to, że płakałam przez siedem z dwunastu godzin lotu, i z podpuchniętymi oczami, tak jakby w powieki ugryzły mnie dwie pszczoły. Pocieszam się myślą, że zostawiłam Rafę w dobrych rękach. Bez wątpienia spotka się ze stewardesą, którą poznaliśmy podczas lotu do Trujillo. Już sama myśl o tym sprawia, że się uśmiecham.

Pierwsze, co robię, to zapalam papierosa. Czekając na taksówkę przy wyjściu z lotniska, wprowadzam kartę SIM do mojej komórki, tę którą wyjęłam przed wyjazdem do Peru. Moja skrzynka musi być pełna wiadomości, ale będę miała czas na przesłuchanie ich, jak już dojadę do domu.

Z Andrésem umówiłam się na popołudnie, żeby streścić mu efekty mojej pracy. Najpierw pojadę do domu, położę się na chwilę i wczesnym popołudniem wpadnę do biura.

Po drodze odkrywam cywilizację, którą zostawiłam za sobą kilka dni wcześniej, i przyglądam się ruchowi w mieście. Kiedy zatrzymujemy się na światłach, widzę mężczyznę stojącego przed witryną sklepu Gucciego, przyglądającego się długo cenie pantofli na bardzo wysokim obcasie. Mówi sam do siebie i ma nerwowy tik. W salonie herbaty jakiś urzędnik wskazuje sprzedawczyni palcem ogromne ciasto z bitą śmietaną, która wychodzi ze wszystkich stron. Zwilża sobie lewy kącik ust czubkiem języka. Czuję się dobrze. Wszystko dzieje się bardzo szybko, a ja z łatwością chwytam rytm.

Nigdy w takim tempie nie dojechałam z lotniska do domu, miasto jeszcze całkiem się nie rozbudziło. Oczywiście z każdą chwilą atmosfera zagęszcza się dzięki szarawemu, ciężkiemu smogowi, który podnosi się wcześniej niż wszystkie dźwięki miasta, a wilgotność powietrza już teraz grozi osiągnięciem najwyższego poziomu. Syrena ambulansu przypomina mi, że znowu jestem w Hiszpanii. W każdym kraju te syreny mają odmienny dźwięk i brzmią obco dla tych, którzy ich jeszcze nie znają. I dziś czuję się dobrze, ale obco.

Moja skrzynka pocztowa jest pełna przesyłek. Dwie z nich rzucają mi się w oczy, jedna z moim adresem napisanym ręcznie, a druga to awizo z niebieską karteczką, na której napisano, że ponieważ byłam nieobecna, zostawiają przesyłkę w lokalu A. I powinnam ją odebrać.

Otwieram kopertę i bacznie się przyglądam, kto ją podpisał. To Cristián. Co to ma znaczyć, że Cristián przysyła mi listy? Nie mam ochoty teraz tego czytać. Poza tym, po tym jak się ze mną obszedł wtedy, gdy najbardziej go potrzebowałam, żywię do niego urazę.

Cieszę się, że wreszcie wróciłam do domu. Witam się ze wszystkimi meblami. Uważam, że żyją własnym życiem. Nie ma ich wiele, ale mają dla mnie wielką wartość uczuciową. Zwłaszcza jeden obraz, który jest reprodukcją portretu namalowanego przez Modiglianiego. Wszyscy, którzy mnie odwiedzili, pytali, czy to mój portret.

– Ja? – spytałam kiedyś zaskoczona, ze zdegustowaną miną.

– Tak! Zapewniam cię, że jesteś bardzo podobna do tej kobiety o jasnobrązowych włosach, delikatnych, różowych ustach, o których nie wiadomo, czy się uśmiechają, czy nie, o długim wyrazistym nosie, bardzo długiej szyi i oczach, patrzących na człowieka bez względu na to, gdzie się znajduje.

Dziewczyna z obrazu nie jest piękna, ale za to tajemnicza.

– Jest jak Gioconda! – wykrzyknęła Sonia, widząc go po raz pierwszy.

Opadam na sofę, stawiając walizkę obok niej, i przeglądam wszystkie rachunki, które do mnie przyszły: telefoniczny, z Fecsy, reklamę nowego salonu piękności, który robi tipsy... Wracam do listu od Cristiána.

Kochana Val,

wielokrotnie dzwoniłem do Ciebie na komórkę, ale jest wyłączona. Nie wiem jak Cię znaleźć. Dlatego pozwalam sobie do Ciebie napisać. Proszę Cię, odezwij się do mnie, choćby po to żeby mnie posłać do diabła. W przeciwieństwie do Ciebie, mam wielką ochotę się z Tobą spotkać.

CRISTIÁN

Niech cierpi! Energicznie gniotę kartkę w dłoniach i postanawiam natychmiast wrzucić ją do śmieci. Nie mam ochoty po powrocie do Hiszpanii znów zawracać sobie nim głowy. Instynktownie, żeby przezwyciężyć bolesne wspomnienie Cristiána, schodzę na dół do lokalu Felipe i dzwonię do drzwi. Otwiera mi natychmiast.

– Cześć! Jestem twoją sąsiadką z pierwszego piętra. Przypominasz mnie sobie? – pytam go, szeroko się uśmiechając.

Jeszcze nie wiem, że moje spotkanie z Felipe okaże się szczęśliwym zbiegiem okoliczności. O ironio, spotykamy się w momencie, gdy przeznaczenie zmieni bieg mojego życia, tak jak on zmienia bieg życia swoich klientów.

Felipe to dziwny typ – niziutki i krótkonogi. Jeśli chodzi o jego nogi, to przypominają literę O. Ma długie paznokcie, jak muzyk grający na gitarze klasycznej, tłuste, kręcone włosy i hiszpańską bródkę, której umyślnie pozwala rosnąć, żeby nadać sobie interesujący wygląd. Zawsze ubiera się na czarno lub szaro i nosi stare, białe buty. Na pierwszy rzut oka jest to przygaszony facet, o bladej twarzy, trochę nieśmiały i niezdolny do wypowiedzenia jednego zdania bez powtarzania „jasne, jasne" i zacinania się przynajmniej raz przy każdym słowie. Ma bardzo ciemne, małe oczka i przypomina małego liska. Właściwie to jest potwornie brzydki.

– Jasne, jasne! Mieli dla ciebie paczkę, a ponieważ cię nie było, odebrałem ją. Poczekaj, już po nią idę. Wejdź, wejdź! Nie stój w drzwiach – zaprasza mnie nieśmiało.

Podchodzi do stołu, z szuflady którego wyciąga paczkę.

– Nie wiem jak mam ci dziękować. Gdybyś jej nie odebrał, z pewnością odesłaliby ją z powrotem do nadawcy i musiałabym bardzo długo czekać, żeby do mnie wróciła.

Dziękuję mu, czytając jednocześnie, co jest w środku.

– Sąsiedzi powinni sobie pomagać. Poza tym już przecież się znamy. Parę razy na siebie wpadliśmy. Jesteś Francuzką, prawda?

Jestem zaskoczona, że ani razu nie powiedział „jasne, jasne".

– Tak, jestem Francuzką, ale już od kilku lat mieszkam tutaj – odpowiadam mu, zadowolona, że wreszcie przysłali mi sprzęt do pasywnej gimnastyki, który kupiłam w sklepie wysyłkowym pewnej nocy, gdy nie mogłam zasnąć. Następnie pytam go: – A ty jesteś czystej krwi Katalończykiem, jak sądzę?

– Tak. Jasne, jasne. To można poznać po akcencie, prawda? – mówi, spuszczając wzrok.

Zaciekawiona, też patrzę na podłogę, ale nie zauważam tam nic interesującego.

– A co tu robisz? – pyta, szurając prawą stopą tak, jakby chciał zgasić papierosa.

– Pracuję w agencji reklamowej – odpowiadam, patrząc mu prosto w oczy i oczekując jakiejś reakcji.

Felipe nie zaniemówił.

– Agencja reklamowa, jasne, jasne. To musi być fascynujące, nie?

Chowa ręce do kieszeni spodni. Odnoszę wrażenie, że jest skrępowany, ponieważ cały czas wbija wzrok w podłogę.

– Tak, czasami jest, ale wydaje mi się, że twoje zajęcie jest dużo bardziej interesujące.

Gwałtownie unosi głowę.

– Dziesięć dni temu, kiedy wyjeżdżałam, spotkałam grupę ludzi przed twoją firmą i jakaś dziewczyna powiedziała mi, że są aktorami i że sprzedajesz kawałki życia. To prawda?

Jestem zdecydowana wyciągnąć z niego informacje i zrozumieć o co chodzi z tymi kawałkami życia.

Felipe odpowiada mi bardzo poważnie:

– Jasne, jasne. Moja praca jest bardzo ciekawa, prawda? Tak jak słyszysz, sprzedaję kawałki życia. To nowatorskie. Wymyślam historie i sprzedaję postaci. To taka gra. Ludzie dużo marzą. Chcieliby być szpiegami, gwiazdami pop, modelami albo zakładnikami.

– Zakładnikami? – pytam zaskoczona.

– Tak. A ja czynię te marzenia realnymi. Kreuję sytuacje, postaci. Mam bardzo dobrych aktorów; scenariusz i cała reszta wydają się prawdziwe. Jak samo życie!

– To bardzo interesujące! – wykrzykuję. – A jak to działa?

– Mógłbym ci wytłumaczyć, ale potrzebowałbym na to trochę czasu. A może wpadłabyś jutro po południu i omówilibyśmy to spokojnie?

– Okej! Przyjdę około ósmej, wcześniej nie mogę, bo pracuję. Pasuje ci ta godzina? – pytam podniecona, z nadzieją że się zgodzi.

– Jasne, jasne, że mi odpowiada. Jutro, próbujemy przez całe popołudnie. Jeśli skończymy wcześniej, niż przewiduję, poczekam na ciebie.

Żegnamy się i wracam do swojego mieszkania. Jestem zmęczona po podróży, ale jednocześnie poziom adrenaliny podnosi mi się do maksimum. Felipe mnie zaciekawił i swego rodzaju euforia wypełnia całe moje ciało.

Próbuję trochę odpocząć i po południu udaję się do biura z ochotą pożarcia całego świata.

Andrés już na mnie czeka, siedząc na swoim królewskim tronie, żądny wiedzy na temat szczegółów moich spotkań. Przez chwilę rozmawiam z kolegami, z entuzjazmem oczekując na spotkanie z szefem, którego mimo wszystko lubię. Energicznie pukam do drzwi jego gabinetu.

– Wejdź, córeczko!

Zawsze gdy wracam z podróży Andrés podnosi się i dwukrotnie mnie całuje. To już zwyczaj, a jednocześnie jedyna okazja, przy której mogę dostrzec w nim pewną delikatność, na ogół skrzętnie ukrywaną. W pozostałych przypadkach jest najbardziej chłodnym człowiekiem, jakiego znam. Tym razem mnie nie obejmuje, a ja wyglądam śmiesznie, odruchowo nadstawiając policzek. Atmosfera jest ciężka, pomimo że Andrés jest w oczywisty sposób zadowolony z tego, że mnie widzi.

– Cześć, Andrés! – mówię, zamierzając usiąść. – Już jestem, z kilkoma podpisanymi kontraktami, tylko Prinsa musi jeszcze przemyśleć sprawę.

– Wyglądasz na zmęczoną, córeczko. Miałaś dobrą podróż? – pyta mnie z przejęciem, kartkując informacje, które właśnie mu wręczyłam.

– Taką sobie. Tyle godzin w samolocie, poza tym *jet lag* każdego by wykończyły. Ale nie martw się, świetnie się czuję. Jak oceniasz moją pracę?

– W porządku, córeczko. Będziemy naciskać Prinsę stąd.

– A kiedy następny wyjazd? – Zadając to pytanie, zdaję sobie sprawę, że właśnie włożyłam palec między drzwi.

Andrés odkłada papiery, bierze swój blok z neurotycznymi rysunkami i zaczyna szkicować trójwymiarowe sześciany, kolorując ich ścianki ołówkiem. Zdejmuje okulary i nie wiem dlaczego ten tak zwyczajny gest podsuwa mi myśl, że zakomunikuje mi coś złego. Ma bardzo zmęczone oczy, a pod nimi ogromne wory.

Całe biuro już o tym wie, ale nikt nic mi nie powiedział. Nagle poczułam się jak żona, której mąż przyprawia rogi, a która zawsze dowiaduje się o tym ostatnia. Machinalnie unoszę rękę i przygładzam włosy, w rzeczywistości sprawdzam jednak, czy moje niewidzialne rogi mają już czubki. Nagle rozbolała mnie głowa, a poranna euforia zmienia się niebezpiecznie w serię mdłości atakujących żołądek i gardło. Mój wzrok przykuwają drżące wargi niespokojnego, ale wciąż milczącego Andrésa.

– No już! Powiedz mi! – prawie na niego krzyczę.

Andrés musi głęboko zaczerpnąć tchu, żeby wymówić to, czego już się boję. Siedzimy twarzą w twarz, ja bez tchu, a on w widoczny sposób zakłopotany tym co ma mi powiedzieć.

– Bardzo mi przykro, córeczko, ale jesteś zwolniona.

Już wcześniej wiedziałam, że nastąpiła restrukturyzacja firmy, ale nigdy nie przyszło mi do głowy, że zwolnią mnie w ten sposób, bez słowa. Nie proszę Andrésa o wyjaśnienia, bo jestem zbyt zmęczona i nie mam siły wdawać się w dyskusje. Umawiamy się na inny dzień, żeby podpisać świadectwo pracy, dwukrotnie całuje mnie na pożegnanie i jak zahipnotyzowana wychodzę z jego gabinetu. Idę pozbierać swoje rzeczy. Pomaga mi Marta, która nie przestaje wzdychać, powtarzając, jaka to jest niesprawiedliwość i że powinnam zaskarżyć firmę o bezprawne zwolnienie z pracy. Wszyscy wiemy, że poleci jeszcze wiele głów, ale moja była pierwsza, i to właśnie boli mnie najbardziej.

Wracam do domu jak narkomanka, nie uświadamiając sobie jeszcze, co tak naprawdę mnie spotkało. Muszę to spisać, gdyż wciąż jeszcze odczuwam skutki trujących słów Andrésa. Biorę mój dziennik, żeby opisać i zrozumieć tę sytuację. Ale nie mogę. Teraz mam straszną ochotę być z Cristiánem, by odnaleźć natchnienie, którego mi brakuje.

Pamiętam, jak po naszym pierwszym razie czułam potrzebę przeniesienia na papier szelestu zsuwających się z nas ubrań, opisania drogi, którą jego język pokonywał, przesuwając się po moim ciele, tego jak jego ręce bawiły się moimi piersiami, delikatności z jaką pieścił mój brzuch, zapachu jego oddechu na mojej twarzy, zwykłego delikatnego wietrzyka pojawiającego się zawsze wtedy, gdy ciało ogarnia gorączka lubieżności, wspólnej radości naszych orgazmów, odpoczynku splecionych ciał, delikatnych uderzeń palców jego stóp o moje, kiedy próbowaliśmy zasnąć, i sposobu w jaki mnie obejmował, żebym nie mogła uciec mu na drugi koniec łóżka. Próbowałam przypomnieć sobie wszystko, co sobie myślałam, kiedy po raz pierwszy we mnie wszedł. Ale już nie pamiętam. W mojej głowie tańczą fałszywe obrazy. Jestem zmęczona, a moje życie właśnie dokonało zwrotu o sto osiemdziesiąt stopni.

Okruchy życia

25 kwietnia 1997

Ranek spędziłam, paląc papierosa za papierosem – całe mieszkanie śmierdzi nikotyną, moje włosy również, ale nie mam ochoty na prysznic, przeglądam jakieś papiery, czekając na spotkanie z Felipe. Mogłabym je przyspieszyć, ale nie chcę mu się tłumaczyć. Dzisiaj to on będzie musiał mówić. Chcę wiedzieć wszystko o kawałkach życia, a jeżeli powiem mu, że właśnie straciłam pracę, może mi nic nie opowiedzieć.

Na godzinę przed spotkaniem wskakuję pod prysznic i pozwalam wodzie spływać po mojej twarzy, tak jak to robię w deszczowe dni, przeskakując kałuże. Żegnajcie kałuże w drodze do biura; żegnaj, Marto; żegnaj, Andrésie. Będzie mi was brakowało.

Muszę odzyskać siły. Po pierwsze, pójdę zobaczyć się z Felipe. Następnie zadzwonię do Soni, żeby zorganizować szaloną babską imprezę w ten weekend. A na koniec spróbuję znaleźć Cristiána i spędzić z nim noc.

Kiedy idę do lokalu A, wydaje mi się, że jestem w lepszym nastroju. Felipe okazuje radość na mój widok. Wpuszcza mnie do środka i rozmawiamy, stojąc na środku mieszkania.

– Myślę, że najlepiej będzie, jak najpierw zwiedzimy lokal, a później wszystko ci wytłumaczę. Chodź za mną.

Lokal jest trzypoziomowy, piętra łączą kręcone schody. Na parterze, gdzie się znajdujemy, stoi stolik komputerowy, pokój jest gabinetem, w którym przyjmuje się klientów. Jest bardzo ładny, z wiklinowymi meblami, a na ścianach wiszą egzotyczne obrazy i fotografie ludzi siedzących na fotelach, związanych sznurami, obrazy z cmentarzy zamieszkanych przez zombi... dostrzegam także afisz zapowiadający film z Michaelem Douglasem: *The Game*.

– Uwielbiam Michaela Douglasa! – wykrzykuję.

– Podobał ci się film? – pyta mnie z uśmiechem Felipe.

– Nie widziałam go – odpowiadam ze smutkiem.

– Więc musisz zobaczyć. Osiem lat przed wejściem tego filmu na ekrany ja już naszkicowałem kawałki życia. Teraz ludzie myślą, że ten film zainspirował mnie do rozkręcenia interesu, a tak nie jest. Wprost przeciwnie – zapewnia mnie Felipe, trochę rozzłoszczony. – Film tylko pokazuje to, co ja robię. *The Game* jest historią znudzonego milionera, który ma już wszystko. Jego brat nie wie, co podarować mu na urodziny. Postanawia więc zatrudnić firmę kreującą sytuacje, której bohaterem będzie Michael Douglas. Ten oczywiście o niczym nie wie. W końcu jednak zabawa okazuje się niebezpieczna. Ja robię dokładnie to samo, nie narażając jednak na niebezpieczeństwo moich klientów. Rozumiesz?

Ta historia rzeczywiście mnie podnieca. Schodzimy do piwnicy, gdzie odkrywam ogromne, dość ponure pomieszczenie bez okien – wygląda jak bunkier, w którym są zamknięte historie, z których nikt się nie zwierza. W pokoju znajduje się tylko gigantyczny stół konferencyjny otoczony dwudziestoma krzesłami i plastikowy manekin odziany w wojskowy mundur i maskę gazową. To miejsce wywołuje dreszcze, widać kamienie i cement ścian. Przypomina dziurę pod podłogą, grożącą w każdej chwili zawaleniem się na nasze głowy.

– To właśnie tutaj zbieram wszystkich aktorów, żeby powtarzali każdą scenę. Dlatego jest taki wielki. Potrzebujemy przestrzeni, przestrzeni. – Echo powtarza jego słowo.

– Jasne, jasne – odpowiadam, zdając sobie sprawę, że teraz ja używam jego powiedzonka.

Felipe nie zwraca na to uwagi i kontynuuje swoje wyjaśnienia.

– Wymyślam historie każdego typu: szpiegowskie, horrory, miłosne... o wielu poziomach niebezpieczeństwa, zdumiewające i o strachu. Ludzie wybierają taki scenariusz, jaki im odpowiada, i stają się jego bohaterami na kilka godzin, dwadzieścia cztery, czasem czterdzieści osiem, to zależy od nich. Wszyscy moi aktorzy noszą blaszki z nazwą firmy, po to by w razie, gdyby historia wymknęła się spod kontroli, klient mógł w jakiś sposób wrócić do rzeczywistości. Wystarczy, że rzuci okiem na tabliczkę i od razu się uspokaja, wiedząc, że to tylko gra. Gdyby klient chciał przerwać grę, podaje mu się specjalny kod, którego może użyć w każdej chwili. Zanim gra się rozpocznie, klient musi spotkać się z psychologiem, żebyśmy wiedzieli, w jakim stanie ducha się znajduje, poza tym radzę mu wykonać badania lekarskie. Osoby chore na serce nie mogą brać udziału w grze. Nie chcę przyjmować na siebie takiej odpowiedzialności. Jesteśmy bardzo poważną firmą organizującą wypoczynek. Jak widzisz, pomyślałem o wszystkim.

– Rozumiem – mówię zaintrygowana. Opowiedz mi trochę więcej na temat klientów, którzy kupują ten typ usług, o cenach, scenariuszach...

– Jasne, jasne! Klientami są ludzie z wyższych klas społecznych. Ceny zależą od stopnia skomplikowania i czasu trwania historii, ale jest to dość droga impreza. Przygotowuję awangardowy wypoczynek. A jeśli chodzi o historie, to są każdego typu, niektórzy klienci proszą nawet, żeby wymyślić im osobowość.

– Ach tak?

– Jasne, jasne. Pomyśl tylko, mój ostatni klient był adwokatem, który chciał zostać porwany przez dwie kobiety na czterdzieści osiem godzin i przetrzymywany pod ziemią. Scenariusz został napisany specjalnie dla niego. Był zachwycony.

– W podziemiach. To jasne, że ludzie są nienormalni. Przy tych wszystkich porwaniach, o których się słyszy, przychodzi sobie koleś i prosi, żeby go porwano. Aż trudno mi w to uwierzyć! – mówię z lekkim oburzeniem.

– Nie powiedziałem ci jeszcze, że chciał, by porwały go dwie lesbijki, które kochałyby się na jego oczach. Musiałem zatrudnić dwie prostytutki, ponieważ żadna z moich aktorek nie chciała zagrać takiej roli.

W jego uśmiechu pojawia się nagle coś diabolicznego i perwersyjnego, co bardzo mnie pociąga. Felipe nie wydaje mi się już delikatną i nieśmiałą osobą, którą poznałam wczoraj.

– Rany, dwie lesbijki. – To jedyne, co mogę w tym momencie powiedzieć.

Przygląda mi się przez chwilę i nagle zaczyna kontynuować swoje wyjaśnienia, tak jakby nic się nie stało.

– Kiedyś przygotowaliśmy dla czteroosobowej grupy średniowieczny weekend w zamku, w którym nocami pojawiał się hrabia Drakula. Prawie poumierali ze strachu – mówi, wybuchając śmiechem.

– Naprawdę chciałabym przeżyć taką historię. To musi być wspaniałe. Ale z pewnością jest zbyt drogie – stwierdzam.

– Rzeczywiście byś chciała?

Przygląda mi się uważnie, z perwersyjnym uśmieszkiem na ustach. Znów wydaje mi się bardzo atrakcyjny.

– Tak, oczywiście. To musi być bardzo podniecające!

– Nie przejmuj się, przyjdzie czas, że zorganizuję kawałek życia dla ciebie, i zrobię to bezpłatnie. Zapamiętaj sobie dobrze, co ci mówię: jeśli klient wyrazi już zgodę, nigdy nie wie, w którym momencie zacznie przeżywać swoją historię. Zgadzasz się na takie warunki?

– Tak – mówię, niezbyt poważnie traktując jego słowa.

Co ja do cholery wyprawiam? Nie znam tego faceta i już się zgadzam, nie wiedząc nawet o co chodzi. Chociaż spodziewam się, że będzie to zwykła historyjka, którą wymyśla się dla rozrywki.

– Pamiętaj więc, w najmniej spodziewanym momencie... – powtarza, odprowadzając mnie do drzwi.

– Okej! Na razie, Felipe – żegnam się z nim i biegiem wracam do swojego mieszkania. Ta rozmowa podnieciła mnie i jestem zaskoczona, że taki niezauważalny człowieczek stał się dla mnie nagle tak atrakcyjny.

Moje ciało płonie i muszę ugasić ogarniający je żar. Wybieram numer telefonu Cristiána, ale nie odpowiada, zostawiam mu więc wiadomość, wyjaśniając przyczynę mojej dziesięciodniowej nieobecności. Oddzwania do mnie w ciągu dwudziestu minut i umawiamy się bezpośrednio w jego domu.

Natychmiast idziemy do łóżka. Ujmuje moją głowę w ręce i oblizuje moje usta, nos, oczy, szyję. Uczucie przyjemności jest jak uderzenia w twarz zadawane przez serce, które bije zbyt mocno. Od czasu do czasu schodzi niżej, a potem unosi się, częstując mnie moim własnym nektarem, całując i podgryzając.

– Smakuje ci? – pyta, bardzo podniecony.

– Tak, lubię to. A ty?

– Uwielbiam. Ma taki delikatnie słodkawy smak. Jak letni deszcz.

Znów opadam, pokonana przez rozkosz, i obejmuję dłonią jego wilgotną żołądź, przesuwam po niej w górę i w dół, podczas gdy Cristián penetruje palcem mój odbyt. Podoba mi się to i jemu też. Przeżywamy orgazm jednocześnie, wycieńczeni przez przyjęte pozycje, jakby to od nich zależała intensywność naszego pożądania.

Minęło parę godzin – nie wiem, czy to była rzeczywistość, czy sen – i, gdy się obudziłam, dostrzegłam pośladki Cristiána na mojej twarzy; leżąc nieruchomo, obserwowałam jak otwiera się niewidoczny dotąd otwór. Usłyszałam lubieżny szept:

– Teraz ty mnie spenetruj.

Jestem tak zaskoczona, że nie mogę się ruszyć, jak sparaliżowana. Cristián odwraca się i dodaje:

– Męskie hormony pozwalają czasami zachować się jak świni komuś, kto nią nie jest.

Wspomnienie wrażeń przeżytych podczas spotkania z Felipe sprawia, że przychodzi mi do głowy dowcip w bardzo złym guście.

6 czerwca 1997

Bigudí krąży po mieszkaniu, poznając swój nowy dom. Mami umarła. Miała zawał i nie udało się jej uratować. Czuję, że straciłam jakąś część siebie, i to właśnie w chwili, kiedy coś bardzo ładnego rodziło się między nami. Odeszła, nie otrzymawszy nawet mojej kartki z Peru. Czuję, że życie jest bardzo niesprawiedliwe, i nie mogę przestać rozmyślać, czym zasłużyłam sobie na taki cios. Śmierć jest straszna, ale nie dla tych, którzy odchodzą, tylko dla tych, którzy zostają.

10 lipca 1997

– W twoim biurze pracują sami nieudacznicy! – krzyczał Hassan do telefonu, zupełnie jakby miał zakłócenia na linii i rozmawiał z Chinami. – Jakaś panienka, zapewne praktykantka, powiedziała mi, że żadna Val tu nie pracuje.

Zapomniałam, jak autorytarny charakter ma Hassan. Lubi

otrzymywać natychmiast to, czego sobie zażyczy, jak rozkapryszone dziecko. Dlatego ciągle jesteśmy w kontakcie. Dlatego właśnie że daję mu wszystko, czego chce od kobiety, przede wszystkim seks, młodość, i zadaję niewiele pytań.

Kiedy go poznałam, od razu poczułam do niego wiele szacunku, czułość i ogromną chęć, żeby zaeksperymentować z mężczyzną dużo starszym od siebie. Siedział na sofie w barze Hyatt, a ja w hotelowej restauracji jadłam kolację ze swoim współpracownikiem; nie czułam się najlepiej, cały czas usiłując uniknąć bezczelnych spojrzeń kucharza – Luci – który miał na mnie ochotę. Luca wyglądał jak marynarz narkoman, który właśnie wyszedł z więzienia, a na obydwu ramionach miał wytatuowane imiona kobiet, z którymi był. Każdej nocy przychodził po pracy pod moje drzwi, prosząc, żebym go wpuściła, wysyłał mi pełne błędów ortograficznych wiersze napisane wulgarnym francuskim, którego z pewnością nauczył się w galijskich aresztach. W ogóle mi się nie podobał. Tamtej nocy Hassan natychmiast zorientował się, co się dzieje, i przyszedł mi na ratunek, zapraszając mnie na drinka. W tamtych czasach wyglądał jak minister, nosił eleganckie garnitury od Yvesa Saint-Laurenta i miał w kieszeni pół hotelu. Za każdym razem, kiedy kelnerzy przechodzili obok niego, kłaniali mu się z taką rewerencją, jakby był głową państwa. Czułam się jak w niebie z tym mężczyzną u boku i właśnie wtedy zrozumiałam znaczenie tego, co nazywamy „erotyką władzy". Chciałam spróbować tego, co wiele kobiet doprowadza do szaleństwa: być u boku mężczyzny bogatego i znajdującego się u władzy. Tak naprawdę muszę stwierdzić, że nie jest specjalnie piękny. Ale dla mnie to akurat nie ma żadnego znaczenia. Hassan od razu mi się spodobał, ponieważ, poza wszystkim innym, ma wysuniętą szczękę, tak jak Klaus Kinsky. Ta drobna cecha obrazuje całą jego charyzmę. Poza tym jego elokwencja połączona z aparycją zniewoliła mnie od pierwszej chwili.

Uwiódł mnie spokój, z jakim mówił, zmieszany z porywczością, którą czasami okazywał, kiedy wydawał polecenia swoim podwładnym. Aż do chwili, gdy stanęliśmy przed drzwiami do mojego pokoju, nie mieliśmy problemów, i to w państwie, w którym mężczyźnie nie wolno towarzyszyć kobiecie do pokoju, jeżeli jest samotna. W rezultacie nasz związek rozpoczął się po tym, jak pewnej nocy odważył się, ukryty za bukietem róż, schować w moim pokoju. W końcu przezwyciężył wszystkie przeszkody, żeby uzyskać dostęp do mnie, i poczynał sobie coraz śmielej, robił ogromne kroki.

– Posłuchaj, Hassan, jestem zaskoczona, że w moim biurze o niczym cię nie poinformowali. W zeszłym miesiącu dostałam wymówienie – tłumaczę mu w nieco kiepskim nastroju wywołanym jego tonem i ze wstydu, że jestem na liście bezrobotnych.

– Zrobiłaś coś takiego, żeby wyrzucili cię z pracy z dnia na dzień? – pyta.

– Oczywiście, że nie! – krzyczę trochę obrażona, a trochę urażona. – Po prostu przeprowadzali redukcję personelu i byłam pierwsza, którą wyrzucili. Co ty sobie myślisz? Że to ja sprowokowałam ich do wyrzucenia mnie na ulicę, kiedy miałam mniej więcej ułożone i spokojne życie?

Hassan, który zawsze chełpi się swoją postawą liberalnego muzułmanina, wychowanego na zachodnią modłę, nie chce nawet dopuścić takiej myśli, ale już sam fakt bycia z kobietą stanowi dla niego poważny problem.

– Dobrze, uspokój się! – mówi nieco łagodniej, ponieważ zdaje sobie sprawę z tego, że nie ma żadnego powodu do takiego zachowania. – Co masz zamiar teraz zrobić?

Ostatnie zdanie wypowiada z czułością i odnoszę wrażenie, że ma jakiś pomysł.

– Szukać pracy? A jak myślisz, co powinnam zrobić?

– Dlaczego nie przyjedziesz na jakiś czas do Maroka? Moglibyśmy o tym pogadać. Potrzebuję kobiety znającej francuski w mowie i piśmie, do czasopisma, takiej jak ty. A poza tym trochę odpoczniesz od tego szalonego, europejskiego życia.

Prosty pomysł Hassana pociąga mnie i odrzuca zarazem. Nie zgadzam się na wyjazd do Maroka, mimo że jestem bardzo zdesperowana, pozostając w domu z założonymi rękami. Nagła bezczynność przeszkadza mi bardziej niż racje stricte ekonomiczne, ponieważ podczas lat przepracowanych z Andrésem zarobiłam wystarczająco dużo pieniędzy, żeby odłożyć okrągłą sumę, która pozwoli mi żyć spokojnie przez dość długi czas. Ale zawsze byłam raczej mrówką niż leniwcem.

– Przemyśl to dobrze, zgoda?

– Zgoda, Hassan, i bardzo ci dziękuję.
– Nie dziękuj mi – mówi, kończąc rozmowę.
Odkładamy słuchawki niemal jednocześnie.

25 lipca 1997

Jest jedenasta w nocy. Do baru, w którym umówiłam się z Sonią na kielicha, przyszłam pierwsza. Kiedy się pojawia z piętnastominutowym opóźnieniem, widzę, że wygląda kiepsko, choć z włosami rozwiewanymi przez wiatr i swym drobnym ciałem Sonia porusza się z wdziękiem tancerki baletu klasycznego.

– Myślę, żeby dać ogłoszenie. Chcę znaleźć jakiegoś narzeczonego. Zwróć uwagę na to, co mówię! – mówi, płacząc.

– Ty? Ogłoszenie? Mam wrażenie, że trochę przesadzasz, Soniu. Nie mów mi, że nie możesz znaleźć mężczyzny bez przechodzenia przez tych już zaklasyfikowanych? Gdybyś miała sześćdziesiąt lat i była sama, zrozumiałabym, ale w twoim wieku!

– Wcale się nie domagam, żebyś mnie zrozumiała. Ale przysięgam ci, że jestem kompletnie zdołowana. Po raz kolejny czuję się odrzucona. Mam zaburzenia pracy serca i nie mogę spać po nocach.

– Przestań! Nie gryź się tak tym, że nie masz narzeczonego. Pojawi się. Ale tylko wtedy, gdy pozbędziesz się obsesji. Poza tym nigdzie nie wychodzisz. Jak chcesz spotkać bliźniaczą duszę, jeśli nie pokazujesz się nawet na ulicy?

– Wiem, ale nigdy nie lubiłam wypuszczać się na polowania.

– Nie namawiam cię na polowanie, tylko na to, żebyś wyszła i miło spędziła czas, po prostu.

– Ale przy tym, jak teraz wyglądam, nikt nie zwróci na mnie uwagi.

– Czy to nie ty przed chwilą powiedziałaś, że nie masz ochoty na polowanie? Soniu, proszę cię, głowa do góry! Nie chcę, żebyś była taka, kiedy się spotykamy.

– Poza tym nie udaje mi się nawiązać kontaktu nawet na jedną noc – kontynuowała Sonia.

– A kto mówi o kontaktach na jedną noc? Powtarzaj to z tą samą osobą prze wiele nocy z rzędu, jeśli chcesz!

– Chodzi o to, że nie chcesz zrozumieć tego, co do ciebie mówię. Ja nie uznaję seksu bez miłości.

– Ależ jesteś upierdliwa z tym seksem bez miłości! Zanim się zakochasz, powinnaś spróbować, tak ci radzę. Odstaw zasady i nie będziesz miała problemu, kiedy pójdziesz już pierwszej nocy do łóżka z kimś, kto ci się spodoba.

Miałyśmy odmienne opinie na temat seksu i miłości. W zasadzie nie wiem, co znaczy zakochać się, i mało mnie to obchodzi. Uważam, że jestem uprzywilejowana, mogąc korzystać ze swojego zwierzęcego pożądania i nie wiążąc się z nikim. Próbuję wytłumaczyć to Soni, ale ona zaprzecza, kręcąc głową. Mówi, że ona tak nie może, bo wychowano ją starymi metodami.

– Mnie też – odpowiadam, usiłując uświadomić jej, że to nie ma żadnego znaczenia. Jednocześnie myślę o ogłoszeniach w gazecie. Sonia właśnie podsunęła mi pomysł.

– Dobra, zostaw. Ta sprawa ogłoszeń to jedna wielka głupota, naprawdę – mówi, kończąc drinka.

Odprowadzam ją aż do domu i udaje mi się ją trochę pocieszyć. Sonia znika na schodach jak cień, bardziej delikatna niż włókienko bawełny. Już wiem co zrobić, we wrześniu dam ogłoszenie, że szukam pracy. Jeśli Mahomet nie chce przyjść do Góry, Góra przyjdzie do Mahometa.

Policjant

28 lipca 1997

Po południu dzwoni do mnie Cristián. Chce mi opowiedzieć o tym, że ma narzeczoną.

– I co z tego? Nie jestem zazdrosna.

Milknie, słysząc moją spokojną odpowiedź. W rezultacie muszę spytać, czy nadal jest przy telefonie.

– Tak, jestem tutaj – odpowiada cicho. – Nie sądziłem, że tak zareagujesz.

– Dlaczego nie? A spodziewałeś się, że zacznę krzyczeć i płakać? I prosić cię, żebyś zostawił dla mnie narzeczoną?

– No właśnie czegoś takiego. Wszystkiego poza twoją reakcją sprzed chwili.

Jest rozczarowany. Każdy lubi wiedzieć, że ktoś się w nim zakochał, nawet jeśli bez wzajemności, ale moja reakcja nie była charakterystyczna dla kobiety szalonej z miłości.

– Ja tego nie zrobię. Nigdy cię nie pytałam, czy jesteś wolny, czy nie. To twój problem, a nie mój.

– Chodzi o to, że nie chcę być od nikogo uzależniony seksualnie, i boję się za każdym razem, kiedy się widzimy. Jestem zakochany w swojej narzeczonej i nie chcę jej stracić.

Nie mogę powstrzymać śmiechu.

– Jesteś zakochany, ale pieprzysz się z inną.

– Tak, wiem, wiem! Dlatego źle się z tym czuję i wolę to skończyć. Poza wszystkim innym boję się ciebie.

Właśnie powiedział, że zadecydował, że nie chce mnie więcej widzieć. Rozumiem, że nie boi się mnie, tylko swoich własnych reakcji. Nie chce stawić czoła temu, jaki jest w rzeczywistości, i po krótkim czasie spędzonym ze mną dokonał wyboru.

Szanuję jego decyzję, nie aprobuję jedynie sposobu, w jaki mnie o tym poinformował. To wstrętne mówić takie rzeczy przez telefon.

30 czerwca 1997

Nie myślę już o Cristiánie, ponieważ zwróciłam uwagę na policjanta, który trzyma straż przed komisariatem znajdującym się obok mojego domu. Już podarował mi najlepszy ze swoich uśmiechów i za każdym razem, kiedy przechodzę, przygląda mi się. Jest taki elegancki w swoim mundurze, z kołnierzykiem zapiętym pod szyją na dwa guziki przyciasnej koszuli. Mam wrażenie, że mu się podobam i budzę jego pożądanie. Ma na imię Toni, jest ode mnie niższy i ma krótko przystrzyżone ciemne włosy. Zawsze stoi wyprostowany przed drzwiami, a jego klatka piersiowa wydaje się rzeźbiona pod mundurem, ciało mocne i sprężyste. Jedynym znakiem słabości Toniego jest zabawny pieg nad prawą górną wargą.

Kiedy podaję mu swój numer telefonu, pieg unosi się w uśmiechu.

8 sierpnia 1997

Tej nocy zabieram policjanta do łóżka. Spędzam z nim całą noc, kochamy się wielokrotnie, w jego małym pokoiku pozbawionym mebli, ale zaopatrzonym we wspaniały dywan. Około piątej rano budzi mnie odgłos wody płynącej z kranu w łazience. Odwracam się na łóżku i stwierdzając, że jestem sama, odnajduję wzrokiem światło przebijające spod drzwi łazienki i cień Toniego zamkniętego w środku. Nie ruszam się. Wychodzi, próbując nie hałasować, i kiedy znów kładzie się koło mnie, wyczuwam zapach spermy, którą rozlał na prześcieradłach. Tego intensywnego zapachu próbowałam końcem języka. Ten sam zapach pali moje wnętrzności. Przeszkadza mi wewnętrzny, powtarzający się wstyd, którego nie umiem udawać, i zaczynam oddychać pod prześcieradłami, jakbym nurkowała, aż do chwili kiedy budzę się rano w końcu łóżka, zwinięta jak kiełbaska.

10 września 1997

Całe lato spędziłam z Tonim, ale nasza przygoda już się skończyła, bo przenieśli go do Malagi. Złożył podanie kilka miesięcy wcześniej, żeby być bliżej rodziny, która pochodzi z Andaluzji, i zostało przyjęte. Bardzo się z tego cieszę, ze względu na niego. Znalazłam już pracę, trochę nudną, tłumaczki *free lance*, za sprawą ogłoszenia, które dałam, co pozwala mi żyć, nie uszczuplając oszczędności. To lepsze niż nic, ale wolałabym znaleźć coś innego. Mam ochotę trochę się rozruszać.

Kłótnia

20 września 1997

Dziś, wychodząc z domu, spotkałam Felipe, który przyjechał na motorze do swojego biura. Dawno się nie widzieliśmy i bardzo się cieszę z tego spotkania, choć nie robi już na mnie wrażenia atrakcyjnego faceta, jakie odniosłam za pierwszym razem kiedy się spotkaliśmy. W moich oczach Felipe zmienił się w nic nie znaczącego chłopca i w dodatku wstydliwego, jakim był zawsze.

– Cześć – mówi, parkując motor. – Ileż to czasu cię nie widziałem!

– Cześć, Felipe! Tak, byłam dość zajęta. Jak ci leci?

– Mogłoby być lepiej. Przygotowuję materiał dla prasy zagranicznej. Dzwonili do mnie nawet z jednego magazynu z Afryki Południowej.

Oooo! Będziesz bardzo sławny.

– Mam tylko nadzieję, że ta kampania zakończy się wreszcie sukcesem.

– Jestem pewna, że wszystko się uda. Zobaczysz.

– Wierzysz w to? – Nie wygląda na zbyt pewnego siebie.

– Oczywiście, że tak. Jeśli potrzebujesz pomocy, możesz zwrócić się do mnie. Może mogę coś dla ciebie zrobić? Nikt się o tym nie dowie.

– Jasne, jasne! Dzięki za propozycję – odpowiada.

Żegnamy się i Felipe odchodzi z kaskiem przewieszonym przez rękę. Tymczasem ja usiłuję przejść przez ulicę. Po chwili dobiega mnie jego głos:

– Słuchaj Val! Znasz obce języki, prawda?

– Tak, a o co chodzi?

– Mówisz po angielsku?

– Tak, dość dobrze.

– Potrzebowałbym twojej pomocy. Muszę coś napisać po angielsku, a nie znam zbyt dobrze tego języka. Mogłabyś rzucić okiem, jak będziesz miała czas?

– Oczywiście. Wpadnę do twojego biura, zgoda?

– Jasne. Jeszcze raz dziękuję.

Wreszcie udało mi się przejść przez ulicę.

25 września 1997

Zajrzałam do biura Felipe, żeby przejrzeć notki dla prasy. Tekst, który napisał po angielsku, był tak kiepski, że należało wrócić do początku i napisać go od nowa. Powiedziałam mu o tym bez ogródek.

– Musisz zacząć od początku. Napiszę ci to, bo tego nie możesz wysłać. Jest naszpikowany złymi określeniami i błędami ortograficznymi.

Felipe się przejął. Muszę dodać, że uświadamiałam mu to bez białych rękawiczek.

Poszłam sobie po tym, jak Felipe powiedział mi, co o mnie myśli. Sprawa skończyła się kłótnią i przysięgłam sobie, że więcej się nie spotkam z tym niewdzięcznikiem.

Po południu zadzwoniła Sonia, zapewniając mnie, że spotkała pokrewną duszę: przystojnego, dwudziestotrzyletniego muzyka, na którego natknęła się w metrze, kiedy wychodziła z pracy. Skrzypce upadły mu na ziemię, prosto na jej stopy, i ona pomogła mu je podnieść. Potem zaczęli rozmawiać o muzyce i dał jej parę wejściówek na swój koncert.

– Widzisz? Mówiłam ci już, że to przyjdzie, kiedy najmniej się będziesz spodziewała. Ale tak się dzieje tylko wtedy, gdy nie poszukujesz tego kogoś desperacko. Kiedy jak wariatka chodzisz i prosisz mężczyzn, żeby się w tobie zakochali, uciekają.

Przyznała mi rację. Ale teraz to ja nie mam kochanka, ani przyjaciółki, ponieważ Sonia postanowiła spędzać czas głównie na gruchaniu. A ja jestem skazana na spędzanie swojego czasu na sporadycznych spotkaniach.

Sypiam ze swoim wrogiem

Są miłości, które zabijają...

Najgorsze, co może kogoś spotkać w życiu, jest bezwiedne posiadanie największego i najgorszego wroga w domu.

Moje znudzenie własnym nieuporządkowanym życiem seksualnym, przechodzeniem z łóżka do łóżka, żeby potem przez długi okres być zupełnie samą, strasznie mi ciążyło. Nie chodzi o to, że nie chciałam spotkać miłości swojego życia i zmienić się z dnia na dzień, chciałam po prostu spotkać kogoś naprawdę specjalnego. Zaczęłam myśleć, że Sonia miała rację i że nadszedł mój czas.

Po śmierci Mami pojechałam do Francji, żeby wziąć udział w pogrzebie i zabrać to, co mi pozostawiła przed odejściem: almanach z lat pięćdziesiątych, który zawsze był w łazience, i Bigudí, kota, którym nikt nie chciał się zaopiekować, ponieważ był aspołeczny tak w stosunku do ludzi, jak i do zwierząt.

Biguidí w jakiś sposób mnie zaakceptował, byłam więc jedyną osobą mogącą się do niego zbliżyć, żeby nie zaczął wydawać z siebie dźwięków odpowiedniejszych dla psa niż dla kota.

Pewnego fatalnego dnia zakochałam się.

Do końca życia nie zapomnę tamtej chwili. Jaime był podobny do Imanola Ariasa. Był bardzo wysokim mężczyzną, o wystających kościach policzkowych i ogromnym nosie z brodawką na koniuszku. Daleki od kompleksów, pozwalał, żeby taka fizyczna charakterystyka służyła mu za pretekst do koncentrowania rozmowy na nim. Zawsze i z każdym, kto poruszyłby ten aspekt.

Kiedy się poznaliśmy, przede wszystkim zwróciłam uwagę na jego ręce, długie delikatne palce, dzięki którym z łatwością mógłby stać się wirtuozem pianina. Miał sybilińskie spojrzenie i łatwość wypowiedzi, która sprawiała, że tak mężczyźni, jak i kobiety padali mu w ekstazie do stóp, zakochani. W gruncie rzeczy szczycił się tym, że potrafił zdobyć każdą kobietę, a ja, widząc, że w głębi duszy jesteśmy tacy sami, zakochałam się. Na początku myślałam, że Jaime jest postacią wykreowaną dla mnie przez Felipe. W końcu jednak to wrażenie ustąpiło, ponieważ, bez względu na to jak bardzo kłóciłam się z Felipe, nikt nie mógł być tak okrutny i przewrotny. Nawet mszcząc się, nie wymyśliłby osoby tak nikczemnej i makiawelicznej.

Jaime był, w gruncie rzeczy, rozżalonym wiecznym przegranym, ludzką szumowiną. Nigdy nie spełniło się jego marzenie, by stać się potężnym przedsiębiorcą, i podczas wielu prób wykreował się na innego człowieka. Tak naprawdę to nigdy nie zrozumiałam dlaczego nie udało mu się zostać wielkim człowiekiem interesu. Był naprawdę wyjątkowo błyskotliwy, gwiazdy mu sprzyjały; miał wykształcenie ekonomiczne i bardzo długie i robiące wrażenie curriculum. Widać w jego przypadku siły zła okazały się silniejsze od dobroci, którą ma w sobie każdy człowiek. A Jaime postanowił poświęcić swoje możliwości na niszczenie wszystkiego, co go otaczało, a w szczególności ludzi odnoszących sukcesy. Nigdy nie mógł znieść, że komuś dobrze się układa.

Kiedy po raz pierwszy poszłam do łóżka z Jaimem, odkryłam, że z boku na prawej kostce ma długą plamę martwej skóry, którą obcina sobie skalpelem. Plama była fioletowawa, co przestraszyło mnie za pierwszym razem. Ten fizyczny defekt, zamiast zmniejszyć jego czar osobisty, tak jak brodawka na nosie, sprawił, że dostrzegałam jeszcze więcej uroku w tej osobie, która okazała się potworem. Umiał zmienić defekty, które dla wielu mogły być odpychające, w swoje zalety.

Bez wątpienia była to miłość od pierwszego wejrzenia. Przynajmniej z mojej strony. Dla niego była to po prostu gra i zdecydował się grać ze mną do samego końca.

Rozmowa kwalifikacyjna

Po zredagowaniu ogłoszenia, za pomocą którego chciałam znaleźć pracę, otrzymałam wiele ofert, ale żadna nie wydawała mi się tak pociągająca, żeby aż kontaktować się z danymi firmami i umawiać na spotkania. Ale pewnego dnia otrzymałam list od niejakiego Jaime'a Rijasa, konsultanta poszukującego asystentki dla dyrekcji. W liście informował mnie, że mogę do niego zadzwonić na komórkę, żeby ustalić termin rozmowy kwalifikacyjnej. Kiedy po raz pierwszy spróbowałam z nim porozmawiać, nie miałam szczęścia. Jego komórka była stale wyłączona. W końcu go złapałam i osoba, która odezwała się z drugiej strony, zrobiła na mnie ogromne wrażenie. Był bardzo profesjonalny i dlatego też poszukiwał profesjonalisty. Zdecydowaliśmy, że spotkamy się w jego gabinecie po lunchu.

6 maja 1998

Biura Jaime'a znajdowały się w samym sercu Barcelony, w dzielnicy Eixample, w budynku z fasadą z dużymi balkonami pomalowaną na bladoróżowo. Zjawiłam się o umówionej porze i jakiś mężczyzna około pięćdziesiątki, o niepokojącym spojrzeniu i z fajką w ustach, otworzył mi drzwi. Sekretarki nie wróciły jeszcze z przerwy na lunch i temu panu, który wyglądał raczej na menadżera niż pracownika administracji, przypadło zajmowanie się mną. Ledwo zamieniliśmy parę słów, gdy Jaime, delikatnie utykając, pojawił się w głębi korytarza prowadzącego do jego gabinetu. Człowiek z fajką natychmiast zniknął, a Jaime przywitał się ze mną, mocno ściskając moją dłoń.

– Czy stało się panu coś w nogę? – pytam go wyłącznie dlatego, żeby być miłą.

– Nie, to nic takiego. Uderzyłem się podczas gry w *paddle* w ostatni weekend – odpowiada mi bardzo snobistycznym tonem, odbierającym znaczenie całej sprawie.

Bezzwłocznie zaprasza mnie do swojego gabinetu. Pokój nie jest zbyt duży, okna wychodzą na drugą stronę budynku, na wewnętrzny dziedziniec, i jest dość ciemny. Jaime zapala halogenową lampę i jestem zaskoczona, widząc tak niewiele rzeczy w gabinecie osoby, która, jak zakładam, jest dyrektorem konsorcjum. Po raz kolejny Jaime, widząc, że się rozglądam, odbiera sprawie znaczenie, mówiąc:

– Proszę nie zwracać uwagi na mój gabinet. Właśnie się przeprowadziliśmy i cały czas trwają przenosiny. Trzeba dowieźć jeszcze bardzo dużo rzeczy.

Pokój o szerokości czterech metrów jest wyposażony tylko w bardzo długi i pościerany stół i jeden czarny fotel na kółkach. Na stole leżą dwie czy trzy książki na temat norm ISO. Rozpoczynamy rozmowę w sprawie pracy.

– Nazywam się Jaime Rijas, jestem wspólnikiem w tym konsorcjum i dyrektorem generalnym. Człowiek, który panią przyjął, to mój wspólnik, pan Joaquín Blanco. Poszukujemy godnej zaufania osoby, która mogłaby zorganizować pracę w biurze, a poza tym potrafiłaby utrzymywać znakomite stosunki z naszymi klientami. To byłaby taka forma public relations. Czy przyniosła pani curriculum?

Jaime mówi bardzo poważnym i uroczystym tonem, jak profesor na uniwersytecie. Sądzę, że świetnie się czuje, budząc respekt. Nie wydaje się osobą łatwą we współżyciu. Natychmiast podaję mu swój życiorys, a on zaczyna czytać go w milczeniu. Jeśli już unosi głowę, to po to, żeby bardziej mnie onieśmielić.

– Ufam, że pani referencje są prawdziwe, ponieważ mam zwyczaj telefonować i je sprawdzać. Czy ma pani coś przeciwko temu, żebym zadzwonił do pani poprzednich pracodawców i dowiedział się, jak wyglądała pani praca u nich?

– Nie, proszę pana, wprost przeciwnie – odpowiadam mu, pewna, że nikt nie może mi nic zarzucić.

– Dlaczego odeszła pani z ostatniej pracy?

– Zostałam zwolniona. Nie wiem, czy to dobrze, że panu o tym mówię, ale w rzeczywistości przeprowadzali redukcję personelu i padło na mnie, panie...

– Rijas.

– Przepraszam?

– Jaime Rijas. – Zaczyna grzebać w szufladzie, by w końcu znaleźć wizytówkę i dać mi ją. – Dobrze, porozmawiam z nimi.

– Może się pan zwrócić do Andrésa Martíneza. Był moim szefem.

– Dobrze. Zapiszę sobie imię Andrésa na moim egzemplarzu pani życiorysu. Oczywiście – dodaje – muszę od razu powiedzieć, że nie jest pani jedyną kandydatką, która stara się o to stanowisko, widziałem się już z kilkoma osobami, a poza panią zostają jeszcze trzy. Jak pani sama rozumie, nie chcę się pomylić i mam zamiar dokonać właściwego wyboru.

– Tak, rozumiem, ale mam wrażenie, że to ja popełniłam błąd, przychodząc na tę rozmowę. Jeśli mam być szczera, to nie wiem, czy stanowisko, które mi pan proponuje, jest dla mnie odpowiednie. Zawsze pracowałam w reklamie. Będę musiała się zastanowić. O jakim wynagrodzeniu mówimy?

– O jakichś dwustu pięćdziesięciu tysiącach peset brutto miesięcznie.

– Tak naprawdę, panie Rijas, ta pensja nie jest najwyższą, jaką mi proponowano.

– Takie pieniądze jesteśmy gotowi płacić przez kilka próbnych miesięcy, przy podpisaniu ostatecznego kontraktu zrewaloryzujemy kwotę. Oczywiście nie zawieram w tym diet i małej prowizji, którą może pani otrzymać, jeśli pani współpraca z klientami zaowocuje podpisaniem kontraktu.

– Rozumiem. Dziękuję, że mnie pan przyjął.

– Czy mogę panią o coś jeszcze zapytać?

Usadawia się wygodniej w fotelu, z wyrazem twarzy jeszcze poważniejszym niż na początku rozmowy.

– Tak, oczywiście.

– Czy jest pani mężatką?

Nie zaskakuje mnie tym pytaniem, wielu ludzi ma zwyczaj je zadawać.

– Nie, proszę pana. Ani nie jestem mężatką, ani nie mam dzieci.

– Ma pani narzeczonego?

Wpatruje mi się głęboko w oczy, co sprawia, że czuję dyskomfort.

– Sądzę, że to nie ma nic do rzeczy, panie Rijas – odpowiadam lekko obrażona.

Wydaje się, że moja odpowiedź nie robi na nim wrażenia. Wprost przeciwnie, Jaime natychmiast przybiera wyrozumiały wyraz twarzy.

– Rozumiem, że to pytanie może się pani wydawać dziwne. Ale potrzebuję osoby nie mającej żadnych zobowiązań rodzinnych. Jest bardzo prawdopodobne, że ktoś, kto obejmie to stanowisko, będzie musiał dużo podróżować. Dlatego wolałbym kobietę, która nie miałaby zobowiązań miłosnych.

Jego wyjaśnienie mnie nie przekonuje, ale i tak mu odpowiadam.

– Rozumiem. W moim przypadku nie ma żadnych zobowiązań rodzinnych ani miłosnych.

– Dobrze. Właśnie to chciałem wiedzieć.

Atmosfera się trochę oczyszcza i zaczynamy rozmawiać o moim życiu w Hiszpanii, o przyczynach pozostawienia przeze mnie kraju i możliwościach awansu, jakie miałabym w firmie. Koniec spotkania jest bardzo serdeczny i żegnamy się formalnie, a on obiecuje, że zatelefonuje do mnie w ciągu tygodnia i poinformuje, jaką podjął decyzję.

Nie wydaje mi się, bym dostała tę pracę, ale w gruncie rzeczy nic nie tracę. Jaime zrobił na mnie sprzeczne wrażenia, z jednej strony profesjonalisty i człowieka poważnego, ale ten schemat zniszczyły jego bezczelne pytania na temat mojego życia prywatnego. Jednocześnie mieszanka powagi i bezczelności uwiodła mnie. Przede wszystkim Jaime jest wielkim psychologiem kobiet.

14 maja 1998

Bardzo dobrze to przemyślałam i doszłam do wniosku, że nie zaakceptuję oferty pana Rijasa, w przypadku gdyby do mnie zadzwonił i powiedział, że moja kandydatura została wybrana. To stanowisko nie jest dokładnie tym czego oczekuję. Dlatego też będę nadal szukała pracy, a poza wszystkim innym istnieje bardzo małe prawdopodobieństwo, że do mnie zadzwoni.

Pomyliłam się. Tego ranka telefonuje do mnie jego sekretarka, z informacją, że zostałam wybrana, i prosi, żebym po południu zjawiła się w firmie na rozmowę z Jaimem.

Bez nadmiernego entuzjazmu pojawiam się w biurze, bardziej z profesjonalizmu i chęci pozostania w dobrych stosunkach niż ochoty rozpoczęcia współpracy z tymi ludźmi.

Znajduję Jaime'a Rijasa bardziej serdecznego i milszego niż za pierwszym razem i zaskakuje mnie jego przekonanie, że uważa za załatwioną sprawę zaakceptowania przeze mnie jego oferty.

– To bardzo prestiżowa praca, proszę pani. Pozostawiłem sobie tylko kandydaturę pani i jeszcze jednej dziewczyny, która właśnie skończyła ESADE. W przypadku, gdy to pani zostanie wybrana, będzie się pani musiała zapoznać ze wszystkimi tajnikami firm wchodzących w skład korporacji i zrozumie pani sposoby wydajności lub upadku niektórych z nich. Jesteśmy firmą konsultingową, między innymi służymy radą jak uzyskać normę ISO. To fascynujące!

– Nie wątpię w to, panie Rijas. Nie mówię, że nie byłoby to interesujące, tylko wydaje mi się, że jest trochę niezgodne z tym czego poszukuję. Nie mam bladego pojęcia o normach jakości. Sądzę, że osoba z tytułem z ESADE w kieszeni jest lepiej przygotowana ode mnie do pełnienia funkcji w firmie konsultingowej dla innych firm.

Sama rzucam sobie kłody pod nogi. Oczywiście Jaime usiłuje przekonać mnie, że to będzie stanowisko mojego życia.

– Tak między nami, bądźmy szczerzy, tytuły nie mają większego znaczenia. Ja zwracam uwagę przede wszystkim na człowieka i jego potencjał.

– W tym miejscu mogę się z panem zgodzić.

– Zaczynamy się rozumieć – mówi z uśmiechem. – W porządku, może gdy zaproponuję pani wyższą pensję, zgodzi się pani?

– Nie wiem. Tu nie chodzi tylko o pieniądze.

– Proszę się jeszcze zastanowić. Niech pani pomyśli także o tym, że zdobywa pani nowe doświadczenia zawodowe.

– Tak właśnie zrobię, panie Rijas.

Żegnamy się i Jaime obiecuje, że zadzwoni do mnie w ciągu dwóch dni.

Pułapka

16 maja 1998

Mimo że jestem słabo zainteresowana tą pracą, pan Rijas wydaje mi się bardzo pociągający. Podoba mi się fizycznie, ale przede wszystkim pociąga mnie jego sposób bycia, pewność siebie, która powoduje, że wydaje się niezniszczalny, a także jego niewielki lęk w obliczu przeciwności. Myślę, że w głębi duszy nabiera pewności siebie w sytuacji, gdy ktoś się z nim nie zgadza. Odbiera to bardzo osobiście i odczuwa ogromną satysfakcję, mogąc kogoś przekonać. To dodaje życiu smaku. Jestem od początku do końca na nie, a on uparł się, że spowoduje, że zmienię zdanie, i używa wszelkich dostępnych mu środków.

Dziś dzwoni do mnie osobiście, tak jak obiecał. Jednakże rozmowa z nim przybiera zupełnie inny obrót, nie mający nic wspólnego ze sprawami zawodowymi.

– Razem ze wspólnikiem podjęliśmy decyzję. Ale mam pewien problem, który muszę z panią omówić.

– Jakiego typu? – pytam zaintrygowana, mając poważne wątpliwości, czy potrafię mu pomóc.

Jaime przybiera konfidencjonalny ton, nie dając mi żadnej satysfakcjonującej odpowiedzi.

– Wydaje mi się, że jest pani osobą, z którą można rozmawiać otwarcie. Ale w tym celu muszę się z panią zobaczyć. Czy coś stoi na przeszkodzie, żebyśmy się spotkali i porozmawiali?

To wszystko wydaje mi się bardzo dziwne, ale się zgadzam.

W gruncie rzeczy mam ochotę znów go zobaczyć. Jeszcze nie zrozumiałam, dlaczego tak szybko się w to pakuję. Zawsze miałam dość nieokiełznany temperament i wyzwania mnie pociągają.

– No więc wpadnę po panią jutro o siódmej wieczorem, zgoda?

– A czy nie byłoby lepiej omówić to w pańskim biurze? – pytam, przeczuwając, że jest coś bardzo osobistego w jego propozycji.

– Wolałbym, żeby to się nie odbyło w moim gabinecie. Potrzebuję bardziej neutralnego miejsca, by wyjaśnić pani o co chodzi. Tutaj nie ma spokoju. Konsultanci wchodzą i wychodzą, wciąż mnie o coś proszą. Chciałabym omówić tę sprawę w jakimś spokojniejszym miejscu. Zapraszam panią na drinka, oczywiście bez żadnych podtekstów.

– Dobrze, zgadzam się.

Nie mogę przestać się dziwić jego wyjaśnieniem na temat podtekstów. Ma mój adres w curriculum i umawiamy się przed bramą mojego domu o siódmej po południu, następnego dnia.

17 maja 1998

Wsiadam do jego samochodu i kiedy dojeżdżamy do centrum Barcelony, zaczynamy się kręcić, szukając miejsca, żeby zaparkować. Aż do tej chwili niewiele mówiłam, słuchając jego streszczenia dnia i tego, na jaki zysk firma liczy w tym miesiącu. Jest rozentuzjazmowany i pyta mnie, jakie problemy może mieć człowiek, do którego, jak się wydaje, świat się uśmiecha. Proponuje mi, żebyśmy pojechali do Maremágnum, gdzie będziemy mogli swobodnie zaparkować. Zgadzam się.

Wjeżdżamy na ostatnie piętro centrum handlowego. Jest odkryte i znajduje się na nim ogromna liczba barów walczących o klientów tak licznych, że mogliby zapełnić stadion. Przebiwszy się przez tłum, znajdujemy stolik na tarasie, obok pola do minigolfa. Zamawiamy dwa giny z tonikiem.

– Cóż tak ważnego miał mi pan do powiedzenia i po co mnie tutaj przywiózł?

Widzę, że Jaime jest trochę zaskoczony moją zuchwałością, ale chce rozproszyć mój brak zaufania do niego i zmusza się do odpowiedzi.

– Dobrze. Po pierwsze, może mi pani mówić Jaime. I wolałbym także mówić do pani po imieniu, jeśli to pani nie przeszkadza.

Skinęłam głową, że się zgadzam. Zakładam, że jest to pierwszy krok, niezbędny do wejścia w konfidencję. „Pani" nigdy mi się nie podobała. Poza tym prosił mnie o to tak grzecznie.

– Słuchaj, jestem ekonomistą, mam czterdzieści dziewięć lat i przez całe życie byłem przedsiębiorcą o bardzo określonych poglądach na to, co powinienem robić, a czego nie. Przez wszystkie te lata nigdy nie spotkało mnie coś podobnego i myślę, że należy to omówić z kimś, kto nie ma uprzedzeń. Wydaje mi się, że jesteś właściwą osobą.

– Ja?! – wykrzykuję, mieszając gin z tonikiem.

Noc jest chłodna i Jaime zaczyna mówić, zacierając ręce.

Robi to tak mocno, że można by odnieść wrażenie, że wygłasza mowę przed tysiącami osób.

– Tak, ty! – powtarza, mierząc palcem w moje serce.

– Dlaczego właśnie ja? Skoro widzieliśmy się tylko na rozmowie kwalifikacyjnej w sprawie pracy i wcale się nie znamy. Jak możesz przypuszczać, że jestem odpowiednią osobą do wysłuchiwania zwierzeń na temat problemów innych ludzi?

– Właśnie dlatego że się nie znamy. Przez to twoja opinia wydaje mi się bardziej obiektywna. Coś mi mówi, że twoja pomoc może mieć dla mnie ogromną wartość. Nie proś mnie, żebym ci to wyjaśnił, bo nie umiałbym powiedzieć, dlaczego. Ale jestem przekonany, że możesz mi pomóc.

– Zależy, o co chodzi. W czym mogę ci pomóc? – pytam ponownie, powoli tracąc cierpliwość.

Jest bardzo spokojny i nie sprawia wrażenia człowieka przejętego jakimś problemem.

– Poznałem kogoś w środowisku pracy i, biorąc pod uwagę moją funkcję dyrektora generalnego firmy, nie wiem jak z nią postępować. Zwykle byłem zdolny pohamować impulsy, zwłaszcza jeśli w grę wchodziła praca. Przede wszystkim ze względu na etykę. Zawsze zachowywałem się w ten sposób. Ale teraz sytuacja mnie przerosła i nie wiem co robić.

– A w czym ja miałabym ci pomóc?

Nie mogę zrozumieć, czego ten mężczyzna ode mnie chce. Gra na czas, pije swojego drinka, a kiedy odstawia go na stół, bawi się słomką w szklance.

– Jak radziłabyś mi postąpić?

– Skąd mam wiedzieć?! Kim jest ta osoba? Pracuje w twojej firmie?

– Nie, ale mam z nią pośrednio kontakt. Nie znam jej zbyt dobrze. Pracuje w innej korporacji. Najgorsze w tym wszystkim jest to, że zakochałem się w niej bez pamięci.

– Czy ona o tym wie?

– Myślę, że to sprytna kobieta i musiała zdać sobie z tego sprawę. Mimo to, jak dotąd, nie zrobiła żadnej uwagi na ten temat. Oczywiście ja też nie powiedziałem jej nic o moich uczuciach. Ale pewnych zachowań nie da się ukryć, wiesz? Myślę, że w gruncie rzeczy nie chce spojrzeć prawdzie w oczy, ponieważ też się boi.

– W porządku. Jeśli chcesz znać moje zdanie, to powinieneś najpierw z nią porozmawiać. Ona może nie zdawać sobie z niczego sprawy.

– Nie. Jestem przekonany, że doskonale wie, co się dzieje. Ale to bardzo delikatna sytuacja. Gdybyś była nią, jakbyś zareagowała?

– Człowieku, gdybym znalazła się w takiej sytuacji i podobałaby mi się ta osoba, nie zastanawiałabym się ani sekundy. To zależy jeszcze od stosunków zawodowych, jakie naprawdę cię z nią łączą. To trudne i skomplikowane, szczerze mówiąc. Nie wszyscy rzuciliby się na głęboką wodę, jak ja.

– Tak. Dziękuję ci za szczerość.

Wyglądał na naprawdę wdzięcznego.

– Dlaczego z nią nie porozmawiasz?

– Już próbowałem, ale zawsze kiedy podejmuję ten wysiłek, nie znajduję słów, i kiedy już jestem w punkcie wyjścia, coś mnie powstrzymuje i ograniczam się do rozmów na temat pracy.

– Czego się boisz?

– Boję się, że odpowie mi, że nie czuje tego samego do mnie.

Zaskakuje mnie ta odpowiedź. Sprawiał na mnie dotąd wrażenie człowieka bardzo pewnego siebie i zawsze wydawało mi się, że kontroluje sytuację. Teraz mam pełną jasność, że tak nie jest.

– Dobra, ale jeśli nie powiesz jej prawdy, zawsze będziesz znajdował się w tym samym punkcie. Sprawy ani się same nie rozwiną, ani nie zakończą.

– Masz rację i właśnie dlatego chciałem z tobą porozmawiać. Wiedziałem, że ta rozmowa bardzo mi pomoże.

W jakiś sposób pochlebia mi, że zwrócił się właśnie do mnie. Wszystkie kobiety to lubią. Ale wciąż nie rozumiem, skąd takie zaufanie właśnie do mnie.

– Może zjemy razem kolację? A skoro już rozmawiamy, to dlaczego nie robić tego przy dobrze zastawionym stole? Jestem głodny. Znam restaurację w pobliżu, gdzie można zjeść najświeższe owoce morza.

Jego zaproszenie brzmiało jak zaproszenie starego przyjaciela, więc ponownie zaakceptowałam tę propozycję. W rzeczywistości Jaime usiłuje doprowadzić mnie do kapitulacji, usiłując zawrzeć przyjaźń, ponieważ za każdym razem, kiedy widziałam go w jego firmie, starałam się zachować maksymalny dystans.

Płaci za dwa drinki i piechotą idziemy do restauracji znajdującej się jakieś pięćset metrów od Maremágnum, w stronę Miasteczka Olimpijskiego. Właściciel lokalu zna go i wita serdecznie, po czym znajduje dla nas stolik pomimo panującego tu tłoku. Proponuje nam aperitif. Jaime ma ochotę na małże.

– Małże dla dwojga, żeby podnieść się na duchu, masz ochotę? – pyta mnie.

Uwielbiam owoce morza i zachwyca mnie ta propozycja. Na pierwszy rzut oka mamy zbieżne gusta. Zamawia jeszcze butelkę szampana, z tych najlepszych, i wznosi toast za naszą przyjaźń. W rzeczywistości wygląda to tak, jakby mnie podrywał i chciał zauroczyć. Gadamy o różnych bzdurach, do momentu kiedy zaczyna zadawać mi pytania bardziej osobiste.

– Naprawdę byłaś oburzona, kiedy pierwszego dnia spytałem cię, czy masz narzeczonego?

– Byłam trochę zszokowana – odpowiadam szczerze. – To, czy jestem mężatką, czy nie, mogę zrozumieć. Ale czy mam narzeczonego? Co to ci może powiedzieć?

– Dla mnie ta wiedza była bardzo istotna.

– Wiem o tym. Wyjaśniłeś mi, że osoba, którą zatrudnisz, powinna być wolna. Jeśli takie są twoje wymagania, wątpię, czy kogoś znajdziesz.

– Nie, tak naprawdę nie chodziło mi o to.

Opuszczam widelec.

– Jak to nie? Więc dlaczego?

– Chciałem sprawdzić, czy będziemy się mogli dzisiaj spotkać – odpowiada. – Gdybyś powiedziała mi, że masz narzeczonego, musiałbym obrać inną strategię.

– Słucham?

Nie wiem jak zareagować. Nie mogę wykrztusić słowa.

– No więc tak. Gdybyś miała narzeczonego, uparłbym się przy tobie, nawet ponosząc tego konsekwencje.

Wypiliśmy wystarczająco dużo, aby jego komentarz uznać za wygłoszony pod wpływem alkoholu. Nerwy mnie zawodzą i nagle zaczynam się śmiać.

– Nie przeszkadzałoby ci, gdybym miała narzeczonego?

– Wprost przeciwnie, zrobiłbym wszystko, żebyś go rzuciła – mówi z pewnością siebie, którą zademonstrował już na naszym pierwszym spotkaniu.

– Co ty opowiadasz? – pytam, nie mogąc pozbyć się nerwowego uśmiechu. – Przed chwilą twierdziłeś, że jesteś zakochany w jakiejś kobiecie?

Zaczynam mieć poważne obawy, że ten facet jest kompletnie szurnięty.

– Tak, i to prawda. Oszalałem dla pewnej kobiety.

– Już to widzę – mówię, tracąc dla niego część szacunku. – Jesteś zakochany, a podrywasz mnie.

Wybucha śmiechem.

– Jakim jesteś głuptasem! – woła z czułością. – Nic nie rozumiesz!

– Nie. Nie rozumiem cię. Jesteś taki sam jak wszyscy mężczyźni. Masz kobietę, w której jesteś zakochany, i nadal się oglądasz za innymi. Nie rozumiem cię.

Wszystko mi jedno, co sobie o mnie pomyśli. Zdecydowałam, że po tej rozmowie nie spotkam się z nim już nigdy w życiu. Jaime nagle poważnieje, wzywa kelnera i prosi o następną butelkę szampana. Dopóki nie napełniono ponownie naszych kieliszków, nie otworzył nawet ust. W końcu podnosi swój i mówi:

– Piję twoje zdrowie, Val, kobieto, w której jestem zakochany do szaleństwa.

Patrzy na mój kieliszek i oczekuje, że też go wzniosę, towarzysząc mu w toaście. Ale jestem jak sparaliżowana. Całkowicie zapomniałam języka w gębie. Niczego takiego się nie spodziewałam i jestem cholernie zaskoczona. Ponownie zaprasza mnie, żebym wzniosła kieliszek i toast, co w końcu robię automatycznie.

– Właśnie to chciałem ci powiedzieć. Dlatego zaprosiłem cię na kolację. Oszalałem przez ciebie – mruczy, wyciągając szyję, żeby zbliżyć się do mojej twarzy. – To ty jesteś kobietą, w której się zakochałem.

Opada mi szczęka, podczas gdy on wypija swój kieliszek aż do dna. Ja nie mogę nic przełknąć.

– Już po wszystkim! – mówi, nagle ożywiony. – Wyrzuciłem to z siebie. Musiałem z tobą porozmawiać. Spadł mi z serca ogromny ciężar.

Nie mogę uwierzyć w to, co słyszę, i tak zastygam z pełnym kieliszkiem w drżącej ręce, przyglądając się bąbelkom uciekającym aż pod sufit.

Jaime nagle robi się smutny i mówi:

– Przykro mi. Nie chciałem, żebyś poczuła dyskomfort. Naprawdę mi przykro.

Natychmiast prosi o rachunek. Czuję się dziwnie, ponieważ nie jestem przyzwyczajona do tego, żeby ktoś prawie nieznajomy wyznawał mi w ten sposób miłość.

– Odwiozę cię do domu. Mam nadzieję, że nie masz nic przeciwko temu. Zawsze kiedy z kimś wychodzę, lubię go odprowadzić do domu.

Zaczyna mnie boleć głowa. Za dużo wypiłam i nie wiem, co mu odpowiedzieć. Ale postanawiam pozwolić się odwieźć. Kiedy znajdujemy się przed drzwiami budynku, w którym mieszkam, zaskakuje mnie, życząc mi dobrej nocy i odchodząc, jakby nigdy nic. Nie zamierzam go zatrzymywać. Zszokowana jego nagłą deklaracją miłości, muszę to przemyśleć i muszę odpocząć.

20 czerwca 1998

Minął prawie miesiąc, nim zaczęliśmy gdzieś razem wychodzić. Od czasu swojej deklaracji Jaime nie telefonował do mnie, wyjąwszy jeden raz, kiedy spytał mnie, czy go kocham. Zaoferował mi posadę, bez żadnych warunków. A ponieważ szukałam czegoś nowego, zdecydowałam się z nim wyjść. Coś za coś. Muszę przyznać, że bardzo podobało mi się jego zuchwalstwo, kiedy oświadczał, że jest we mnie zakochany, ale doceniam także jego dyskrecję, którą zachowuje aż do dziś. Doskonale zrozumiał, że mogę być przytłoczona jego wyznaniem, i stara się stworzyć klimat odpowiedni do tego, żebym i ja się w nim zakochała. Od samego początku widział jasno, że praca u niego mi nie imponuje. Musi myśleć, że jestem kobietą samowystarczalną, o klarownym spojrzeniu na życie, która może zakochać się tylko wówczas, gdy nikt jej nie ponagla.

Widzieliśmy się jeszcze kilkakrotnie, przy różnych okazjach, podczas których on uważał za pewnik to, że w końcu wpadnę mu w ramiona. Chce, żebym zdawała sobie sprawę, że on jest tego pewien i że prędzej czy później tak się stanie. Podoba mi się z każdą chwilą coraz bardziej, ale wciąż jeszcze nie poszłam z nim do łóżka, tak jak mam to w zwyczaju. Chcę czekać.

Dziś umówiliśmy się na pogaduchy. Jaime mówi, że opowie mi wszystko o swoim życiu, ponieważ nie chce mieć przede mną żadnych sekretów. Opowiada mi historię swojego małżeństwa z byłą żoną, która obecnie ma raka piersi, i zwierza mi się z tego, jak bardzo ją kochał. Dowiaduję się, że nigdy nie udało mu się dochować jej wierności i że w końcu zmęczyła się tym i go zostawiła.

Chce pokazać mi swoje słabości, jak komuś, kto czyta książkę od początku do końca. To zresztą też jest częścią strategii. Poza tym forma jego opowieści nie pozwala kobiecie na zachowanie kamiennego spokoju. Dzień po dniu uwodzi mnie jego osobowość, jego drańska natura i niewierność w stosunku do kobiet, mieszające się z jego ojcowską delikatnością. Tłumaczy mi, że przez siedem lat utrzymywał stosunki z byłą modelką, Caroliną, z którą łączyła go dzika namiętność, i że ten związek również skończył się przez jego niewierność. Kobieta, z którą ją zdradzał, była najlepszą przyjaciółką Caroliny. W efekcie zdaję sobie sprawę, że z każdym słowem przekazuje mi wiadomość: Czy byłabyś zdolna mnie poskromić? Tak się to do mnie przyczepiło, że teraz to on stanowi dla mnie wyzwanie.

Z zapałem opowiada mi o dwójce swoich dzieci, które widuje tylko w weekendy, i jego ojcowska duma budzi we mnie czułość. Sądzę, że można to przypisać jednej z jego twarzy, jakiej jeszcze mi nie pokazał, i moim hormonom kobiety prawie trzydziestoletniej, budzących naturalny instynkt macierzyński.

25 czerwca 1998

Pierwszy raz przespałam się z Jaimem. Przyszedł do mnie do domu, otworzyłam mu drzwi, jakby to było jego mieszkanie, i kochaliśmy się na kuchennym stole. Nie przeżyłam nic nadzwyczajnego. Jaime był bardzo zmęczony, a ja rozumiem, że czasami ktoś nie jest stuprocentowo wydajny, choćby nie wiem jak bardzo chciał. Muszę szczerze wyznać, że jestem trochę rozczarowana. Myślałam, że będzie bardziej romantycznie. Trwało to wszystko pięć minut, z których cztery spędziłam na przekonywaniu go, żeby użył prezerwatywy.

– Uważasz, że mężczyzna w moim wieku używa kondomów? To jakieś gówno!

W końcu się zgodził. Ale wiem, że nie był zadowolony.

Nasze miłosne gniazdko

3 lipca 1998

W ciągu pierwszych kilku miesięcy naszego związku Jaime zachowuje się jak prawdziwy gentleman. Wszystko idzie jak z płatka. Oczywiście czasami zauważam i zapamiętuję dziwne rzeczy. Może to wybryki mojej wyobraźni. Ja, która nigdy nie mieszałam się w sprawy innych ludzi, z dręczącym poczuciem winy sprawdzam jego kalendarz spotkań. Znalazłam jakieś zakodowane wiadomości, świadczące o tym, że coś przede mną ukrywa, ale nie mam na to żadnych dowodów. W końcu postanowiłam nie zawracać sobie tym głowy. Aż do dziś, kiedy zaproponował, żebyśmy zamieszkali razem.

15 lipca 1998

Musimy znaleźć jakieś mieszkanie. Już zgodziliśmy się co do miejsca: Miasteczko Olimpijskie w Barcelonie. Przede wszystkim dlatego, że stamtąd widać morze. Zawsze marzyłam o ogromnym apartamencie z widokiem na morze i plażą przed domem, i to marzenie właśnie ma się zrealizować. W końcu, nie bez trudu, znaleźliśmy apartament o powierzchni stu dwudziestu metrów kwadratowych, naprzeciwko plaży, z własnym parkingiem i na strzeżonym przez całą dobę osiedlu. Upierałam się, żeby miał przynajmniej trzy pokoje i żebyśmy mogli gościć jego dzieci. Kiedy tylko wyjaśniłam, dlaczego chcę mieć tyle pokoi, Jaime zgodził się z moją argumentacją, ale zdziwiło mnie, że sam spontanicznie tego nie zaproponował. Myślę, że chce najpierw utrwalić nasz związek.

Dziś rano poszliśmy do bardzo wymagającej agencji nieruchomości podpisać papiery związane z najmem mieszkania i Jaime pojawił się z pół milionem peset w gotówce, żeby zapłacić kaucję za mieszkanie i czynsz. Przyszliśmy oboje, ponieważ ustaliliśmy, że wspólnie wynajmiemy mieszkanie i oboje podpiszemy umowę. Mogłoby się wydawać, że wszystko uzgodniliśmy. Ale w ostatniej chwili Jaime zmienił zdanie i zapytał mnie, czy mógłby jej nie podpisywać.

– Myślałam, że wynajmiemy je wspólnie. Coś się stało?

– Nie, bądź spokojna. Nie przejmuj się. Zapłacę za wynajem, ale wolałbym nie figurować w kontrakcie. Nie chcę, żeby moja była żona się dowiedziała, bo mogłaby zażądać więcej pieniędzy na dzieci.

W tym momencie zwróciłam uwagę na pewien ważny drobiazg. Dzieci, jak je nazywał, były już dorosłe i żyły ze swoimi partnerami, pracowały i były absolutnie niezależne. Jego obowiązek alimentacyjny wygasł ponad dziesięć lat temu i te wyjaśnienia nie miały sensu.

Ale z powodu wizji zamieszkania z nim w tym cudownym mieszkaniu i ze strachu, że powiem coś, co mogłoby przeszkodzić spełnieniu się marzenia, zgodziłam się być jedyną osobą podpisującą umowę.

Oświadczyliśmy to w agencji, chociaż nie byłam na stałe zatrudniona w żadnej firmie, ale mimo to mieliśmy dość pieniędzy, żeby zapłacić za dwa lata najmu. Agencja poinformowała nas, że właściciel nie zgadza się wynająć mieszkania nikomu bez stałej posady. Byłam zdruzgotana, widząc, że nie uda nam się wynająć tego mieszkania.

Kolejny raz Jaime stanął na wysokości zadania, zajął się wszystkim i po południu znów przyjechaliśmy do agencji i podpisaliśmy umowę. Jestem zaskoczona takim rozwojem spraw. Jaime mówi mi, że przedstawił im wyciągi z moich kont bankowych i w takiej sytuacji żadne stałe zatrudnienie nie było konieczne. Później odkryłam, że bez mojej wiedzy spreparował w swoim gabinecie moją ostatnią „umowę o pracę", którą im dał. Przygotował ją sam w swoim gabinecie, podpisał i podstemplował pieczątką firmową.

20 czerwca 1998

Jestem szczęśliwa, gdyż dzisiaj rano przeprowadziliśmy się. Przeprowadzka przebiegała bardzo sprawnie, bo ja nie mam zbyt wielu rzeczy, a Jaime przywiózł tylko ubrania z domu swojej matki, gdzie mieszkał, i kilka obrazów, jego zdaniem bardzo wartościowych. Podarował mu je ojciec, uszczuplając swoją kolekcję. To bardzo niewielkie wyposażenie i bez wątpienia potrzebujemy mebli.

Po południu zwiedzamy wszystkie sklepy z meblami w dzielnicy i w końcu dokonujemy wyboru. Jaime upiera się, żeby zapłacić za wszystko, choć protestuję, bo chciałabym pokryć część kosztów.

25 i 26 lipca 1998

Jaime powiedział mi, że ma willę w pobliżu Madrytu i w weekendy spotyka się tam ze swoimi dziećmi. Bardzo spodobała mi się myśl o spędzaniu tam wolnych od pracy dni, ale powiedział, że zabierze mnie ze sobą dopiero, gdy uprzedzi dzieci, że się z kimś związał. Oczywiście! Muszę być cierpliwa, ponieważ jego syn, choć to niemal mój rówieśnik, może być bardzo zazdrosny, widząc ojca z kobietą, która nie jest jego matką. Rozumiem to i przekonuję się, że muszę okazać wiele wyrozumiałości i cierpliwości. Chcę zostać zaakceptowana. W końcu zostanę macochą chłopaka i dziewczyny, którzy są już dorośli.

Dziś jest piątek. Jaime wsiada do samolotu i leci do Madrytu, żeby spotkać się z dziećmi. Już stamtąd dzwoni do mnie, chcąc się dowiedzieć, co słychać, a nasza rozmowa telefoniczna jest bardzo czuła. Przyszłość z Jaimem zapowiada się cudownie i szczęśliwie. Zaskakujące jest tylko to, że na dłuższą metę widujemy się rzadziej, mieszkając razem, niż gdy mieszkaliśmy oddzielnie.

Czasami spotykam się z Sonią. Wie wszystko o moim związku z Jaimem i uważa, że pospieszyłam się, zamieszkując z nim.

– Ledwo go znasz! Poza tym nie spędza z tobą żadnego weekendu. Nie wydaje ci się to dziwne?

– I kto to mówi! – odpowiadam jej z ironią. – Ta, która desperacko szuka swojej drugiej połowy, opowiada mi teraz, że pospieszyłam się, znajdując swoją!

– Tego nie powiedziałam, Val! Uważam tylko, że pospieszyłaś się, opuszczając własne mieszkanie, żeby zamieszkać z jakimś facetem, którego zupełnie nie znasz. Przedstawił ci swoją rodzinę?

– Jeszcze nie, Soniu. Potrzebuje trochę czasu. Uważam to za normalne. Ma dwoje dzieci i byłą żonę chorą na raka. Patrząc na tę rodzinę, wyobraź sobie, że nagle pojawiam się ja, z dnia na dzień, bez uprzedzenia. To byłoby prawdziwe wejście smoka. Nie uważam, żeby to było w porządku. Przynajmniej na razie.

– Dobrze. Zgoda! Załóżmy, że masz rację. To byłoby za szybko. Ale czy nie wydaje ci się dziwne, że ma luksusową willę w Madrycie, a zanim cię poznał, mieszkał ze swoją matką?

Sonia zaczyna mnie bardzo denerwować. Po pierwsze, przypisuję jej nieufność wynikającą z zazdrości, tak charakterystycznej dla wszystkich kobiet, kiedy inna zdobywa coś, o czym one marzyły przez całe życie. To bardzo ludzkie.

– Kupił tę willę, kiedy był z Caroliną, swoją byłą dziewczyną, którą poznał w Madrycie. Mieszkali tam. W tamtym okresie Jaime miał również biuro w Madrycie. A kiedy przyjeżdżał do Barcelony, zatrzymywał się w domu swojej matki. Wydaje mi się to zupełnie logiczne. Nie widzę nic dziwnego lub tajemniczego w tym, że chciał spędzić trochę czasu z matką.

– Więc wyjaśnij mi, dlaczego nie spotyka się ze swoimi dziećmi w Barcelonie, skoro wszyscy tu mieszkają, zamiast wyjeżdżać do Madrytu?

Nie umiem odpowiedzieć na to pytanie. Dostrzegam, że Sonia bardzo się przejmuje mną i nowym życiem, które sobie wybrałam. Poza tym jest trochę obrażona, ponieważ od czasu, gdy zaczęłam się spotykać z Jaimem, widujemy się coraz rzadziej.

– Masz rację, Soniu. Ale ty przecież też byłaś ze swoim chłopakiem. W każdym razie obiecuję ci, że od teraz będę się z tobą kontaktować częściej. To przez ten wynajem mieszkania, do tego doszła przeprowadzka, nie miałam do niczego innego głowy. Proszę, zrozum mnie. Słuchaj, chciałam zrobić w domu małą kolacyjkę w najbliższy czwartek, żeby przedstawić ci Jaime'a. Przyjdziesz?

– Oczywiście. Będzie mi bardzo miło.

– I w ten sposób się z nim pogodzisz – mówię, śmiejąc się.

– W porządku.

– Możesz przyjść ze swoim chłopakiem, jeśli chcesz.

Nagle zrobiła grobową minę.

– Rozstaliśmy się tydzień temu.

Właśnie popełniłam faux pas. Teraz wreszcie rozumiem, dlaczego jest tak podejrzliwa w stosunku do Jaime'a. Właśnie rzucił ją kolejny facet i jest obrażona na wszystkich mężczyzn.

– Poza mną miał inną dziewczynę, o której mi nie powiedział. Przypadkiem to odkryłam i zostawiłam go.

– Rozumiem, kochanie. Bardzo mi przykro, ale pomyśl, że przez to, jak potraktował cię ten drań, nie możesz uważać, że wszyscy mężczyźni są tacy sami, Soniu.

– Nie przejmuj się. Wyjdę z tego. Domyślasz się na pewno, że Bigudí strasznie za tobą tęskni?

Ta wiadomość rzeczywiście bardzo mnie martwi. Za każdą cenę chcę odzyskać mojego Bigudí, ale musiałam zostawić go u Soni, ponieważ Jaime nie cierpi kotów. I na razie biedne zwierzątko nie jest mile widziane w domu.

Znajduję pracę

27 lipca 1998

Kiedy Jaime wraca z weekendu spędzonego na łonie rodziny, mówię mu o zaplanowanej na czwartek kolacji z Sonią.

– Byłbym zachwycony, kochanie, ale przez cały tydzień będę w Maladze. Razem z Joaquínem musimy odwiedzić pewnych klientów. Wyjeżdżam jutro rano, a w piątek jadę samochodem bezpośrednio de Madrytu.

Wcale mi się nie podoba ten plan, ale ze wszystkich sił staram się ukryć niezadowolenie.

– Czyli nie zobaczymy się do przyszłej niedzieli?

– Kochanie, taką mam pracę. Zrozum! Podpisaliśmy kilka kontraktów z klientami z południa Hiszpanii i musimy do nich pojechać w tym tygodniu. Już wielokrotnie przekładałem tę podróż. Później znów będziemy razem.

Bierze mnie w ramiona i ustalamy inny termin kolacji z Sonią.

Po jego zwierzeniach na temat niewierności opowiadam mu tej nocy o swoich przypadkowych związkach i o tym, jak łatwo zaciągam do łóżka każdego mężczyznę, który mi się podoba. Jestem z nim zupełnie szczera, nie chcę mieć tajemnic. Jaime ostrzega mnie, że teraz, kiedy mieszkamy razem, muszę porzucić dawne przyzwyczajenia i wszystkich innych facetów. Nietrudno mi to zaakceptować, bo od jakiegoś czasu nie mam żadnego chłopaka, ale dużo mnie kosztuje przekonanie o tym Jaime'a. Jest potwornie zazdrosny. Obiecał mi, że będzie wierny.

Ja, dwudziestodziewięciolatka, i on, mający o dwadzieścia lat więcej, spotkaliśmy się w tym samym punkcie, ale na różnych etapach życia. Oboje jesteśmy już zmęczeni trybem życia, jaki prowadziliśmy. Tak naprawdę na nikogo nie zwracam teraz uwagi. Ta zmiana w mojej osobowości bardzo mnie zaskoczyła, ale chyba dlatego, że po raz pierwszy w życiu naprawdę zakochałam się i cały pociąg seksualny do innych mężczyzn zniknął. Będę mu wierna od początku do końca, a jeśli nasz związek się rozpadnie, to przez kilka miesięcy dłużej.

Tej nocy kochamy się. Jakość naszych stosunków seksualnych poprawiła się od czasu, gdy przestaliśmy używać prezerwatyw, ale Jaime ma dziwny zwyczaj myślenia wyłącznie o sobie. Nie pragnie mojej satysfakcji. Czasami zachowuje się jak zwierzę. Ale wszystko mi jedno. Seks nie jest dla mnie najważniejszy w naszym związku. To może dziwne, ale dla mnie zszedł na drugi plan.

28 lipca 1998

Jaime wyjechał z Joaquínem do Malagi, tak jak to sobie zaplanowali. Pożegnałam się z nim czule i prosiłam, żeby uważał na drodze. Przez kilka dni będę sama i postanowiłam, że znów zajmę się poszukiwaniem pracy.

Otrzymałam wiele ofert (moje ogłoszenie wciąż pojawia się w gazecie), a jedna z nich jest bardzo interesująca i obiecująca. Chodzi o międzynarodową firmę zagraniczną z siedzibą w Barcelonie, specjalizującą się w odzieży. Firma poszukuje kobiety, która zajmie się najnowszymi tendencjami w modzie. A to oznacza podróże na najważniejsze na świecie targi tej branży, obwąchiwanie rynku i oglądanie nowości na każdą porę roku. I pomimo, że nie jest w żaden sposób związana z reklamą, perspektywa pracy w tej branży wydaje mi się dość atrakcyjna. Poza tym podróże nie budzą mojego sprzeciwu, zdaję sobie sprawę z tego, że Jaime też będzie dużo podróżował.

Z takich właśnie przyczyn doszło do mojej rozmowy kwalifikacyjnej. Wszystko odbyło się bardzo szybko i dostałam zawiadomienie, że w ciągu tygodnia mogę rozpocząć pracę. Jestem bardzo szczęśliwa, ponieważ zakładam, że wzrosną nasze dochody. Nie wiem, ile zarabia Jaime, nigdy nic o tym nie mówił, ale wygląda na to, że dużo. Zawsze ma przy sobie sporą gotówkę, bardzo dużo wydaje i nigdy nie powiedział mi złego słowa na temat wydatków, nie protestował nawet wtedy, gdy chciałam wynająć mieszkanie w budynku o tak wysokim *standing*. Wprost przeciwnie, zawsze mi okazuje, że chce tego co najlepsze. Ale nawet w takim przypadku pragnę mieć swój udział w domowych wydatkach.

Jaime zadzwonił do mnie tylko dwa razy, mówiąc, że jest bardzo zajęty. Wielokrotnie próbowałam z nim porozmawiać, ale zawsze miał wyłączoną komórkę. A o numer telefonu do hotelu go nie prosiłam, żeby nie wyglądało na to, że mu nie ufam.

30 lipca 1998

Kiedy dziś wrócił, zauważyłam, że jest bardzo zmęczony i spięty. Zamknął się w łazience, gdy tylko zdjął buty, i siedział tam przez prawie godzinę. Próbuję dosłyszeć jakiś dobiegający stamtąd dźwięk, ale na próżno. Stoję pod drzwiami i pytam:

– Jaime, coś ci się stało?

– Daj mi spokój!

Jego odpowiedź jest krótka i ostra.

– Mogę coś dla ciebie zrobić, kochanie? Może dobrze by ci zrobiło, gdybyś się wygadał. Sama nie wiem. Masz jakieś kłopoty?

– Zostaw mnie w spokoju! – powtarza. – Nie masz nawet pojęcia, jakie mam problemy!

Po godzinie wychodzi z łazienki równie zmęczony, jak wtedy, gdy tam wszedł, z podpuchniętymi oczami, i cały wieczór i część nocy spędza, odpalając papierosa od papierosa i nie odzywając się do mnie ani słowem.

Kiedy kładzie się do łóżka, nawet mnie nie dotyka. Zawsze gdy śpimy razem, kochamy się. To pierwszy raz, kiedy odmówił sobie seksu.

2 sierpnia 1998

Jaime wcześnie wyszedł z domu. Nie miałam nawet kiedy powiedzieć mu, że znalazłam pracę i że zaczynam właśnie dziś. Zostawiam mu więc informację w kuchni, na wypadek gdyby zdarzyło się, że wróci do domu wcześniej niż ja. I tak się właśnie stało.

Kiedy wracam wieczorem, siedzi w salonie i ogląda telewizję.

– Mogłaś mi powiedzieć, że idziesz do pracy – wyrzuca mi natychmiast.

– Wiem, Jaime, ale wczoraj byłeś nieznośny. Nie chciałeś rozmawiać i zamknąłeś się w sobie w taki sposób, że myślałam, że masz jakąś blokadę.

– Miałem problem i nie chciałem o nim rozmawiać. A o co chodzi z tą twoją pracą?

Opowiadam mu, jak ją znalazłam i na czym polega.

– Będziesz musiała wyjeżdżać?

– Tak. Od czasu do czasu.

– Sama?

– Nie, z szefem. To Amerykanin. We wrześniu jedziemy na targi do Włoch i...

– Amerykanin? Następny, który będzie chciał cię pieprzyć!

Zaniemówiłam, słysząc ten niespodziewany komentarz. Jaime ma taki sam humor jak wczoraj.

– Ależ... co ty mówisz?

– To co słyszysz! Każe ci ze sobą podróżować, bo chce cię zerżnąć. Przekonasz się, że miałem rację. Jesteś jeszcze bardzo młoda. Nie znasz życia.

Jestem zakłopotana. Wydaje mi się wielką niesprawiedliwością wygadywanie takich rzeczy o człowieku, którego wcale się nie zna.

– Wszystko jedno, jedź sobie do Włoch z tym palantem. Ale jeśli dotknie cię choćby palcem, wsiadasz w pierwszy samolot i wracasz tutaj, zgoda?

Nie pozostaje mi nic innego, jak tylko powiedzieć mu, że tak. Gdybym tego nie zrobiła, myślę, że by mnie uderzył.

– Tak, oczywiście.

– Obiecujesz mi to?

– Jasne, Jaime, obiecuję!

Po pięciu minutach milczenia, gdy sądzę, że temat został już wyczerpany. Jaime zaczyna od początku.

– A ty też masz ochotę się z nim pieprzyć, prawda?

Zatkało mnie po raz drugi. Nie wiem, dlaczego nagle zadaje mi takie pytania.

– Nie, nie mam ochoty się z nim pieprzyć – odpowiadam, używając ze smutkiem jego własnych słów.

Idę do łazienki, żeby się wypłakać. Tym razem przesadził, nagle ma demoniczny wyraz twarzy i szuka powodu do kłótni ze mną. Tak bardzo się zmienił w ciągu kilku dni, że sprawia wrażenie, jakby był kimś zupełnie innym. W łazience znajduję słoiczek, którego wcześniej nie widziałam. Zawiera około stu gramów białego proszku i etykietkę z apteki, z zapisanymi składnikami. Jaime po cichu podchodzi do mnie z tyłu i kładzie mi rękę na ramieniu. Ze strachu niemal upuszczam słoiczek na podłogę.

– To proszek na ranę, którą mam na kostce. Przygotowują go, specjalnie dla mnie, w jednej aptece. Jest bardzo drogi, więc odstaw to na miejsce!

Stawiam słoiczek na umywalce i nic nie mówię.

Codziennie rano Jaime używa specjalnego skalpela do ścinania martwej skóry pokrywającej jego kostkę. Gdyby tego nie robił, nie mógłby włożyć buta i normalnie chodzić. Odwiedził już wielu specjalistów i, jego zdaniem, jest to bardzo rzadki przypadek, na który nie ma lekarstwa. Nikt nigdy nie spotkał się z czymś podobnym.

Rozbite talerze

6 sierpnia 1998

Dziś Sonia przychodzi na kolację. Jaime przez całe popołudnie był w domu i pracował w pokoju, do którego wstawiliśmy biurko, a ja przygotowuję w kuchni kolację. Nigdy nie lubiłam gotować, ale nauczyłam się, czytając kilka książek na ten temat, ponieważ Jaime lubi dobrze zjeść. Żadnych kanapek ani gotowych dań, uprzedził mnie o tym.

Podczas gdy Sonia pije w salonie swój aperitif, idę po Jaime'a żeby go poinformować, że nasz gość już przyszedł. Zamknął się na klucz, tak jakby w pokoju znajdował się niewyobrażalny skarb, o którym nikt – poza nim – nie może się dowiedzieć.

– Kochanie, czy przyjdziesz na kolację? – pytam łagodnie, ze strachu, że mu przeszkadzam. – Sonia jest już w salonie.

Odpowiada mi przez drzwi, nie otwierając ich, że będzie za dziesięć minut, musi tylko wziąć szybki prysznic i się przebrać. Wracam do Soni, do salonu.

– Źle wyglądasz, Val. Co się stało? Dobrze się czujesz?

Nie chcę rozmawiać ze swoją przyjaciółką o kłótniach, jakie z Jaimem mamy ostatnimi czasy. Postanawiam udzielić jej zupełnie innej odpowiedzi.

– Jestem tylko zmęczona, kochanie. To przez tę nową pracę. Jest tyle roboty i muszę się przyzwyczaić. Nie zapominaj, że od wielu miesięcy nie pracowałam na pełnym etacie.

Ostatnio bardzo schudłam i Sonia upiera się, że musi chodzić o coś więcej.

– Przecież pracujesz dopiero od tygodnia! Schudłaś już jakieś cztery kilo. Jesteś pewna, że nie chodzi o coś więcej, o czym nie chcesz mi powiedzieć?

– Nie, zapewniam cię, Soniu. Nie martw się.

Próbuję wyczarować najpiękniejszy z moich uśmiechów i uspokoić przyjaciółkę, która ostatnio stała się zbyt ciekawska i kwestionuje wszystko, co robię. Od Jaime'a, kiedy się zjawia, wprost bije blask – jest pachnący i wygląda świetnie. Włożył najlepsze ubranie i kiedy przedstawiam go Soni, widzę w oczach swojej przyjaciółki, jak jest nim zachwycona. Tego właśnie się spodziewałam.

– Sławetna Sonia! Wreszcie mam okazję cię poznać – mówi Jaime, całując ją w rękę.

Ta stara i wychodząca z mody praktyka, zawsze, nam – kobietom – bardzo się podobała, ponieważ pociągają nas gentlemani. Sonia jest w siódmym niebie.

– Ja też chciałam cię poznać, Jaime. Musisz być kimś wyjątkowym, skoro udało ci się skraść serce Val.

Spędzamy wspaniały wieczór, podczas którego, w stosunku do nas obu, Jaime jest absolutnie uroczy i zabawny. Tej nocy ma taki szczególny błysk w oku, niewykluczone, że z powodu butelek wina, które otwiera jedną po drugiej, wyjaśniając nam, że każda potrawa wymaga odpowiedniego wina. Zauważam, że Jaime sporo pije, ale wygląda na to, że mu to służy. Nic nie mówię na ten temat, mając na względzie fakt, że jest w dobrym humorze, którego nie mam ochoty psuć, tak jak nie chcę zniszczyć magicznej atmosfery otaczającej stół. Rozmowa właściwie koncentruje się na Soni, jej życiu i naszej długiej przyjaźni. Później Jaime mówi coś o sobie i szalonej chęci poślubienia mnie, jak tylko jego była żona przezwycięży raka. Jestem mocno zaskoczona tym zwierzeniem, ponieważ nigdy dotąd nie mówił, że ma wobec mnie takie zamiary.

– Jeśli wszystko pójdzie dobrze, pobierzemy się drugiego maja przyszłego roku – wyjaśnia Soni.

Pod koniec wieczoru, a właściwie już późno w nocy i po kilku drinkach, Sonia chce wracać do domu.

– Jak tu przyjechałaś? – pyta ją Jaime.

– Taksówką – odpowiada Sonia, kończąc baileysa.

– Nie pozwolę, żeby kobieta tak piękna jak ty, wracała

taksówką o tej porze. Odwiozę cię. Włożę tylko marynarkę i... możemy jechać.

Nie widzę w tym nic złego, znając, że Jaime chce być miły dla mojej przyjaciółki. Jest to uprzejmość skierowana do Soni, ale również do mnie i bardzo mi się to podoba. Jaime sprawił, że ta noc stała się niezapomniana. Sonia rzuca mi spojrzenie, w którym widzę aprobatę i akceptację propozycji Jaime'a i uśmiecham się.

Kiedy wychodzą, zbieram naczynia ze stołu i zostawiam je w kuchni, ponieważ nie mam ochoty zmywać o tej porze. Minęła ponad godzina, od chwili gdy wyszli, więc postanawiam się położyć.

Budzi mnie potworny hałas dobiegający z kuchni. Rzucam się do drzwi sypialni i biegnę tam. Wygląda na to, że coś spadło. Wszystkie światła są pogaszone, nie widzę więc, czy Jaime już się położył. Kiedy zapalam światło, znajduję wszystkie talerze i naczynia potłuczone na marmurze i walające się pomiędzy resztkami jedzenia. Moją pierwszą reakcją na to wszystko jest zakrycie ręką ust, żeby nie krzyczeć. To przerażający widok. W narożniku kuchni, obok zlewozmywaka, stoi zwrócony plecami do mnie Jaime i pali papierosa, patrząc przez okno wychodzące na ulicę. Pochylam się, żeby pozbierać kawałki stłuczonych talerzy, ale zatrzymuje mnie wypowiedziane przez niego zdanie:

– Skoro nie pozmywałaś naczyń, kiedy mnie nie było, nie będziesz teraz zbierać skorup. Zrobisz to rano. Pozmywasz rano, prawda? – rzuca ironicznie.

Nie odważam się odpowiedzieć, ponieważ nie mam bladego pojęcia o co mu chodzi. Jaime nadal stoi odwrócony do mnie plecami i zaczyna wrzeszczeć jak wariat, gwałtownie gasząc podeszwą papierosa na podłodze.

– Gdybyś pozmywała naczynia, nigdy by do tego nie doszło, słyszysz?!

Powietrze w kuchni jest ciężkie od odoru alkoholu. Jaime się upił, i to w takim stopniu, że stracił zmysły, a wróciwszy do domu, w przypływie szaleństwa zrzucił wszystkie talerze na podłogę. Teraz próbuje mnie sprowokować. Zaczynam płakać, ale moje zachowanie nie wywołuje u niego najmniejszych wyrzutów sumienia. Przeciwnie, Jaime wypada w jeszcze większą wściekłość.

– I przestań beczeć! Spuchnie ci twarz i będziesz wyglądać jak jakieś monstrum.

Nie mogę tego znieść. Nienawidzę takiego stanu zgorzknienia i szaleństwa, w jakie wpycha mnie Jaime. Wychodzę z kuchni i idę do łazienki, gdzie się zamykam, żeby móc się swobodnie wypłakać. Z twarzą nad umywalką, zraszając sobie twarz zimną wodą, słyszę, jak trzaska drzwiami i wychodzi. To nawet lepiej. Mam wrażenie, że gdyby został, wszystko mogłoby się skończyć bardzo źle.

7 sierpnia 1998

Kiedy wychodzę do pracy tego ranka, widzę, że Jaime jeszcze nie wrócił do domu. Spędził całą noc poza nim i nie dał znaku życia. Zaniepokojona, telefonuję z biura do Soni.

– Cześć, kochanie! – mówię i zaczynam szlochać, nim zdążyła się odezwać.

– Val, co ci się stało?

Z początku nie mogę wydusić z siebie słowa, ale w końcu, z wielkim trudem, wyjaśniam jej co zaszło.

– Chodzi o Jaime'a.

– Jesteś w bardzo złym stanie. Co się stało, kochanie?

– Soniu, co wczoraj robiliście? Jaime wrócił do domu kompletnie pijany i zachowywał się jak wariat.

– Co? Nic z tego nie rozumiem. Odwiózł mnie do domu, przed drzwiami porozmawialiśmy jakieś pięć minut i odjechał. To wszystko, co się stało. Wyglądało na to, że czuje się dobrze. Ostatniej nocy wszyscy piliśmy, ale nie do tego stopnia, żeby znaleźć się w takim stanie. Jaime musiał wypić coś więcej, żeby być tak pijanym. Kiedy wczoraj się żegnaliśmy, był uroczy.

– Tak, wiem, Soniu. Ale nic nie rozumiem. Musiało się coś stać, bo zachowywał się jak bestia. Kiedy wrócił, nie był tym samym człowiekiem. Tak się przestraszyłam. Nie wiem co teraz robić. Boję się. To drugi raz, kiedy był okrutny i...

– Podniósł na ciebie rękę? – pyta Sonia, przerywając mi.

– Nie. To słowne okrucieństwo skierowane przeciwko mnie i wszystkiemu, co staje mu na drodze. Wczoraj potłukł wszystkie naczynia.

– Trudno w to uwierzyć...

– Tak, a potem powiedział, że gdybym je pozmywała, nigdy by do tego nie doszło. To było tak, jakby chciał mnie za to ukarać. A potem sobie poszedł. Nie wiem gdzie jest teraz.

Wbrew własnej dumie opowiedziałam wszystko Soni, myśląc, że będzie mogła mi wyjaśnić, co się przydarzyło Jaime'owi. Ale skoro nie była w stanie dać mi jakiegoś wartościowego wyjaśnienia, jestem jeszcze bardziej zaniepokojona.

Mija cały dzień, mam ogromne trudności z koncentracją i boję się wrócić do domu. Wyszłam, niczego ze sobą nie zabierając, a zaczynam planować ucieczkę z domu na parę dni, schronienie się u Soni i przemyślenie wszystkiego. Ten związek z Jaimem jest z dnia na dzień coraz dziwniejszy i wątpię, żebym była szczęśliwa u boku takiego mężczyzny. Coś się z nim dzieje, ale nie wiem co. A on nie chce ze mną rozmawiać.

Wracam do domu późno i kiedy otwieram drzwi, wiem, że Jaime wrócił, ponieważ zamek nie jest przekręcony dwukrotnie, tak jak to zrobiłam rano. Zaczynam drżeć na myśl o tym, co mnie czeka.

Zauważam, że w kuchni wszystko jest sprzątnięte.

Jaime wychodzi z salonu z ogromnym bukietem róż w ramionach i żalem wymalowanym na twarzy. Widząc jego minę, rzucam mu się z płaczem na szyję.

– Tak mi przykro! – mówi.

Wręcza mi kwiaty. Płaczę, nie mogąc nic z tego zrozumieć, i ze szczęścia, że widzę na jego twarzy minę świadczącą o wyrzutach sumienia.

– To nieważne, Jaime – mówię mu, szlochając. – Wydaje mi się, że masz kłopoty, którymi nie chcesz się ze mną podzielić.

– Tak, z pewnością mam problemy. Nie chciałem ci o nich mówić, żebyś się nie martwiła. Ale widzę, że sprawiam ci ból, więc opowiem o wszystkim.

Prowadzi mnie za rękę przez cały salon, aż do stołu, i siadamy naprzeciwko siebie, co budzi we mnie wrażenie, że dzieje się coś potwornie złego.

– Są rzeczy, z których nikt z nas nie jest dumny, i dlatego o nich nie opowiada. Myślałem, że poradzę sobie sam, ale widzę jak fatalnie na mnie to działa.

I zaczyna opowiadać mi o swojej sytuacji materialnej, która pociąga za sobą walkę o codzienny byt. Mówi, że zaciągnął długi z winy Joaquína, swojego wspólnika. Joaquín zwrócił się do banku o pożyczkę, którą podżyrował mu Jaime. Jednakże już od kilku miesięcy Joaquín nie płaci bankowi, a ten żąda spłaty od Jaime'a. Jest winien jeszcze jakieś pięć milionów peset i, pomimo że Jaime zarządza co miesiąc dużymi sumami, nie był w stanie wygospodarować takiej kwoty i w tej chwili komornik może odebrać mu willę w Madrycie.

– Mogą mi zabrać wszystko, co zdobyłem przez lata ciężkiej pracy i kosztem własnego potu!

Trudno mi w to uwierzyć, ale w jego głosie jest tyle szczerości i bólu, że nie mogę podważyć prawdopodobieństwa wydarzeń.

– Dlaczego podżyrowałeś Joaquínowi pożyczkę? – pytam.

– A jak mógłbym tego dla niego nie zrobić? Poza tym, że jesteśmy wspólnikami, jesteśmy przyjaciółmi, rozumiesz, Val? Przynajmniej dotąd tak uważałem. Nie zrobiłabyś tego samego dla Soni? Nigdy nie sądziłem, że przestanie płacić i postawi mnie w takiej sytuacji.

– Ale dlaczego przestał?

– Od paru lat w jego małżeństwie źle się dzieje. Od kilku miesięcy dużo pije i wydaje masę pieniędzy na kobiety. Zdarzają się takie dni, że przychodzę do biura i znajduję go śpiącego na dywanie w jego gabinecie, brudnego, pijanego i bez grosza przy duszy, po tym jak wydał wszystko w jednym z tych klubów.

Teraz zaczynam rozumieć, dlaczego Jaime tak się zachował w stosunku do mnie. Musi się czuć osaczony i nerwy odmówiły mu posłuszeństwa.

– Tamtej niedzieli, kiedy wróciłem w tak złym humorze, pamiętasz? – Skinąwszy głową, biorę jego dłonie w swoje. – To dlatego że ludzie z banku poszukiwali mnie, kiedy byłem w Maladze. W piątek pojechałem do Madrytu i dowiedziałem się o rzeczywistym zagrożeniu zajęciem komorniczym.

– Czy teraz nie ma już sposobu, żeby to powstrzymać?

– Oczywiście, że jest.

– Jaki?

– Trzeba zapłacić.

Jaime jest tak zdesperowany, że zaczyna płakać. On, zawsze taki elegancki i dumny, teraz, zupełnie jak mały chłopiec, opuszcza głowę na moje ręce, a ja nie wiem jak go pocieszyć.

– A wiesz, co jest najgorsze? – dorzuca.

– Nie.

– Że płacimy za to obydwoje. Czuję się tak osaczony, że każę za to płacić osobie, którą kocham najbardziej na świecie!

Głaszczę go po policzkach, próbując osuszyć jego łzy. Te słowa wywołują moje podniecenie. Jaime mówi dalej:

– Pracuję jak szalony, żeby dobrze żyć i żeby mojej rodzinie nigdy niczego nie brakowało. Moje dzieci mają wszystko, czego chcą. Pomagam byłej żonie, ponieważ jest bardzo chora. A teraz to!

Nie potrafię powstrzymać jego łez. Współczuję mu, czuję się bardzo ważna i jestem mu wdzięczna za to, że wreszcie powiedział mi całą prawdę.

– Mam tydzień na to, żeby zapłacić i żeby cofnęli nakaz komorniczy. Jeśli tego nie zrobię, zabiorą mi dom.

Przez większą część nocy tuliliśmy się do siebie na sofie, pod kocem, którym nas okryłam, kiedy dopadły go dreszcze. Jaime wygląda na wycieńczonego a ja ciągle zastanawiam się nad całą sprawą. Nie mogę pozwolić, żeby coś takiego spotkało mojego partnera. Skoro go kocham i z nim żyję, powinnam dzielić jego problemy. Nie będę szczęśliwa, wiedząc, że Jaime się zamartwia. Muszę coś zrobić. Mam taką sumę pieniędzy, jakiej mu potrzeba. Postanawiam podjąć z konta pięć milionów peset i dać mu je, żeby odzyskał swój dom w Madrycie.

Komornik

12 sierpnia 1998

Nic nie mówiąc Jaime'owi, poszłam do banku i podjęłam pieniądze z konta. Trochę się bałam nosić ze sobą tyle gotówki, więc rozłożyłam wypłatę na trzy raty. Dyrektor banku, z którym utrzymuję bardzo dobre stosunki, wezwał mnie do swojego gabinetu, żeby się dowiedzieć, czy jestem niezadowolona z obsługi. Bardzo go zaskoczyło, że podejmuję nagle wszystkie swoje oszczędności. Zapewniłam go, że nie mam im nic do zarzucenia. Wprost przeciwnie. Wymyśliłam sobie wymówkę, że spotkały mnie niespodziewane wydatki.

Tego popołudnia, ponieważ jest już środa, Jaime jest bardziej nerwowy niż zwykle. Wyznacznikiem określającym stopień jego zdenerwowania jest czas, który spędza rano w łazience. Im bardziej jest zdenerwowany, tym więcej go potrzebuje na usunięcie martwej skóry z kostki i zostawia po sobie większy bałagan – mieszaninę skóry i białego proszku.

Następnego dnia Jaime musi pojechać wieczorem do Madrytu. Tak mi powiedział. Postanowiłam aż do ostatniej chwili nie mówić o tym, że zdecydowałam się mu pomóc.

Kiedy wracam do domu, Jaime pakuje walizkę. Ze smutkiem w oczach mówi:

– Może to będzie ostatni weekend, który z nimi spędzę. – Po chwili dodaje: – Jak mam im wytłumaczyć, że ten dom już nie jest ich domem?

– Nie będziesz musiał im nic tłumaczyć – mówię wesoło. – Proszę! To dla ciebie.

Podaję mu kopertę. Kiedy ją otwiera, nie może uwierzyć w to co widzi.

– Skąd to wytrzasnęłaś? – pyta podejrzliwie.

– Ze swojego konta. Jest tyle, ile potrzebujesz.

– Zwariowałaś? Sądzisz, że mogę przyjąć te pieniądze? Na pewno wzięłaś pożyczkę w banku!

– Nie, nie przejmuj się tym. Nie wzięłam żadnej pożyczki. Te pieniądze są moje.

Jaime opada na kanapę.

– Nie, nie mogę tego zaakceptować. Przykro mi!

– Proszę, Jaime, nie bądź głupcem! Te pieniądze są moje, a ja jestem z tobą. Są więc nasze! Weź je, proszę! Zapłać bankowi i odzyskaj dom.

Radosna mina Jaime'a, jest dla mnie taką nagrodą, że nie dałoby się jej kupić za wszystkie pieniądze świata. Jest tak zadowolony i obejmuje mnie z taką siłą, że boję się, że mnie udusi.

– Kochanie, nie wiesz nawet ile to dla mnie znaczy. Wróciłaś mi życie, dziękuję! Po tysiąckroć, dziękuję! Nie wiem jak ci to wynagrodzić. Naprawdę nie wiem!

– Możesz jak najszybciej zaprosić mnie do tego bajecznego domu, który masz w Madrycie.

Kiedy to mówię, Jaime patrzy na mnie rozczulony i mocno przytula.

– Oczywiście!

Tej nocy Jaime nawet w łóżku jest czuły. Niestety, nie potrafi się pohamować i kończymy, zanim ja osiągam orgazm.

Apartament dla dwojga

7 września 1998

Jestem daleka od przypuszczeń, że Jaime grzebał w moich papierach i rzeczach osobistych i że wiedział doskonale, jaką kwotą dysponuję. Nigdy nie rozmawialiśmy o pieniądzach, dla niego bowiem jest to temat tabu. Nie mam nic do ukrycia, ale też nie opowiadałam ze szczegółami o swojej sytuacji materialnej. Zamykam temat. Chodzi tylko o to, że pieniądze, jakich potrzebował Jaime przy sławnym epizodzie z komornikiem, to była dokładnie taka sama kwota, jaką ja miałam na koncie. W rzeczywistości Jaime zna aż do dwóch cyfr po przecinku kwotę, którą zaoszczędziłam.

Sprawy się uspokajają, a on podróżuje służbowo lub z powodów rodzinnych. Ja nie mam już oszczędności, ale żyjemy na dobrej stopie dzięki jego i mojej pracy. Poza tym Jaime płaci rachunki i co miesiąc z dumą daje mi pieniądze na najem mieszkania. Przeżywamy nasz nowy miesiąc miodowy i wygląda na to, że tamta sprawa w końcu zbliżyła nas do siebie i utrwaliła naszą miłość. Przynajmniej ja tak uważam.

Dziś wyjeżdżam do Włoch, żeby uczestniczyć w słynnych targach mody, na których musi być obecna moja firma i ja. Wiem, że ta podróż nie podoba się Jaime'owi, zwłaszcza po kłótni na temat zakładanych przez niego złych intencji mojego szefa. Ale pozwolił mi jechać. Nigdy nie dałam mu żadnego powodu do zazdrości. Teraz żyję wyłącznie dla niego. Zostawiłam na boku moje ordynarne życie seksualne i nie mam już żadnego kontaktu z przyjaciółmi – mężczyznami.

Kiedy lądujemy w Mediolanie, wspólnik Harry'ego, mojego szefa, czeka na lotnisku, żeby zawieźć nas do hotelu. Podczas jazdy mówi, że jest pewien problem z pokojami hotelowymi. Ponieważ hotele w całym mieście są pełne, był zmuszony wynająć dla nas ogromny apartament. Nie mam żadnych oporów co do dzielenia apartamentu z Harrym, szczególnie kiedy są dwa łóżka w dwóch oddzielnych pokojach. Wygląda na to, że jemu też to nie przeszkadza, więc kiedy przyjeżdżamy do hotelu, okazuje się, że nie będziemy sobie wzajemnie przeszkadzać i wspólna jest tylko łazienka. A to tylko kwestia organizacji.

Jestem pewna, że tego nie powiem Jaime'owi, ponieważ wiem, że może zacząć się wściekać. Ale tak czy owak dzwonię do niego, żeby powiedzieć, że wszystko w porządku.

– W którym hotelu jesteś? – pyta nagle.

– W Westin Palace. A o co chodzi?

– Chcę wiedzieć. Podaj mi numer telefonu i pokoju, żebym mógł do ciebie dzwonić, inaczej ta podróż wyjdzie ci bardzo drogo. Widzę, że twój szef traktuje cię jak królową. Zatrzymaliście się w świetnym hotelu! – mówi.

Natychmiast mówię Harry'emu, że mój chłopak może dzwonić, więc żeby nie odbierał telefonu. Nie chcę się tłumaczyć, dlaczego mój szef podnosi słuchawkę zamiast mnie. Dzięki Bogu, to fantastyczny szef, który świetnie rozumie takie problemy.

Po kwadransie dzwoni Jaime.

– Kto pierwszy wpadł na ten pomysł? – pyta.

– Słucham? – Zaczynam podejrzewać najgorsze.

– Zapytam cię w inny sposób. Kto kogo uwiódł? – dorzuca ironicznie.

Zaniemówiłam.

– Myślisz, że jestem głupi czy co? Rozmawiałem z recepcjonistą i poprosiłem, żeby mnie połączył z twoim szefem. Przypadkowo macie ten sam numer pokoju. Później zadzwoniłem jeszcze raz i potwierdzili, że mieszkacie razem.

Serce wali mi jak młotem. Jak mam mu udowodnić, że nie jest tak, jak myśli?

– Mogę ci wszystko wyjaśnić, Jaime. Chodzi o to...

– Nie chcę twoich wyjaśnień. Chcę wysłuchać jego. Daj mi go!

– Nie, Jaime! Wolę, żebyśmy to my porozmawiali. To nie jego wina...

– Daj mi go!

Tak bardzo podnosi głos, że Harry, który stoi koło mnie, rozumie natychmiast, co się dzieje, i gestem ręki pokazuje mi, żebym oddała mu słuchawkę.

Słyszę Jaime'a krzyczącego do słuchawki i ze wstydu nie wiem gdzie się podziać. Harry mi się przygląda, później koncentruje się na rozmowie i wszystkim, co mówi Jaime, i od czasu do czasu odpowiada mu twierdząco. To szef, jakich mało: wyrozumiały, rycerski... Pokazuje mi, że może zrozumieć wszystko, i myślę nawet, że czuje się gorzej niż ja. Wysłuchuje tego, co ma mu do powiedzenia Jaime, paląc spokojnie hawańskie cygaro i, kiedy kończy się rozmowa, w której prawie nie uczestniczył, oddaje mi słuchawkę. Jaime chce dać mi dokładne instrukcje.

– Twój ukochany szef wyśle cię do innego hotelu. Jak się już przeniesiesz, masz do mnie zadzwonić i podać mi numer telefonu i numer pokoju. Jeśli to rzeczywiście gentleman, znajdzie ci osobny pokój, żeby hotele w Mediolanie były nie wiem jak bardzo pełne. Czekam na telefon.

I odkłada słuchawkę. Ogromne łzy spadają na wykładzinę w kolorze purpury, zaczynam się jąkać, przepraszając Harry'ego za tę awanturę. Nie przestając żuć końcówki cygara, po zgaszeniu go, mówi:

– Nie przejmuj się. Zaraz wszystko załatwimy.

Wykonuje kilka telefonów i w godzinę później jego wspólnik przewozi mnie do innego hotelu, pięćset metrów od Westina. Nie dzwonię do Jaime'a natychmiast, a kiedy to robię, jest wściekły z niecierpliwości. Daję mu numer telefonu do hotelu i numer mojego pokoju i w ciągu kilku minut oddzwania.

– Co powiedziałeś Harry'emu? – pytam wściekła.

– Wszystko co trzeba, żeby w końcu zachował się jak gentleman. W każdym razie i tak będę musiał z nim porozmawiać w cztery oczy, jak tylko wrócicie z podróży, żeby już nigdy więcej nie przychodziły mu do głowy żadne głupstwa związane z tobą.

Słucham go, obrażona, nic nie odpowiadając. Jestem bardzo smutna. Najgorsze jest to, że czuję się winna całej tej sytuacji.

Spędzamy przy telefonie dużą część nocy – on filozofując na tematy życia, miłości i tego, jak wiele jeszcze muszę się nauczyć, a ja nie mówiąc nic, słuchając go. Kiedy odkładamy słuchawki, zaczynam płakać z upokorzenia i ze wstydu przed Harrym. Płaczę, bo nie miałam siły odpysknąć Jaime'owi.

11 września 1998

Wróciłam do Barcelony sama, a Harry poleciał do Anglii. Jaime przyjechał na lotnisko z bukietem kwiatów i kiedy się witamy, tuli mnie mocno. Mówi mi, jak bardzo mnie kocha, i tłumaczy, że zachował się tak wyłącznie dla mojego dobra. Cały czas myślę o tym, że nie będę w stanie spojrzeć Harry'emu w oczy. Wciąż jeszcze mi wstyd.

Umarł mój ojciec...

9 grudnia 1998

Mam wrażenie, że w przebłyskach oświecenia Jaime zdaje sobie sprawę z tego, jak mnie traktuje. Proponuje mi, żebyśmy wyjechali na weekend na Minorkę, może dla tego że chce, żebym mu wybaczyła jego zachowanie. Nagroda za moją cierpliwość, zasługuję na wypoczynek – to jego słowa. Mówi, że zajmie się wszystkim i kupi bilety. Przez cały tydzień go nie było, bo wyjechał do północnej Hiszpanii, i powinniśmy wyjechać dzisiaj, w piątek w nocy, do Mahón. Zaplanował, że jak tylko wróci dziś po południu, przyjedzie samochodem, żeby zabrać mnie z domu prosto na lotnisko.

Jestem zachwycona, ponieważ po raz pierwszy spędzę z nim weekend poza miastem, i czekam w salonie ze spakowaną walizką. Jaime zadzwonił do mnie poprzedniej nocy i powiedział, że będzie w Barcelonie około piątej po południu, i prosił, żebym była gotowa, bo nasz samolot startuje o wpół do ósmej. Nie podał mi namiarów na hotel, w którym się zatrzymamy. To miała być niespodzianka.

O szóstej ciągle nie mam od niego żadnych wiadomości. Dzwonię na komórkę, która, jak zawsze, jest wyłączona. Trochę udręczona, zostawiam mu wiadomość, uznając, że utknął w korku, co bardzo często zdarza się w piątki. O wpół do siódmej dzwonię do jego biura, ale sekretarka też nie ma żadnych wiadomości. Już za późno na złapanie samolotu o zaplanowanej porze, ale ja dużo bardziej martwię się tym, że Jaime mógł mieć wypadek. Myślę o najgorszym. Jaime wyjechał razem ze wspólnikiem, więc dzwonię na jego komórkę, też jest wyłączona. Zupełnie przypadkowo nie dostaję zawału i spędzam całą noc przy telefonie, dzwoniąc do wszystkich szpitali w Barcelonie i na prowincji, żeby dowiedzieć się, czy nie przyjęli przypadkiem pana Rijasa. Za każdym razem, kiedy pielęgniarka dyżurna odpowiada mi „nie", oddycham z ulgą. Wciąż jednak jestem coraz bardziej zdenerwowana.

Tej nocy śpię w salonie. Rano nastawiony na najwyższy poziom dzwonek telefonu, budzi mnie natychmiast. To Jaime.

– Mój ojciec zmarł na zawał serca wczoraj po południu – oznajmia mi groźnym i wyraźnie zaaferowanym głosem.

– Mój Boże! Gdzie jesteś? – pytam.

– W kostnicy, razem z matką. Jakiś czas z nią zostanę. Przykro mi, że cię wystawiłem, ale...

– Nie, nie przejmuj się. Jaime, mogę coś dla ciebie zrobić? Chcesz, żebym przyjechała? W której kostnicy jesteś?

– Nie, lepiej nie. To tragedia, nie wiem jak przez to przejdę. Pozwól mi trochę czasu pobyć z matką, a potem chciałbym być sam. Jest mi bardzo źle.

Powtarzam mu, że mi przykro i że będę w domu czekać na niego tak długo, ile będzie trzeba. Skoro potrzebna mu samotność, uszanuję jego decyzję.

15 grudnia 1998

Codziennie, jak robot, chodzę do pracy. Nie udaje mi się w żaden sposób skupić na tym, co robię, i mój szef chce wiedzieć, dlaczego. Mętnie opowiadam mu o śmierci kogoś z rodziny i Harry, widząc mój kiepski stan, postanawia dać mi kilka dni wolnego, poza tymi, które przysługują na Boże Narodzenie.

Nie wiem nawet, przez ile dni nie było Jaime'a. Jedno jednak jest jasne – bardzo za nim tęsknię i bardzo mi przykro z powodu tego, co się stało. Będę na niego czekać i mam nadzieję, że odezwie się przed świętami. Wierzę, że będziemy razem, skoro dzieci spędzą je z matką. Ale na razie nie mam od niego żadnej wiadomości.

Tydzień od 24 grudnia 1998 do 31 grudnia 1998

To najgorsze święta Bożego Narodzenia w moim życiu. Jestem sama w domu, na próżno oczekując telefonu od Jaime'a i wierząc, że postanowił zrobić mi niespodziankę i pojawi się w ostatniej chwili. Ale nic takiego się nie dzieje. Muszę przyznać, że mam sporo czasu na zastanowienie i czasami myślę, że wszystkie te wydarzenia chyba nie są prawdziwe. Potem czuję się winna, nie wolno mówić nawet dla żartu o śmierci kochanej osoby.

2 stycznia 1999

Na Nowy Rok Sonia postanowiła wyciągnąć mnie z domu, zapraszając na imprezę, którą organizował jeden z jej byłych. Odrzuciłam propozycję. Znów do mnie zadzwoniła, żeby dowiedzieć się, co u mnie słychać. Chciała zobaczyć się ze mną, ale słysząc ton mojego głosu, przestała się upierać, żebym ją odwiedziła.

Jaime pojawia się trzy tygodnie po śmierci ojca, chudszy przynajmniej o pięć kilo, co nadaje mu wygląd chodzącego trupa. Jego długie i cienkie palce są spuchnięte i ma problemy nawet z zamknięciem dłoni. Kuleje bardziej niż kiedykolwiek i prawie się do mnie nie odzywa. Ja nie odważam się do niego mówić. Rozumiem, że jest w żałobie, i muszę to uszanować. Oczywiście umieram z chęci otworzenia przed nim ramion, całowania go i przywrócenia poprzedniego ładu naszego życia, ale w końcu Jaime zamienia się – chcący albo niechcący, nie wiem – w jeszcze jeden mebel w mieszkaniu. Jego obłęd osiąga niespotykane dotąd poziomy. Myślę, że to ból sprawia, że tak się zachowuje. Zaczynam się poważnie zastanawiać, czy człowiek, w którym się zakochałam, ma cokolwiek wspólnego z tym, kim jest w rzeczywistości.

Jaime coraz częściej spędza noce poza domem. Na początku tłumaczę to bólem po stracie ojca i nie odważam mu się nic powiedzieć. Ale kiedy wraca do domu nocą, pijany w trupa, zawsze szuka powodów do kłótni. Tak więc, w większości przypadków, w końcu udaję, że śpię, a on zamyka się jak zwykle w łazience i słyszę skalpel pracujący na pełnych obrotach. Chowam się pod prześcieradło, umieram ze strachu i cała drżę.

Kiedy zostaje na noc w domu, przychodzi bez zapowiedzi Joaquín, jego wspólnik i obydwaj zamykają się w gabinecie Jaime'a. Joaquín zawsze przychodzi pijany i kończą spotkanie, kłócąc się, bo chodzi o pieniądze. Kiedyś podsłuchałam, że są mu potrzebne, żeby wydać je na prostytutki z klubów albo transwestytów z Ciutadella.

Obsesja czasu

3 stycznia 1999

Tej nocy Jaime odebrał telefon, który mnie obudził, i widziałam, jak pospiesznie wychodzi z domu. Jedynym wyjaśnieniem, jakiego udzielił mi po powrocie, było to, że z jego byłą żoną jest bardzo źle i że dzwonił do niego syn, domagając się jego przybycia.

Już drugi miesiąc Jaime nie daje mi pieniędzy na mieszkanie, za które płacę sumiennie z własnej kieszeni. Przypomniałam mu o tym i poprosił, żebym nieco zaczekała, ale zdaję sobie sprawę z tego, że ostatecznie przestał się tym przejmować. Mam wrażenie, że wpada w głęboką depresję, o której oczywiście nie chce mówić.

4 stycznia 1999

W zasadzie nie utrzymujemy już stosunków seksualnych, wyjąwszy dzień dzisiejszy. Jaime zamówił sobie usługi prostytutki u nas w domu, bez mojej zgody.

Kiedy wracam z pracy, zastaję go rozmawiającego w salonie z jakąś kobietą wątpliwej konduity. W lot łapię, o co chodzi.

– Kochanie, to prezent dla ciebie. Skoro ostatnio tak niewiele się tobą zajmuję...

Jego słowa są nasycone mieszaniną ironii i przebłysków czułości. Uważam, że Jaime chce sprawdzić, czy to doświadczenie przywróci jego pożądanie, które najwyraźniej stracił. Zgadzam się, żeby kobieta została na godzinę.

Dla mnie to był koszmar. Czułam się odrzucona, podczas gdy Jaime czuł się jak ryba w wodzie. Oczywiście, po wyjściu prostytutki i po tym, jak jej zapłaciłam, podnieca się i zaczyna dotykać mnie.

– I tak z marszu może zmajstruję ci dzieciaka! – woła, zamykając się w łazience, żeby wziąć prysznic.

5 stycznia 1999

Przejmuję się Jaimem. Jego manie wydają mi się coraz dziwniejsze. Zawsze lubił kalendarze, ale nigdy nie podejrzewałam, że do tego stopnia. Kupuje kalendarze każdego typu, skórzane, albo z kartonową okładką, i kiedy już zapełni swój najnowszy nabytek numerami telefonów, wypisanymi jego najlepszym charakterem pisma, zmienia go na inny i przepisuje tam wszystkie informacje. Co za strata czasu! Poza tym to nie ma żadnego sensu. Próbuję go usprawiedliwić, uznając, że lepiej, żeby ktoś miał hobby, niż gdyby go nic nie interesowało. Przynajmniej jest to jakaś metoda na zachowanie zdrowia psychicznego w dobrym stanie. Jedni zbierają znaczki, a Jaime kolekcjonuje kalendarze.

Dziś kupiłam mu jeden, żeby go przeprosić, że ponownie wyjeżdżam. Jest oprawiony jasnobrązową skórą i ma wytłoczoną na okładce datę. Umieściłam w nim swoje zdjęcie, żeby czuł się dobrze za każdym razem, gdy go otworzy.

Kalendarz chyba mu się podoba i ma go cały czas pod ręką.

6 stycznia 1999

Dziś znalazłam skórzany kalendarz w torbie ze śmieciami, kiedy schodziłam wyrzucić ją do kontenera. Jaime musiał ją otworzyć, kiedy już była zamknięta, i wyrzucić kalendarz, tak żebym o tym nie wiedziała. Poczułam lekkie ukłucie w piersi i wyjęłam kalendarz. Zapisał tam wszystkie osobiste numery telefonów, ale w jednym zrobił błąd. Zamazał go i wygląda na to, że kalendarz przestał mu się podobać.

Pocieszył mnie tylko fakt, że nie ma w nim mojej fotografii. Na pewno Jaime ma ją w portfelu. Jak ja go kocham!

Drugą jego pasją są zegarki. Pewnego dnia kupił śliczne drewniane pudełka, które poustawiał jedno na drugim w swojej szafie. Trzyma w nich wszystkie zegarki, które zgromadził na przestrzeni lat. Dziś je policzyłam. Jest ich ponad dwieście. Uwielbiam sprawdzać, jak bardzo jest zorganizowany.

Zaczynam się bardzo źle czuć, zarówno psychicznie, jak i fizycznie, cały dzień wymiotuję. W biurze nic nie zauważyli, ponieważ cały czas się uśmiecham. Mam wrażenie, że te wymioty są spowodowane tym, że w domu panuje zła atmosfera, ponieważ Jaime jeszcze całkiem nie pozbierał się po śmierci ojca.

7 stycznia 1999

Czuję się fatalnie. Dziś wezwałam hydraulika, ponieważ mamy awarię w łazience. Już od kilku dni woda w muszli klozetowej spływała bardzo wolno. Hydraulik stwierdził, że po prostu coś zatyka odpływ. Po godzinnym demontażu części znalazłam tam cząstki fotografii, którą włożyłam do kalendarza, pływające na powierzchni.

Chcę dojść prawdy o Jaimem. Znów zaczęłam grzebać w jego rzeczach, nie bez poczucia winy. Znalazłam jednak coś, co być może pozwoli mi zrozumieć co się z nim dzieje.

Znalazłam kwity na zwrot czeków, którymi Jaime płacił w sklepach z meblami, kiedy się przeprowadzaliśmy. Znalazłam też rachunki telefoniczne, za które on miał zapłacić, ukryte w archiwum biurowym, między innymi dokumentami. Kwoty są tak wysokie, że nie mógł zapłacić ostatnich i napływały rachunki z odsetkami. Wszystkie numery są wyszczególnione, a zwłaszcza jeden, madrycki, który powtarza się codziennie o dowolnej porze, wyjąwszy weekendy, kiedy, jak wiadomo, on tam jest.

Postanowiłam zadzwonić pod ten numer. Chcę raz na zawsze wyjaśnić sytuację. Wiem, że to nie jest w porządku, ale czuję, że muszę tak postąpić.

Usłyszałam w słuchawce miły głos młodej osoby. Poprosiłam do telefonu Jaime'a Rijasa.

– Nie ma go w ciągu tygodnia, ale przyjedzie w piątek. A kto mówi?

– Jego żona – odpowiedziałam bez zastanowienia.

Kobieta po drugiej stronie zamilkła. Ale później odezwała się:

– Proszę pani, nie wiem, kim pani jest. Ja jestem Carolina, jego narzeczona.

Powiedziała to bardzo spokojnie, czym trochę mnie zaskoczyła. A może, tak jak ja, podejrzewała, że Jaime prowadzi podwójne życie, i nie zdziwiło jej to, co usłyszała. Od początku Carolina wydała mi się sympatyczna. Uznałam ją za osobę inteligentną, która nigdy nie zdradza się z typowymi urazami kobiet dzielących się z inną swoim mężczyzną.

– Przykro mi, Carolino. Mam na imię Val i jestem narzeczoną, którą Jaime ma w Barcelonie. Mieszkamy razem od kilku miesięcy.

Zabrzmiało to jak dowcip i bardzo się bałam, że Carolina nie potraktuje mnie poważnie.

Nagle bardzo źle się poczułam, wszystko się kręciło wokół mnie, miałam wrażenie, że zemdleję. To znów pojawiły się te przeklęte nudności i musiałam odłożyć słuchawkę.

Minęła godzina i czuję się dużo lepiej. Ponownie dzwonię do Caroliny.

– Przepraszam. Czułam się bardzo źle i musiałam się rozłączyć. Przykro mi, że w taki sposób pojawiam się w pani życiu. O nic mi nie chodzi, tylko Jaime zrobił się tak dziwny, że chciałam sprawdzić co się dzieje. Teraz rozumiem. Bardzo mi przykro.

Carolina nie sprawia wrażenia obrażonej i próbuje mnie uspokoić.

– Nie przejmuj się, Val – mówi mi po imieniu. – Jaime jest osobą, która zawsze miała dużo problemów. Ale naprawdę nie sądziłam, że zrobi coś takiego.

Jej szczerość mnie zaskakuje.

Carolina kontynuuje:

– Jaime i ja spędzamy razem tylko weekendy, ponieważ on prowadzi swoje interesy w Barcelonie. Nie wiedziałam, że z kimś mieszka.

Daję jej swój numer telefonu i żegnamy się. Poprosiła mnie, żebym nic nie mówiła Jaime'owi, i postanawiamy „zemścić się" na swój sposób, aranżując spotkanie we trójkę, bez jego wiedzy. Carolina powiedziała mi, że Jaime ma w planie spędzić Walentynki w Madrycie – jak może mi to robić? – i jeśli chcę, mogę przyjechać i zobaczyć na własne oczy to, co zawsze przede mną ukrywał.

Muszę przyznać, że Carolina była dla mnie zawsze bardzo miła. Nie kłóciłyśmy się ani ona mi niczego nie wyrzucała. W końcu byłyśmy obydwie „w tym samym worku". Jedynym winnym tej sytuacji jest Jaime, a my jesteśmy po prostu ofiarami zakochanymi po uszy w tym samym mężczyźnie. Próbuję ukryć, że wiem o wszystkim, choć nie bez trudu, aż do daty ustalonej z Caroliną.

W tym czasie mdłości nasiliły się, zwłaszcza rano, i zaczynam obawiać się najgorszego.

Kontrakt

8 stycznia 1999

Jaime torturuje mnie coraz bardziej. Może coś przeczuwa? Tego wieczoru wybiera się na kolację służbową ze swoim wspólnikiem i potencjalnym klientem. Uparł się, żebym z nim poszła i wyglądała bardzo seksownie.

– Na kolację z klientem?

– Tak, to bardzo szczególny klient i proszę cię o współpracę, po raz pierwszy.

– W jakim sensie?

– Bądź dla niego miła. Dobrze? Czy proszę o zbyt wiele?

Po raz kolejny zaczyna się wściekać i postanawiam pójść na tę kolację, żeby uniknąć kolejnej awantury. Po drodze, w samochodzie, mówi mi wszystko o kliencie.

– Już od dawna o niego zabiegam, ale zawsze zatrzaskuje mi drzwi przed nosem. Zgodził się zjeść z nami kolację, a to znaczy, że może podpiszemy z nim kontrakt.

Jaime i Joaquín mają się spotkać w barze, żeby omówić, co mogą powiedzieć i jak pokierować kolacją, żeby przekonać klienta do podpisania kontraktu o wartości trzech milionów peset.

Bar to bardzo małe miejsce, ale za to ekskluzywne i posiada tylko jedno wejście. Po otwarciu drzwi wchodzi się na wąskie schody, które prowadzą do maleńkiego lokalu z barem z mahoniu zajmującym więcej niż połowę powierzchni baru. Wiele osób umówiło się tu wcześniej niż my i jest bardzo ciasno. Nie czuję się w tym miejscu dobrze i mam wrażenie, że to widać. Dlatego Jaime kilkakrotnie prosi mnie, żebym się uśmiechała.

Joaquín już siedzi w kącie baru, rozmawiając ciepło z dwiema panienkami o zbyt wyzywającym wyglądzie. Kiedy pojawia się Jaime, obydwie pozdrawiają go jak starego znajomego, później patrzą na mnie z pogardą. Najwyraźniej postanawiają traktować mnie jak powietrze. Ustawiłam się za plecami Jaime'a – po pierwsze, ze względu na brak miejsca, a po drugie, onieśmielona obecnością i zachowaniem tych kobiet. W ten sposób nie będę uczestniczyć w rozmowie. Zauważam spojrzenia i uśmiechy, jakie Joaquín i Jaime wymieniają między sobą. Wygląda na to, że przekazują sobie coś, o czym wiedzą tylko oni. Nie rozumiem zachowania Jaime'a, zwłaszcza po tym jak mi się zwierzył, że Joaquín zaciągnął pożyczkę, którą on mu podżyrował. Wygląda na to, że ta sprawa nie miała żadnego wpływu na ich wzajemne stosunki. Nie podoba mi się Joaquín. Nigdy nie wydawał mi się szczególnie sympatyczny, nawet w dniu, kiedy go zobaczyłam. Jest wysokim mężczyzną o całkiem siwych włosach, który zawsze nosi jaskrawe krawaty i ciemne okulary w stylu Onassisa. Ponurak! Zapach jego fajki unosi się na odległość co najmniej kilometra, bez względu na to, czy ją akurat pali, czy nie. Joaquín należy do dekadenckiej burżuazji katalońskiej i mieszka poza Barceloną w przepięknym domu należącym do jego żony. Od kilku miesięcy prowadzi nocne życie i dziś w najjawniejszy sposób podrywa dwie kobiety w barze. Nagle odwraca się do mnie i widząc moją niezadowoloną minę, rzuca:

– Jesteś za młoda, żeby zrozumieć pewne rzeczy. Musisz się jeszcze dużo nauczyć.

Nie warto mu odpowiadać. Zaczynam jednak czuć straszną nienawiść do Jaime'a, za to że mnie nie bronił i nie usadził Joaquína.

Po wypiciu drinka udajemy się do restauracji, w której już czeka na nas klient. Jaime bierze mnie na stronę i mówi:

– Joaquín jest już pijany. Nie powinien więc za dużo mówić. Rozmowy z klientem przeprowadzimy razem, ty i ja, zgoda?

– Ja?

– Pomożesz mi. Jesteś inteligentniejsza, niż sobie wyobrażasz, przekonasz się.

Co to ma znaczyć? Klient czekający przy stole dla czterech osób, oddalonym od reszty stolików, palący papierosa. Witamy się i Jaime przedstawia mnie jako współpracownicę. Nie chcę tego prostować, bo wygląda to na część strategii, którą przyjął Jaime, żeby nie mieszać interesów i spraw prywatnych. Jaime upiera się, żebym usiadła obok klienta.

Kolacja upływa na dyskusjach, w których boję się wziąć udział, a klient – mały, zaśliniony człowieczek – nie przestaje pić i przyglądać się moim nogom. Jestem zła, że Jaime, widząc, co się dzieje, nic nie robi. Zawsze był taki zazdrosny, a teraz nie mówi słowa, bo w grę wchodzi kontrakt na trzy miliony.

Po deserze klient zaczyna głaskać pod stołem moje nogi. Cały czas rozmawia z Jaimem. Skamieniałam i obserwuję, jak Joaquín, zupełnie nieobecny duchem, koncentruje się tylko na zapaleniu swojej fajki. Nie mogę zrozumieć, o co chodzi, kiedy Jaime, patrząc na mnie, z aprobatą kiwa głową. Bezwiednie napinam mięśnie i zwieram kolana, a kiedy klient usiłuje wsunąć rękę między moje uda, zrywam się na równe nogi i rzucam serwetkę na stół. Nie mogę się dłużej powstrzymywać, widząc, że Jaime nawet nie myśli zareagować.

– Jestem dla ciebie warta tylko trzy miliony! – krzyczę, a wszyscy w restauracji odwracają głowy w naszą stronę.

Jaime ma zaskoczoną minę.

– O co ci chodzi?

– Nic nie zrobisz, żeby ten cham mnie nie dotykał?

Jaime przez chwilę obserwuje klienta.

– Zachowuj się! – odpowiada mi.

Joaquín poklepuje swoją fajkę kpiarskim gestem.

– Słucham? – pytam, nie wierząc własnym uszom.

– Powiedziałem, że masz się zachowywać jak należy! – rozkazuje mi Jaime. – Wszystko przez ciebie stracimy!

Nie wiem, co mnie bardziej boli, chamstwo klienta czy zachowanie Jaime'a. Urażona, odchodzę od stołu, proszę kelnera o swój płaszcz i wybiegam z restauracji. Jaime zgodziłby się tej nocy podzielić mną z obcym mężczyzną. Chce mi się wymiotować.

Wracam do domu, płacząc. Kiedy Jaime pojawia się około piątej rano, spokojny, jakby nic się nie stało, jestem bardziej niż pewna, że mnie nie kocha i że tak naprawdę nigdy mnie nie kochał.

Kiedy się kładzie obok mnie, szepce mi do ucha:

– Jesteś za młoda. Musisz nauczyć się jeszcze wielu rzeczy.

Czuję wstręt, gdy mnie dotyka. Nie będę dłużej znosić tej sytuacji.

Nadchodzi najgorsze

9 stycznia 1999

Apteka jest pełna ludzi, siadam więc na krześle, które postawiono obok wystawy. Okres spóźnia mi się już o tydzień i choć dopiero zamierzam zrobić sobie test, wiem, że jestem w ciąży. Postanowiłam się jednak o tym przekonać. Pewności co do ciąży nabrałam, czując delikatne uderzenia małego serduszka w okolicach mojego prawego jajnika. I pomimo protestów Soni, że jest niemożliwe odczuwanie czegoś takiego przed upływem kilku miesięcy, wiem, że coś we mnie rośnie. Nic nie mówię Jaime'owi ze strachu przed jego reakcją, chociaż mógł się tego spodziewać, skoro nie używamy żadnych środków zabezpieczających. Nawet więcej, pewnego dnia powiedział mi, że chciałby znowu być ojcem, teraz kiedy jest dojrzały, i że powinno to nastąpić jak najszybciej. Ze względu na jego wiek nie chciałby być ojcem-dziadkiem. Oczywiście tylko tak gadał. Znacznik nie potrzebował w ogóle czasu, żeby zmienić kolor. W tej samej chwili, w której umieściłam go w moczu, pokazał makabryczną, pozytywną reakcję. Jestem „bardzo w ciąży".

Mówię Jaimemu o tym w nocy i patrzy na mnie tak, jakby zobaczył ducha. Mam nadzieję na jakąś reakcję – radość czy też złość – ale nigdy nie sądziłam, że może mi powiedzieć: „To niemożliwe!".

– Jak to niemożliwe? Tu masz wyniki próby ciążowej.

Daję mu znacznik, który zachowałam w oryginalnym aluminiowym opakowaniu.

– Powtarzam ci, że to niemożliwe! – mówi, nie biorąc pod uwagę faktów. Jego głos ma kpiarski odcień, który powoduje, że po plecach przebiegają mi ciarki. – Nie wątpię, że jesteś w ciąży. Wątpię tylko w to, że to moje dziecko.

O mało na niego nie skoczyłam. Poza tym z pewnością spodziewał się reakcji tego typu. Siadam spokojnie, z sercem wyrywającym się z piersi.

– Jaime, jak możesz tak mówić? Jedynym mężczyzną, z którym sypiam, od kiedy cię znam, jesteś ty.

– Wątpię. – Poważnieje i się obraża.

– Ale jak możesz mówić mi coś takiego?

– Po prostu jestem bezpłodny.

Podczas mojego życia z Jaimem czasami go nienawidziłam z całego serca, czułam złość, niemoc, ale dziś... dziś cały świat zawalił się na moją głowę. Pomyślałam, że to wszystko to jedna wielka farsa. Nie widzę innego wyjaśnienia. Biegnę do łazienki, żeby zwymiotować, i zostaję tam, z twarzą w muszli klozetowej, usiłując odzyskać jasność umysłu, kiedy nagle pojawia się za mną i kontynuuje swoją przemowę.

– Jestem bezpłodny od wielu lat. Miałem wielkie szczęście, że mam dwoje dzieci, ale nigdy więcej nie będę ich miał. Przestań więc udawać niewiniątko i przyznaj się, że sypiałaś z innym!

Nie jestem zdolna udzielić mu odpowiedzi. Właśnie na moich oczach zamienił się w potwora i nie chcę się do niego odzywać.

– Nie zdziwiłby mnie fakt, że sypiałaś ze swoim szefem, a teraz chciałabyś mnie tym obarczyć.

Każde jego słowo jest jak cios w szczękę. Zaczynam znów wymiotować.

– Nie zdziwiłbym się nawet, gdybyś to robiła z moim wspólnikiem, ponieważ coraz częściej wpada do nas do domu. Oczywiście, ty i Joaquín! Nie powinienem był ci ufać!

Chcę zaprzeczyć, ale jestem tak załamana, że zaczynam krzyczeć.

– Jesteś histeryczką. Spójrz na siebie! Poza tym, co ja wiem o tym, co robisz w weekendy, kiedy ja jestem w Madrycie!

Mogłam powiedzieć mu, że wiem o Carolinie, i uświadomić, że jego podwójna gra wyszła na jaw, ale nie byłam w stanie wydusić z siebie ani słowa. Zaniemówiłam, a to wywołało u niego nową falę okrucieństwa.

– Milczenie jest potwierdzeniem! Budzisz we mnie obrzydzenie!

I z tymi słowami na ustach wychodzi z domu.

Mój prezent walentynkowy

14 lutego 1999

Przeprowadziłam aborcję, sama. Nadal uważam, że dziecko nie jest tym, co pragnę posiadać najbardziej na świecie. Dzień, w którym poinformowałam Jaime'a o moim stanie, był dniem, w którym opuścił nasz dom. Znalazłam w jego papierach informację psychiatryczną na temat jego stanu z całą serią pytań, na które Jaime odpowiedział. Między innymi, że najbardziej w życiu uszczęśliwiłby go tydzień spędzony z Caroliną, ale ponieważ ona już nie może z nim wytrzymać, znów zaczął brać kokainę. Są także inne odpowiedzi, o których wolałabym zapomnieć ze względu na ich ciężar gatunkowy. Oczywiście moją uwagę zwróciło to, co myślał o kobietach. Mówił, że nienawidzi wszystkich, wyjąwszy swoją matkę. Zdaniem psychiatry Jaime jest schizofrenikiem, który cierpi na rozdwojenie jaźni, ponieważ jego neurony pożarła ilość spożywanej kokainy. Powinien przez jakiś czas leczyć się w klinice.

Nie mogę dopuścić do tego, żeby wydać na świat dziecko szaleńca, poczęte z wariatem, a do tego narkomanem. Boję się, że dziecko mogłoby się urodzić uzależnione, i to mnie powstrzymuje przed utrzymywaniem jakichkolwiek kontaktów z furiatem, który mógłby skrzywdzić dziecko i mnie.

Przedwczoraj dzwonił Jaime, groził mi, że jeśli nie usunę ciąży, zrobi wszystko co w jego mocy, żeby „spieprzyć" mi życie. Wierzę mu. Jest do tego zdolny, byle tylko przetrwać.

Dziś wsiadam do samolotu i lecę do Madrytu, żeby poznać

Carolinę. Opowiedziałam jej już wszystko o dziecku i bardzo posmutniała, dlatego że Jaime potraktował ją tak samo. Kilka lat wcześniej. Nie jest bezpłodny. Wymyślił tę potworność, żeby móc się uwolnić od każdej kobiety, która będzie chciała go zmusić do czegokolwiek szantażem emocjonalnym, za pomocą dziecka. Oczywiście w moim przypadku nic takiego nie wchodziło w grę. Jedyne, czego chcę, to uwolnić się od krzyża, który niosę, od tej miłości, którą do niego czuję, i zacząć nowe życie. Dlatego też muszę porozmawiać z kimś, kto zna go lepiej i dzieli z nim życie, a przy okazji poddać się egzorcyzmom.

Carolina umówiła się ze mną w barze, sama, i jestem bardzo zdenerwowana przed tym spotkaniem. Instynktownie poznajemy się na pierwszy rzut oka. Nieszczęście natychmiast widać na twarzach i podczas pierwszych kilku minut czuję się niezręcznie. Carolina jest ode mnie dużo starsza i niewiarygodnie miła i piękna. Czuję się wyróżniona tym, że Jaime przyprawiał jej rogi właśnie ze mną. Ale później odrzucam te bzdurne myśli i koncentruję się na smutnej rzeczywistości. Manipulował mną i nigdy mnie nie kochał.

Carolina i ja potrzebujemy czegoś mocniejszego, żeby móc porozmawiać o tym, co wiemy na temat Jaime'a. Opowiadam jej mętnie o tym, jak się poznaliśmy, o kłopotach jakie mieliśmy z zajęciem jego domu, o śmierci jego ojca i o nocnych libacjach oraz powtarzających się zniknięciach.

Carolina słucha mnie z uwagą i otwiera szerzej swoje wielkie czarne oczy za każdym razem, gdy odnajduje siebie w mojej historii.

– Jedyny raz, kiedy słyszałam, żeby Jaime o tobie mówił, to był ten, kiedy opowiadał mi, że zatrudnił Francuzkę – mówi, gdy już jest pewna, że skończyłam.

– Nigdy z nim nie pracowałam. Nigdy nie chciałam.

– Pogrzeb jego ojca to fikcja. Nie umarł, żyje, ale kiepsko, w jakiejś chacie bez elektryczności. Jaime pochodzi z bardzo biednej rodziny i nie rozmawia z ojcem od wielu lat. Kiedy go poznałam, też zastosował tę sztuczkę z pogrzebem, ale ja odkryłam prawdę. Oczywiście potrzebował alibi, żeby zniknąć na kilka dni z jakąś dziewczyną, i opowiedział mi tę potworną wymyśloną historyjkę. Jaime jest maniakalnym kłamcą. Przed Bożym Narodzeniem pojechaliśmy w podróż na Wyspy Kanaryjskie. Dlatego poczęstował cię śmiercią swojego ojca. Przykro mi!

Słowa odbijają się echem w mojej głowie.

– Jeśli chodzi o willę, nie jest jego. Mój mąż ją kupił, gdy się pobieraliśmy. Kiedy zmarł, odziedziczyłam dom. Jaime przyjechał, żeby żyć ze mną tutaj. Ale dom jest mój i nigdy nie było na niego żadnego nakazu komorniczego. W tym też cię okłamał.

Nie mogę uwierzyć, że upadłam tak nisko.

– A jego dzieci? Mówił mi, że spędza tu z nimi wszystkie weekendy.

– Jego dzieci nie chcą go nawet widzieć. Od miesięcy prawie ze sobą nie rozmawiają, a i to tylko z konieczności.

– Więc te pięć milionów peset, które mu dałam, na co poszło?

Carolina ma minę, jakby nic nie wiedziała o sprawie.

– Dałam mu pięć milionów peset, żeby mógł zatrzymać ten dom! – krzyczę.

– Wydaje mi się, że po prostu chciał cię oskubać.

Poza tym, że jest kłamcą, okazał się oszustem.

– Jaime zawsze miał problemy finansowe. Wydaje wszystko co ma. Prowadzi iście królewskie życie. Utrzymywałam go przez jakiś czas, ale się tym zmęczyłam. Od dwóch lat już mu nie pomagam. Od tamtej pory otrzymał mnóstwo pozwów od współpracowników, od wielu ludzi. Nie chcę o niczym wiedzieć. Myślę sobie tylko, że teraz potrzebował kogoś, kto zaopatrzy go w środki. Tak samo było z jego byłą żoną. W końcu się zmęczyła i wyrzuciła go z domu. Woli żyć spokojnie bez tego awanturnika. Przykro mi, że ci to mówię, ale chyba powinnaś wiedzieć.

– Jego była żona jest bardzo chora, prawda?

– Ależ skąd. Carmen jest najzupełniej zdrowa. Już widzę, że tobie też wmówił, że ma raka, czyż nie? Więc nie. Czuje się świetnie i jedyne czego pragnie to wymazać ze swojej pamięci lata przeżyte z tym panem. Ja też usiłuję to zrobić, ale wciąż jestem w nim zakochana i mi się to nie udaje.

Chcę umrzeć natychmiast, w tym miejscu. Jestem rogaczką, oszukaną i zrujnowaną kobietą, zniszczoną psychicznie i fizycznie. I mam przed sobą inną kobietę w takim samym stanie, która umiała mu wybaczyć niemal wszystkie doznane upokorzenia. Carolina mówi, że umówiła się z Jaimem w barze po drugiej stronie ulicy i że musi już iść, bo on może się tam zaraz pojawić. W tej chwili dzwoni moja komórka. To Jaime.

– Mimo że nie jestem przy tobie, chcę ci życzyć szczęśliwego dnia Świętego Walentego – mówi.

Jak można być aż tak cynicznym? Muszę się hamować, żeby nie dać po sobie nic poznać.

Nie może się dowiedzieć, gdzie jestem.

– Gdzie jesteś? – pytam zaniepokojona.

– Ten weekend spędzam z matką, w Barcelonie.

Nie mówię mu, gdzie ja jestem. Nawet nie podejrzewa, że mogłyśmy się spotkać z Caroliną w Madrycie. Żegnamy się i Carolina mówi:

– Widzisz, jak kłamie? Jest w drodze do baru.

Tym razem jej komórka zaczyna wibrować. Patrzy na mnie zaskoczona i obydwie wiemy, że to znowu Jaime.

– Zgoda – mówi, odebrawszy telefon – czekam na ciebie za dziesięć minut.

Rozłącza się. Właśnie jej powiedział, że wysiadł z metra i już jest prawie na miejscu.

Patrzymy na siebie w milczeniu, nie wierząc, że ktoś może być tak bezczelny.

Nie wiem, skąd biorę siły, żeby dwadzieścia minut później pojawić się w barze. Jestem rozdarta pomiędzy chęcią ucieczki i wyjaśnieniem mu, że odkryłyśmy, jakim człowiekiem jest naprawdę. Z drugiej strony, wciąż jestem w nim zakochana, ale chcę dać mu nauczkę za całe zło, jakie mi wyrządził i jakie nadal wyrządza Carolinie.

Pojawiam się, jak żywy trup, a Jaime jest tak zaskoczony moim widokiem, że potrzebuje kilku minut, żeby zareagować. Czuję się fatalnie, tak jakbym bez pozwolenia wmieszała się w prywatne sprawy jakiejś pary nieznajomych. Carolina podsuwa mi krzesło i oczywiście pyta Jaime'a, czy wie kim jestem. Nie potrafi nawet odpowiedzieć. Zrobił się zielony, po raz pierwszy w życiu to on został wystrychnięty na dudka, odebrano mu maskę. Próbuje się podnieść, żeby uciec z tego trójkąta, ale zmuszam go, żeby usiadł, ciągnąc go mocno za rękaw. Ludzie w barze obserwują nas, zawieszeni pomiędzy odrętwieniem a rozbawieniem, patrzą na ten latynoski serial, którego głównymi bohaterami jesteśmy my, ale nikt nie odważa się interweniować. W końcu Jaime'owi udaje się uciec, a Carolina proponuje, żebym pojechała do jej domu, który znajduje się w słynnej dzielnicy rezydencji, jakieś dwadzieścia kilometrów od Madrytu. Chce pokazać mi, gdzie mieszka, i nawet proponuje, żebym u niej przenocowała, ponieważ Jaime nie odważy się wrócić.

Przyjmuję jej zaproszenie, mimo że czuję się jak intruz, ale Carolina pewnie potrzebuje mnie, żeby nie czuć się samotnie. Wygląda na to, że między nami został niechcący zawarty jakiś pakt. Jestem jej winna przynajmniej jedno – wdzięczność za to, jak się ze mną obeszła.

W domu upijamy się ginem i Carolina postanawia pokazać mi swoją sypialnię. Może zgadzam się tu zostać, żeby poznać otoczenie Jaime'a, żeby go lepiej zrozumieć? Ale co tu jest do rozumienia? Nie wiem. W całym domu jest pełno zdjęć jej i Jaime'a.

– Wspomnienia po dobrych chwilach spędzonych razem – mówi nostalgicznie Carolina. – Oczywiście, od wielu lat już nie byłam z nim szczęśliwa. Nie potrafię jednak uwolnić się od Jaime'a. Przez telefon udaje mi się powiedzieć, że nie chcę o niczym wiedzieć, ale kiedy znów się pojawia, padam mu w ramiona. To nie jest życie. Przynajmniej nie jest to życie, jakiego chciałam dla siebie czy dla swoich dzieci.

W nocy, gdy nadal pijemy, żeby znieść ciężar tej miłości, Jaime znów dzwoni na komórkę Caroliny. Chce ją przeprosić. Ale nie zdaje sobie sprawy, że obydwie jesteśmy u niej w domu. Carolina wyraża pragnienie, żeby zabrał się z jej domu, raz na zawsze, ale Jaime ją błaga, żeby tego nie robiła, żeby go nie opuszczała. Że ta sprawa ze mną to był błąd. Po dziesięciu minutach dzwoni do mnie, żeby powiedzieć mi to samo. Że nigdy nie kochał Caroliny, tylko jej współczuł, biednej wdowie, samej z dziećmi, i że chce wrócić do mnie. Nie słucham jego przeprosin, wolę się rozłączyć. Carolina i ja jesteśmy już pijane, ale nie mniej urażone jego zachowaniem. Do czego może się posunąć?

– Mam pomysł – mówi nagle Carolina ze złośliwym błyskiem w oczach, kiedy już dobijam do punktu, w którym mogę popaść w alkoholowy sen. – Dotknąć rzeczy Jaime'a, to najgorsze co możesz zrobić. Przekonasz się...

Zabiera mnie do pokoju, w którym Jaime zostawił wszystkie swoje rzeczy. W jego szafie znajduję, zaskoczona, takie same drewniane pudełeczka, jakie trzyma w naszym apartamencie w Barcelonie, żeby przechowywać w nich zegarki. Zrekonstruował w naszym mieszkaniu ten sam klimat, jaki ma tutaj, w Madrycie. Ze złością wyciągamy wszystkie jego ubrania i Carolina, używając nożyczek, tnie je na kawałeczki. Robię to samo z jego jedwabnymi krawatami, które umieścił starannie na różnych wieszakach, a potem wkładamy wszystkie kawałeczki do plastikowej torby. Carolina wyciąga walizkę, pakujemy do niej plastikowe torby i przyklejamy nalepkę, na której umieszczamy wszystkie dane Jaime'a. Właśnie, niechcący, stałyśmy się wspólniczkami aktu wandalizmu. Carolina dzwoni do hotelu i rezerwuje pokój na nazwisko Rijas, po czym wyjaśnia recepcjoniście, że zostanie dostarczona walizka z jego rzeczami osobistymi, którą mają mu oddać, kiedy tylko przyjedzie. Wsiadamy do samochodu i jedziemy prosto do hotelu, żeby zostawić walizkę. Później Carolina wysyła mu wiadomość z adresem hotelu, do którego ma się zgłosić, żeby odebrać swoje rzeczy. Jaime nie odpowiada, nie ma odwagi. Nigdy nie zapomnę tej chwili. Z powodu napięcia, jakiemu byłyśmy poddane prze ostatnie dwadzieścia cztery godziny, Carolina i ja zaczynamy wybuchać śmiechem, wyobrażając sobie minę Jaime'a, kiedy zobaczy, co zrobiłyśmy z jego ubraniami.

Nieszczęśliwe zakończenie

15 lutego 1999

Żegnam się z Caroliną, prosząc ją o wybaczenie za to, że wmieszałam się w jej życie. Chciałam jedynie zrozumieć tego mężczyznę i uwolnić się od miłosnego czaru, którym mnie związał. W żaden sposób nie chcę jej zaszkodzić, ponieważ wiem, że stała się niewolnicą egoistycznego potwora, który czuje tylko wściekłość wobec kobiet.

Myślę, że z czasem Carolina mnie znienawidzi za to, co zrobiłam.

3 marca 1999

Muszę pozbyć się apartamentu, ponieważ nie stać mnie na to, żeby płacić taki czynsz i inne wygórowane opłaty, poza tym nie wyobrażam sobie, żebym mogła tu mieszkać. Każdy pokój przypomina mi Jaime'a, a przede wszystkim jego szaleństwo. Postanowiłam wysłać pismo do agencji nieruchomości, żeby poinformować ich, że oddajemy apartament, ponieważ jesteśmy w separacji. Zgodnie z kontraktem to ja muszę wypłacić im odszkodowanie, ponieważ nie minął nawet rok od czasu, gdy podpisałam kontrakt. Jedyną osobą, która ponosi winę, jestem ja, czyli najemca. Te małe sprawy kosztowały mnie wiele wysiłku, zaczynam cierpieć na bezsenność i jestem coraz bardziej nerwowa. Wciąż jeszcze utrzymuję jakiś kontakt z Caroliną, która opowiada mi, że Jaime prześladuje ją codziennie w pracy, przepraszając i błagając, żeby pozwoliła mu wrócić. Dotąd mu odmawiała. Ale wiem, że wróci w jego ramiona. Trudno jest jej oprzeć się Jaime'owi, dlatego że boi się zostać zupełnie sama, a jemu dlatego, że Carolina jest jedyną osobą, która rzeczywiście dobrze go zna.

Kwiecień 1999

Przeprowadziłam się dość szybko do dużo mniejszego mieszkania po przeciwnej stronie miasta. Zadzwoniłam do firmy transportowej, żeby przyjechali rano, i o świcie, z ciemności wyłonił się Jaime, który podczas mojej nieobecności zabrał z mieszkania najcenniejsze rzeczy, jakie posiadaliśmy. To oznacza, że zostawił mnie praktycznie z niczym. Poniekąd jestem mu wdzięczna, gdyż w miejscu, w którym chcę zamieszkać, wszystko by się nie zmieściło. Zamieniłam studwudziestometrowy apartament na skromniejszy, o powierzchni pięćdziesięciu metrów kwadratowych. Schowany przed światem, ale odnaleziony przeze mnie podczas licznych wędrówek po Barcelonie. Poza tym, w ramach zemsty – wciąż jeszcze nie wiem jak to zrobił – Jaime zniszczył marmurową posadzkę w kuchni, co spowodowało, że miałam straszne problemy z właścicielem, który oczywiście domagał się ode mnie pokrycia kosztów reperacji. Moja sytuacja jest absolutnie katastrofalna. Nie mam już oszczędności, za to mam masę długów przez to, co Jaime zrobił w mieszkaniu, i do tego musiałam porzucić pracę z Harrym, ponieważ w takim stanie się do niej nie nadawałam. Byłby to z mojej strony brak profesjonalizmu. Ale, poza wszystkim, jestem załamana; nie pamiętam nic tak gorzkiego, co dałoby się porównać z tym, że zakochałam się w człowieku, który nigdy mnie nie kochał, który się ze mnie tylko wyśmiewał, wykorzystywał mnie i zostawił całkowicie odrętwiałą.

Ciekawe, że nie jestem zazdrosna o Carolinę. Myślę, że to więcej niż dobrze, że solidaryzujemy się od momentu, w którym się poznałyśmy. Nigdy nie miała wątpliwości co do moich wypowiedzi na temat mojego związku z Jaimem i zawsze będę jej wdzięczna za to, że pozwoliła mi być swoim gościem. W końcu jestem dla niej nieznajomą, która na siłę wdarła się w jej życie i spowodowała wstrząs w pewnej jego sferze.

Jaime wiele razy próbował ze mną porozmawiać. Wie, dokąd się przeprowadziłam, i mnie również prześladuje. Pewnej nocy zadzwonił do drzwi, a ja, wciąż czując do niego miłość, pozwoliłam mu wejść. Przyszedł pijany, przepraszając mnie i zapewniając, że jego romans z Caroliną dobiegł końca. Wiedziałam, że znowu kłamie, ponieważ utrzymuję kontakt z Caroliną. Powiedział mi także, że jego firma się rozrasta i potrzebuje pieniędzy. I wrócił do mnie, myśląc, że mu je dam, ale po kilku kopach, które wymierzyłam mu wbrew sobie, wypadł z mojego mieszkania.

Wciąż nie wiem, dlaczego Jaime zrobił to właśnie mnie. Ma wszystkie kobiety u swoich stóp, a wiele z nich posiada więcej pieniędzy, niż ja miałam kiedykolwiek.

Już odkryłam, że ten słoik, który miał kilka denek, zawierał czystą kokainę i przysięgam, że przez parę dni byłam gotowa usprawiedliwiać tego mężczyznę. Dlatego że go kocham. Od tej chwili muszę walczyć z dwoma wrogami – z nim i ze wspomnieniem o nim, a przede wszystkim ze sobą, żeby znów się nie poddać.

Sierpień 1999

Minęły już długie miesiące letargu, których nie pamiętam. Zamknęłam się w swoim domu, z meblami po przeprowadzce ustawionymi bez ładu pod ścianami. Nie jem, nie dzwonię do nikogo, nie mam takiej odwagi, pozwalam się po prostu nieść życiu. Chciałabym zniknąć. Umieram jeszcze tej nocy, nie pozwalam na to, żeby moja śmierć kazała na siebie długo czekać.

Dom publiczny

Miejsce, w którym ludzka wrażliwość na zranienie i kruchość są na porządku dziennym.

Miałam trzydzieści lat, kiedy podjęłam pracę w domu publicznym. Powodem było moje zerwania z Jaimem, któremu nigdy nie wybaczę tego, że zostawił mnie z pustym kontem bankowym, długami i w stanie, z którego nigdy się nie podniosę. Byłam zdruzgotana, bo nagle poszły z dymem wszystkie moje marzenia o prawdziwej miłości.

Dojrzewałam do tej decyzji przez prawie pół roku, każdego dnia, każdej nocy. Myślałam o tym już wcześniej, ale bardzo niekonkretnie. Sądzę, że brakowało mi czegoś, co dałoby mi odwagę, by to zrobić. Kobiety z najróżniejszych środowisk i klas społecznych – wiem, bo rozmawiałam na ten temat ze swoimi przyjaciółkami – myślą o tym w jakimś momencie życia. Ale rzadko dochodzi do sfinalizowania tych pomysłów, ponieważ są one tylko fragmentem naszych fantazji erotycznych. Zawsze ze strachem przyglądałam się tym kobietom. Zawsze wyobrażałam sobie, że ich świat jest szary i okrutny, jako ofiar alfonsa, który pilnował je przez dwadzieścia cztery godziny na dobę.

Zaraz po dramacie chciałam umrzeć. Ale nie można nawet spokojnie popełnić samobójstwa! To po pierwsze, a po drugie, zawsze ktoś albo coś przeszkadzało, czasami niechcący, nieświadomie, bezwiednie w większości przypadków, w tym jakże intymnym akcie, którym jest zezwolenie sobie na śmierć.

W jednym z takich momentów, kiedy chciałam się rzucić przez okno, pojawił się mruczący Bigudí, prosząc mnie o jedzenie. Mruczał ze wszystkich sił swego małego gardziołka i drapał mnie po nogawkach spodni.

Przy innej okazji chciałam zażyć dwa opakowania mocnego środka nasennego, ale gdy miałam przełknąć tabletki, okazało się, że nie ma wody. Zdesperowana, poszukiwałam wody mineralnej albo odrobiny alkoholu, ale tego dnia w domu nie było ani kropli żadnego płynu. Postanowiłam więc przełożyć to na następny dzień. W końcu jednak okazało się prawdziwe powiedzenie starych ludzi, że „jeśli masz coś zrobić dzisiaj, nie odkładaj tego na jutro".

Później chęć śmierci z czasem malała, a jej miejsce zajęła apatia, smutek i potworna depresja.

Minęło sześć miesięcy, podczas których większość czasu spędzałam zamknięta w domu, za zasłoniętymi żaluzjami, wychodząc z łóżka tylko po to, żeby iść do łazienki i z łazienki prosto do łóżka, nie czując głodu, tylko pragnienie, ponieważ upijałam się codziennie, uważając, że nie ma nic złego w piciu, które pozwalało mi ujrzeć inną rzeczywistość, a przy tym nie krzywdziłam nikogo.

Zawsze byłam silną kobietą, ale po zerwaniu porzuciłam pracę w firmie Harry'ego. Z powodów finansowych musiałam się przeprowadzić do półświatka, z którym miałam niewiele wspólnego. Pozostawiłam swój apartament w Miasteczku Olimpijskim i przeniosłam się do mojego małego mieszkania, a potem pojechałam na tydzień do sanatorium w Paralelo, z tym co miałam. Z jednej strony Bigudí, walizka pełna wspomnień po drugiej, i zaświadczenie z aborcyjnej kliniki w Barcelonie w torebce. Kobiety przeżywają dramaty tylko z powodu utraconej miłości albo straty dziecka. Potrafią sobie jednak radzić z innymi urazami. I to przez miłość byłam teraz samotna, sama na świecie, z sąsiadami o bardzo wątpliwej reputacji, z wulgarnymi prostytutkami pod domem i otoczona przez pełne ludzi bary „pod chmurką". Przyglądałam się tym biedakom każdego dnia i cieszyłam się, kiedy następnego dnia widziałam znajomą twarz jakiejś dziewczyny. Przyzwyczaiłam się do nich, nigdy z nimi nie rozmawiałam – umarłbym ze wstydu – ale były tu i dotrzymywały mi towarzystwa. W jakiś sposób rozumiałam je. Zawsze uważałam, że lepiej, żeby dożyć do końca miesiąca, sprzedawać swoje ciało, niż dorabiać sobie na boku podczas weekendów w jakimś barze jak niewolnica, dwanaście godzin na dobę, z nędznym zarobkiem. Kiedy chodziłam jeszcze na uniwersytet, wielu moich kolegów zabijało się, pracując jako kelnerzy, żeby móc dobrze żyć i skończyć studia. Ja, w przeciwieństwie do nich, miałam stypendium i pomoc finansową rodziców.

Kiedy zmęczyło mnie już życie szczura kanałowego, zaczęłam wychodzić na ulicę i wkraczać w prawdziwe życie, gdy tylko zeszłam ze schodów. W tym okresie nie korzystałam z windy, bo ze swymi wyklejonymi różową tapetą ścianami wywoływała u mnie klaustrofobię. Bałam się zamknięcia, bez możliwości oddychania, wśród tych ścian koloru gumy do żucia.

W końcu osiągnęłam to, czego chciałam, udało mi się kogoś zabić. Zabiłam w sobie osobę stateczną, wykształconą i ambitną. Zrobiłam to dlatego, że wiedziałam, iż wyzwalając się od niej, wyzwolę inną, o wiele bardziej ludzką, jeszcze wrażliwszą i jeszcze ciekawszą życia.

Zawsze jest pierwszy raz

1 września 1999

Mój pierwszy kontakt z burdelem nastąpił z powodu ostatniego ataku chęci przeżycia, albo autodestrukcji, to zależy od punktu widzenia. Nie wiem dokładnie, jak to jest, ale zawsze dążymy do tego, by przeżyć. Dlatego też wolę wierzyć w pierwszy wariant.

Wszystko to odbiegało od gładkiego obrazu, jaki sobie wyobraziłam. Dziewczyny okazały się malutkimi kopciuszkami, które jednak nigdy nie gubiły kryształowych pantofelków, a tylko część siebie samych. Niewinność niektórych z nich mocno kontrastowała z ich sposobem uprawiania seksu z klientami, i te fizyczne anachronizmy budziły we mnie zaskoczenie.

Byłam jedną z „najstarszych" i wiedziałam, co robię. Wiele z nich jednak przychodziło tu, żeby dobrze zarobić, nie dlatego że musiały, a tylko dlatego że miały „alergię" na biedę i myślały, że szczęście daje wyłącznie czek bankowy. Ja poszukiwałam przede wszystkim czułości i sposobu na dowartościowanie się we własnych oczach, ale poza wszystkim, miałyśmy jeden wspólny cel: kochać.

Wpół do trzeciej.

W końcu idę ulicą, licząc płyty chodnika, niezdolna do myślenia o jakimkolwiek wrażeniu albo uczuciu.

Rano kupiłam gazetę, w której znalazłam ogłoszenie domu publicznego obiecującego najładniejsze i najbardziej luksusowe dziewczyny w mieście. Nie zastanawiając się długo, zadzwoniłam tam, żeby dowiedzieć się, czy nie potrzebują nowego personelu, gdyż jestem zainteresowana współpracą z nimi. Podano mi adres i umówiliśmy się na spotkanie po południu.

Chcę tam dotrzeć najwcześniej jak to możliwe, żeby odkryć ten świat, który wielokrotnie sobie wyobrażałam. Widzę siebie w luksusowym wnętrzu, ubraną w przezroczysty nocny strój, otoczoną jedwabnymi zasłonami i ciekawymi pokojami tematycznymi z łazienkami z *jacuzzi*.

Za dziesięć trzecia.

Kiedy Susana otwiera przede mną drzwi, przepraszam ją, sądząc, że pomyliłam piętro. Ona, oczywiście, wpuszcza mnie i zapewnia, że to właśnie ten adres.

Susana jest ruda, grubiutka, niska i bardzo brzydka. Trzyma w dłoni papierosa, a palce ma kompletnie poplamione nikotyną. Ale najgorsze ze wszystkiego jest to, że jej zęby przypominają czarne skały, które właśnie mają runąć.

Przestraszy klientów – to moja pierwsza myśl.

– Palisz? – pyta mnie, podsuwając paczkę papierosów.

Ani dzień dobry, ani pocałuj mnie w dupę.

– Tak, dziękuję – odpowiadam jej nerwowo, biorąc jednego. Drżą mi dłonie. Był to pierwszy i ostatni raz, kiedy poczęstowała mnie papierosem. Od tamtej pory to ja stałam się jej ulubioną dostawczynią smoły i nikotyny.

Mimo że doskonale wiedziałam w co się pakuję, jeszcze nie byłam pewna dlaczego to robię, czy przyszłam tu z zemsty, ze wstrętu do mężczyzn i tego, co mieli przytwierdzone między nogami, a może z braku czułości i szacunku dla samej siebie, a także problemów finansowych. To pomieszanie wszystkich tych powodów oraz fakt, że zawsze uważałam się za osobę liberalną, sprawiło, że nie byłam zszokowana ani przerażona.

– Chwileczkę – mówi Susana, oglądając mnie od stóp do głów – zaraz przyjdzie szefowa i poznacie się osobiście. Jestem Susana, pracuję tu w dzień.

Natychmiast spostrzegam przedmiot leżący na podłodze, tuż obok drzwi wejściowych. To cytryna, na której wielokrotnie gaszono papierosy i w której tkwi zapalony papieros.

– Przyciąga klientów – mówi mi ze śmiechem. – To taki czarodziejski trick. Pokazała mi go Cindy.

– Cindy?

– Tak. Portugalska dziewczyna, która tu pracuje. Przedstawię ci ją. Zna mnóstwo sztuczek i wszystkie się sprawdzają.

Prowadzi mnie do pokoiku, w którym jest tylko jedno łóżko i lustro ścienne otoczone lampkami; zaczynam się bać, czy w tym pokoju nie spotka mnie coś strasznego. Mam mdłości i przedziwne wrażenie, że brakuje mi powietrza, a usta zasychają.

– Nie dałabyś mi szklanki wody? – proszę Susanę.

– Oczywiście, kochanie. Usiądź sobie na łóżku, zaraz przyjdzie szefowa, a ja przyniosę ci wodę, dobrze?

Nie najgorzej się czuję z tą dziewczyną. Wygląda strasznie, ale sądzę, że po coś tu jest.

Pokój jest wstrętny i nie ma nic wspólnego z tym, co sobie wyobrażałam. Ściany są pokryte pozrywaną miejscami żółtą tapetą, a do sufitu jest przymocowany czerwony materiał, mający stworzyć poczucie intymności pomieszanej z niemodnym już luksusem. Lustro „zdobi" ileś tam wtopionych pęcherzyków i natychmiast wbijam w nie wzrok. Zdaję sobie sprawę, że wpadam w słodką schizofrenię, która przenosi mnie w inne światy, gdzie przekaz wyrażany słowami nie ma żadnego sensu, istotne są tylko możliwości ciała i odczucia. Wizerunek odbijający się w lustrze jest obrazem osoby jak dotąd mi nie znanej. To twarz kobiety, która wylądowała w miejscu nie przeznaczonym dla niej, ale które chce uznać za swoje.

– Masz swoją wodę – mówi Susana, po cichu wchodząc ponownie ze szklanką wody w jednej dłoni i papierosem w drugiej. Filtr przypala jej już palce.

Nadal, całkowicie zahipnotyzowana, jestem zapatrzona w lustro, i wkroczenie Susany gwałtownie przywraca mnie rzeczywistości.

– Cześć! Dzień dobry! – rozlega się czyjś głos za plecami Susany, z lekkim anglosaskim akcentem.

– Dzień dobry! – odpowiadam ciekawa twarzy towarzyszącej tak słodkiemu głosowi.

Mała ciemna kobieta w ciąży wyciąga do mnie rękę, żeby się przywitać. Jestem zdumiona. Ciężarna kobieta zajmująca się stręczycielstwem w burdelu; właśnie załamały się wszystkie moje schematy. Nie oczekiwałam czegoś takiego, czuję się wręcz rozczarowana, że nie spotkałam tu faceta wyglądającego na kierowcę ciężarówki i wytatuowanego na całym ciele. Owa słodycz i kruchość nie pasują do tego dekadenckiego wnętrza.

– Mam na imię Cristina, jestem właścicielką tego „domu".

– Cześć! Jestem Val.

– Susana powiedziała mi, że chcesz z nami pracować.

– Tak, rzeczywiście chciałabym.

– Gdzie pracowałaś wcześniej?

– Chce pani powiedzieć: w tej branży?

– Oczywiście. W którym burdelu pracowałaś wcześniej? – upiera się Cristina.

Nie wiem, czy skłamać, czy powiedzieć prawdę.

– Nigdy nie wykonywałam takiej pracy. To pierwszy raz.

Cristina i Susana przyglądają mi się z uwagą i w ich oczach widzę, że nie mogą uwierzyć w to, co powiedziałam.

– Jesteś pewna, że możesz to robić? – pyta Cristina. – Tu pracuje bardzo wiele dziewcząt – profesjonalistek.

– Wystarczy sprawdzić – odpowiadam.

Mój ton głosu jest tak zdecydowany, że Cristina sprawia wrażenie od razu przekonanej.

– Zgoda – mówi. – Susano, czy w garderobie jest jakiś strój nocny, który ta dziewczyna mogłaby włożyć?

– Tak, ale wydaje mi się, że należy do Estefanii. Jeśli się dowie, że go wzięłyśmy, będzie mi robić wymówki, Cristino.

– Idź po niego. Na moją odpowiedzialność. Porozmawiam z Estefanią. Ta dziewczyna nie może pokazać się żadnemu klientowi tak ubrana.

– To znaczy, że zaczynam od razu? – Czuję się nieco spanikowana.

– Nie chciałaś przypadkiem pracować? – pyta Cristina z szerokim uśmiechem na twarzy.

– Oczywiście, że chcę pracować! Ale nie sądziłam, że zacznę tak szybko.

– Tak jest najlepiej, wiesz? Jeśli nie, to jak długo zamierzasz czekać? W salonie siedzi bardzo dobry klient, przyjeżdża co tydzień. Jeśli dziewczyna mu się spodoba, spędza z nią dwie godziny. Wykorzystaj to. Płaci sto tysięcy peset, pięćdziesiąt tysięcy dla ciebie.

– Okej!

Ponownie pojawia się Susana z długim, przezroczystym, czerwonym strojem z ogromnym dekoltem i dobraną bielizną.

– Przymierz to, kochanie, i pospiesz się, klient już czeka – naciska na mnie Cristina. – Powiedziałam mu, że mamy nową dziewczynę, modelkę, która jest przejazdem w Barcelonie i wyjedzie w ciągu kilku dni. Chce cię poznać.

– Dobra – odpowiedziałam, bez namysłu zdejmując dżinsy. – Co mam z nim robić?

– Dowiesz się – odpowiada Susana. – Jest trochę uciążliwy, ponieważ leży. Ale, w gruncie rzeczy, nie chce pełnego zbliżenia, bo nie może. Dobre brandzlowanie go uszczęśliwi.

– Dwugodzinne brandzlowanie? – pytam niewinnie.

– Dziewczyno, nie przez dwie godziny! – wykrzykuje Cristina, śmiejąc się. – Zabawy, masaż, nie wiem. No już, ubieraj się i nie przejmuj, wszystko będzie dobrze. I podmaluj się trochę, jesteś bardzo blada. Klienci lubią dobrze wyglądające dziewczyny. Bo mówią, że niby za co mają płacić kobiecie przypominającej im żonę?

– Jasne – odpowiadam, jednocześnie dopasowując do siebie ubranie.

Obraz, jaki widzę w lustrze, już nie odbiega tak bardzo od wizerunku osoby, która ma zwyczaj przygotowywać się na spotkanie z nieznajomym. Czuję się ze sobą dużo lepiej, ale serce wciąż wali mi jak dzwon, tak jakbym się bała.

– Zobacz, jak ślicznie wygląda w tym nocnym stroju! – woła Susana, przywołując w ten sposób uwagę właścicielki.

– Jest boska! – odpowiada Cristina. – Masz bardzo ładne ciało i powinnaś to wykorzystać. Może piersi są za małe, ale jak zarobisz pierwszy milion, to się zoperujesz!

Ten komentarz na temat moich piersi mi się nie spodobał, ale udaję, że nie zwróciłam na niego uwagi. To nie jest odpowiedni moment na dyskusję.

– Możesz dużo zarobić, jak sobie wszystko poukładasz. Zobaczysz, będzie ci z nami bardzo dobrze. Wydajesz mi się kobietą słodką i sympatyczną. Idź już, później porozmawiamy.

Susana bierze mnie za rękę, jak małe dziecko, poprawia mi makijaż z miną świadczącą o aprobacie i prowadzi mnie do salonu, którego do tej pory nie widziałam. Jest udekorowany w podobnym stylu jak pierwszy pokój. Znajduje się w nim wielka sofa pokryta materiałem pomalowanym w kwiaty we wszystkich kolorach, naprzeciwko stoi stół o szklanym blacie, miedzianych nogach wykutych w formie winorośli. Na stole leży kilka otwartych egzemplarzy *Playboya*, tak jakby ktoś przed chwilą je przeglądał. Fotel od kompletu z sofą stoi w kącie. W salonie jest dwoje drzwi. Jedne pomalowane na biało i drugie, przechodnie, drewniane, które, jak przypuszczam, prowadzą do pokoju.

– Tu jest sypialnia – wyjaśnia mi z dumą Susana, jakby to ona była właścicielką. – Klient jest już w środku. Później go zobaczysz. Tu jest łazienka. – Otwiera pomalowane na biało drzwi, żeby mi ją pokazać. – A teraz siadaj, pójdę zobaczyć się z klientem.

Delikatnie puka w drewniane drzwi i uchyla je tak, żebym nie mogła zobaczyć, co jest w środku. Znika, pochłonięta całkowicie przez ten tajemniczy pokój. Słyszę westchnienia; zaczynam odczuwać obecność nieznanego mężczyzny i słyszę jego głos pełen zniecierpliwienia spowodowanego tak długim oczekiwaniem. Mój puls sięga tysiąca uderzeń na minutę.

Po paru minutach ponownie pojawia się Susana, z zaróżowionymi policzkami.

– Nie lubię wchodzić do tego pokoju – mówi, śmiejąc się i zakrywając dłonią usta. – Klient jest nagi. Wejdź kiedy zechcesz, kochanie, właśnie mi zapłacił.

I pokazuje mi pieniądze, które trzyma w dłoni.

– Później dam ci twoją dolę.

Wychodząc z salonu, rzuca mi konspiracyjne spojrzenie i jestem zaskoczona, słysząc:

– Baw się dobrze, kochanie.

Stoję nieruchomo przez parę sekund. Przed zastukaniem do drzwi wstrzymuję oddech. Nie boję się pójść do łóżka z nieznajomym. Tak naprawdę przeraża mnie, że nie spodobam się klientowi, nie będę w jego guście; mój szacunek dla siebie jest dotknięty wyłącznie takim pomysłem. Byłby to dla mnie naprawdę wielki cios, gdybym została odrzucona już za pierwszym razem. Wreszcie zbliżam się do drzwi i zmuszam do zapukania, po czym rozlega się nieznajomy głos:

– Wchodź już! Jak nie, to czas minie i nic nie zrobimy.

Leży na plecach na narzucie, całkowicie nagi. Niezbyt dobrze widzę jego genitalia, pokój jest bardzo ciemny. Wydaje mi się, że to młody człowiek, ma najwyżej trzydzieści pięć lat. To, co Susana nazywa sypialnią, składa się z pokoju z czerwoną, aksamitną tapetą na ścianie, grubymi zasłonami, które nie pozwalają przedostać się do środka światłu dnia, i łóżkiem o rozmiarach *king size*. Po obu stronach łóżka stoją stoliczki podobne do tych w salonie, ozdobione figurkami z brązu, przedstawiającymi nagie kobiety jedzące winogrona. Całą ścianę naprzeciwko łóżka zajmuje lustro, i bez wątpienia sprawia wrażenie, że znajdujemy się w jednym z tych paryskich *maisons-closes*. Wydawało mi się, że czasy już się zmieniły i te domy powinny być współcześniejsze, pozostawiając za sobą wątpliwy styl, tak dla nich charakterystyczny.

– Pozwól mi się lepiej przyjrzeć – zwraca się do mnie klient, podnosząc się z łóżka. – Jesteś nowa, prawda?

– Tak, właśnie przyjechałam.

– Wszystkie tak mówią, a poza tym twierdzą, że nigdy nie pracowały w tym zawodzie. Ale później można je spotkać we wszystkich agencjach Barcelony. Chociaż wydaje mi się, że ty mówisz prawdę. Zupełnie cię nie znam. Przynajmniej nie pracowałaś w innym miejscu, skoro cię nie widziałem. Weźmiemy kąpiel?

Klient podchodzi do jacuzzi, które znajduje się w kącie apartamentu, i odkręca krany.

– Jak masz na imię? – pyta, sprawdzając ręką temperaturę wody.

– Val – odpowiadam, nie ruszając się z miejsca.

– Jak ładnie! Nigdy dotąd nie słyszałem takiego imienia. Nie jesteś Hiszpanką, prawda? – I dodaje z nieuchwytną manierą: – Tak jak wszystkie, w gruncie rzeczy.

– Tak, jestem Francuzką.

– Mało gadatliwa Francuzka. W porządku. Z reguły dziewczyny mówią zbyt dużo i same głupstwa. Mam na imię Alberto. Chodź, podejdź bliżej, żebym mógł ci się lepiej przyjrzeć. Wyglądasz na strasznie nieśmiałą.

– Nie. Nie jestem lękliwa. Chodzi tylko o to, że to miejsce wydaje mi się dziwne.

– Rozumiem – mówi z wyrozumiałą miną Alberto, usadawiając się w wannie. – Rozbierz się i chodź do mnie, do wanny.

Przyznaję, że branie kąpieli z nieznajomym w tak często odwiedzanym przybytku budzi we mnie lekkie obrzydzenie, ale jakie mam wyjście? Skoro zdecydowałam się to robić, muszę być konsekwentna do końca.

Szybko zdejmuję z siebie strój, poruszając delikatnie moim białym ciałem uwięzionym w obcisłej czerwonej bieliźnie, żeby dodać sobie odwagi przed tym nieznajomym, który nie wydaje mi się zły, ale jak dotąd nie budzi we mnie podniecenia.

– Oooo! Wy Francuzki zawsze jesteście gorące. Zatańcz tak jeszcze raz w wodzie.

Wchodzę do wody, w której siedzi. Jest bardzo gorąca i trochę mnie kosztuje to, żeby się zanurzyć.

– Chodź tu, chcę cię czuć blisko siebie.

Zaczyna dotykać moich piersi, mocząc je gąbką zwilżoną w żelu do kąpieli, który wlał do jacuzzi, a później, pod wodą, jego palce wyruszają na poszukiwanie mojego łona. Pomimo mojego liberalnego podejścia do życia jeszcze nie wiem na jakiej zasadzie działa taki typ związku. Taka sytuacja wydaje mi się dość niezręczna, przeszłam z roli osoby wybierającej mężczyzn, których chcę, do roli, w której moje zdanie nie ma żadnego znaczenia. Najtrudniejsze do zniesienia jest właśnie to, że ono się w ogóle nie liczy.

Oświetlenie jest bardzo dyskretne, ale podniecenie Alberto odzwierciedla się na jego twarzy. A w moim przypadku jest odwrotnie.

– Dlaczego nie wyjdziemy z wanny i nie pójdziemy do łóżka? – wyrywa mi się nagle, żeby skończyć z tym wszystkim. Wstaję i strząsam z ramion pianę z mydła.

– Okej! Ale pod warunkiem, że pozwolisz mi zażyć salsy – odpowiada, rozkładając się w wannie.

– Salsy?

– Tak jak słyszysz, salsa...

– Tak, oczywiście. Lubisz tańczyć?

– Nie!

– Aha...! – wykrzykuję, i nie pytając go o dalsze wyjaśnienia owijam się w ręcznik i idę poszukać Susany, żeby dała mi jakieś CD z salsą.

Po spędzeniu zaledwie godziny w tym domu, już znajduję się w towarzystwie naćpanego kokainą kurwiarza.

Nigdy nie pociągały mnie narkotyki, żaden z nich. Ale gdy pracowałam w agencji, musiałam się godzić z ich istnieniem.

Susana wkłada płytę, o którą prosiłam i, kiedy rozumiem już o co chodziło Alberto, idziemy do łóżka. Tak jak to się zdarzało później w wielu przypadkach, nie zdejmujemy narzuty. Alberto zaczyna wciągać kokę po wypiciu whisky, którą zostawiła mu Susana po jego przyjściu. Wspaniała mieszanka piorunująca! – myślę trochę zdegustowana. Przez ten biały proszek oczy wychodzą mu z orbit i leży bezwładny na plecach.

Po jakimś czasie prosi mnie, żebym zaczęła swoją pracę, ale ponieważ nie ma w ogóle erekcji, nie jestem w stanie założyć mu żadnej prezerwatywy. Mam swoje zdanie na ten temat i nie zamierzam robić niczego z nieznajomym, dopóki nie założy prezerwatywy.

– To ci nic nie da – mówi, patrząc na prezerwatywy, które położyłam na stoliku. – Nie mogę się pieprzyć, chcę tylko, żebyś mnie possała, nie ma żadnego ryzyka.

– Zobaczymy, co da się zrobić – odpowiadam niezręcznie.

Na moment znikam w łazience, tej obok apartamentu, uzasadniając to wyjątkową potrzebą wysiusiania się, z kondomem ukrytym w ręku. Kiedy już tam jestem, delikatnie wyjmuję go z opakowania i zakładam sobie na czubek języka. Powoli go zwilżam, żeby miał temperaturę śliny, bardzo uważając, żeby nie uszkodzić go zębami. Mam wrażenie, że postępuję tak przez całe życie. W rzeczywistości mój mózg pracuje na najwyższych obrotach, żeby znaleźć jakiś sposób zabezpieczenia. Nie chcę mieć kłopotów przez mojego pierwszego klienta. To nie byłby dobry początek. Mam nadzieję, że nie zorientuje się w mojej strategii.

Nagle słyszę, że wykrzykuje moje imię, zmuszam się więc do powrotu do apartamentu. Zdecydowanie nie mam ochoty spędzić z tym gościem dwóch godzin.

– Co robiłaś? Czas ucieka. A ja za coś zapłaciłem – przypomina mi z wyrzutem.

Nie mam odwagi mu odpowiedzieć, gdyż nie chcę, żeby się zorientował, że mam coś w ustach. Uśmiecham się więc do niego i Alberto się uspokaja.

Przez niemal dwie godziny oddaję się mojej pracy, a on nie ma świadomości, że coś kryje się za moimi wargami. Udało się, udało! – mówię sobie, zadowolona z wynalazku.

W końcu Alberto odchodzi, tak jak przyszedł, rozwalony na łóżku i bez kompletnej erekcji. A ja mam pięćdziesiąt tysięcy peset w torebce, jakie to proste!

– Co zazwyczaj robisz? – pyta mnie właścicielka z długopisem i małym zeszytem w rękach, w którym już wpisała moje imię.

Spotkałyśmy się w kuchni, ponieważ mały pokój jest zajęty przez klienta, a Susana sprząta sypialnię.

– O co ci chodzi? – pytam, ponieważ pytanie wydaje mi się głupie.

– O stosunki z mężczyznami, kobietami, francuską miłość, tak czy nie? Seks grupowy, po grecku? To dla mnie ważne. Im więcej rzeczy jesteś gotowa robić, tym więcej będziesz miała pracy.

– Tak? Więc... jeśli chodzi o kobiety, nie ma problemu. Miłość francuska zawsze z prezerwatywą, a jeśli chodzi o miłość grecką, nie robię tego.

– Jaka szkoda! Za grecką płaci się podwójnie. Sto tysięcy peset za godzinę. Pięćdziesiąt dla ciebie. A seks zbiorowy?

– Zbiorowy?

– Tak, jeśli klient zażyczy sobie dwóch dziewczyn.

– Tak to nazywacie?

– Tak. Są klienci, którzy życzą sobie dwóch dziewczyn z jednego burdelu. Dla ciebie mniej pracy, bo będziecie we dwie.

– Nie widzę problemu. Ale do tej pory nie poznałam jeszcze innych dziewczyn. Wydaje mi się, że lepiej by było w takiej sytuacji znaleźć się z panienką, z którą mam dobre układy, prawda?

– Oczywiście. Chociaż czasami nie będziesz miała wyboru. A jeśli chodzi o godziny pracy, jest kilka wariantów. Albo pracujesz w dzień, albo w nocy. A jeśli wolisz, możesz być dyspozycyjna przez dwadzieścia cztery godziny na dobę. Jeżeli pracujesz na nocną zmianę, musisz przyjechać tutaj przed północą, inaczej Susana ci nie otworzy. W ciągu dnia powinnaś się zjawić około ósmej. Jeżeli pracujesz dwadzieścia cztery godziny, przychodzisz o której chcesz, a gdybyś była poza agencją, musisz mieć włączoną komórkę, żebyśmy mogli cię wezwać. To znaczy, że zawsze jesteś dyspozycyjna. Jeśli wezwiemy cię do jakiegoś klienta, a nie będziesz mogła przyjść, pójdzie inna dziewczyna, a my będziemy wiedzieli, że nie możemy więcej na ciebie liczyć.

– Rozumiem. To normalne.

– Jeśli będziesz potrzebowała odpoczynku, zawiadamiasz nas i załatwione.

– Okej! A co mam zrobić, gdy będę miała okres?

Naszą rozmowę przerywa jakaś Murzynka koloru hebanu, która wchodzi do kuchni z miną pełną wyższości, okryta małym ręcznikiem, tylko w połowie zasłaniającym jej sterczące pośladki.

– Cristino, klient mówi, że chce muzyki innego typu – oznajmia dziewczyna.

– Dobrze, Iso. Zaraz przyniosę inne CD.

Isa jest piękna, poprawiona silikonem, z całą pewnością. Gdy tylko na nią spojrzałam, zrozumiałam, jak mnie przyjęła; zabiłaby mnie wzrokiem. Odzywam się:

– Cześć, jestem nowa, mam na imię Val.

Isa odwraca głowę w drugą stronę i wychodzi z kuchni, nie odzywając się ani słowem.

– Nie zwracaj na nią uwagi – oświadcza mi właścicielka. – Dziewczyny na początku mają w zwyczaju tak się zachowywać, zwłaszcza Isa. Zawsze gdy pojawia się jakaś nowa, Isa tak się zachowuje. Przyzwyczai się do ciebie. – I dodaje: – Wracajmy do tematu. W jakich godzinach chcesz pracować?

– Dwadzieścia cztery godziny, Cristino. – odpowiadam bez namysłu.

– Dobrze. Więcej zarobisz – mówi, nie patrząc na mnie, i zapisuje to w swoim zeszycie.

– A teraz? Co mam robić? – pytam.

– Możesz zostać albo wrócić do domu. Ale dziewczyny, które tu zostają, zawsze mają pierwszeństwo. Gdy przyjdzie jakiś klient, przedstawiamy mu je, żeby sobie wybrał. Jeżeli żadna mu się nie spodoba, dzwonimy po te, które pracują dwadzieścia cztery godziny. Mamy książkę z fotografiami i pokazujemy je klientowi, żeby sobie wybrał. Masz jakieś zdjęcie, które możemy umieścić w książce?

– Przy sobie nie. Ale przejrzę. Jakiego typu fotografii potrzebujecie?

– Artystycznych. Twarzy, ciała, i z pewnością eleganckich. Żadnej wulgarności. Jesteśmy agencją na wysokim poziomie, rozumiesz?

– Oczywiście. Ale nie sądzę, żebym miała zdjęcia tego typu.

– Więc, jeśli chcesz z nami pracować i nie tracić klientów, radzę ci, żebyś sobie zrobiła zdjęcia u zawodowego fotografa.

– Okej!

– Znasz kogoś?

– Kogo?

– Czy znasz jakiegoś zawodowego fotografa – tłumaczy Cristina.

– Nie. Ale mogę znaleźć.

– Dobrze. Ale chcę, żebyś wiedziała, że pracujemy z bardzo dobrym fotografem, który zajmuje się także naszą stroną internetową.

– Ach tak?

Jestem zaskoczona faktem, jak ci ludzie są dobrze zorganizowani.

– Tak, kiedy pojawiają się nowe dziewczyny, on zajmuje się wykonaniem ich portfolio, fotografując je przez cały dzień, poza granicami Barcelony. A ja jadę z wami, żeby wszystkiego dopilnować.

– W porządku. Jestem zainteresowana. Ile mnie może kosztować takie portfolio i ile będzie w nim fotografii?

– Dobre portfolio kosztuje sto dwadzieścia tysięcy peset, ale jak dla ciebie, to będzie dziewięćdziesiąt tysięcy. Zawiera dwadzieścia zdjęć.

Trzeba zapłacić jak za zboże!

– Jest drogi, nie wydaje ci się? – mówię z naciskiem, zaskoczona ceną.

– Jeśli chodzi o fotografie artystyczne, wcale nie jest drogi – odpowiada mi twardo Cristina.

– Chodzi o to, że nie znam się na wartości takich rzeczy.

– Więc powiem ci, że portfolia są bardzo drogie. Ale to świetne narzędzie pracy. Jest niezbędne.

– Zgoda. Zrobimy to, ale pozwól mi popracować przez jakiś czas, żebym zdobyła te pieniądze, a potem zajmiemy się sprawą zdjęć – mówię jej, zamyślona.

W rzeczywistości wydaje mi się, że to bardzo droga impreza, a przecież dopiero co zaczęłam.

– Oczywiście. Więc chcesz pracować także na którejś zmianie? Rano czy w nocy?

– W nocy, ale będę miała włączoną komórkę przez dwadzieścia cztery godziny na dobę, tak że zawsze będziecie mnie mogli złapać, kiedy będę na zewnątrz, zgoda?

– Zgoda. Mogę więc na ciebie liczyć?

– Tak, tak, ale dziś wrócę do domu, będę cały czas pod telefonem. Możecie do mnie dzwonić.

– Dobrze. Oczywiście! W nocy jest inna służąca, poznasz ją. Ma na imię Angelika. Jest cudzoziemką, ale świetnie mówi po hiszpańsku. Dam jej twoje namiary. I, jeszcze dobra rada, nie mów nigdy nikomu, ani klientom, ani pozostałym dziewczynom, że nigdy tego nie robiłaś. Nikt ci nie uwierzy, wiesz? I jeszcze jedno, dziś tego nie zrobiłaś, bo nie wiedziałaś, ale na przyszłość wiedz, że po numerku w pokoju z klientem natychmiast zmieniasz prześcieradła, resztą zajmuje się Susana. Chodź, pokażę ci, gdzie są prześcieradła. I ręczniki.

Wychodzimy z kuchni, kiedy pojawia się Susana, trzymając w rękach prześcieradła z łóżka, w którym byłam z Alberto.

Kierujemy się do wejścia i Cristina otwiera drewnianą szafę, w której widzę tonę prześcieradeł spiętrzonych w rogu. W innym rogu znajdują się czyste ręczniki. Widzę, że Susana stoi za moimi plecami. Poszła za nami z wiecznie zapalonym papierosem w palcach. W holu jest jeszcze jedna szafa, z której wystaje ramiączko ze *strassu* od nocnej koszuli, niewątpliwie należącej do jednej z dziewczyn. Cristina widzi, czemu się przyglądam.

– Jeśli przyniesiesz strój, możesz go tu trzymać. I, uważaj! Wydaje się to nieprawdopodobne, ale dziewczyny wzajemnie się okradają.

– Naprawdę?! – wykrzykuję zaskoczona.

Susana kiwa głową. Wracamy do kuchni, gdzie Cristina pokazuje mi, jak działa ekspres do kawy.

– Możesz pić kawę, herbatę albo czekoladę. Zamawiasz ją u Susany. To sto pięćdziesiąt peset. Zgoda?

– Zgoda.

Oczywiście, tu za wszystko się płaci! Poza tym to ja muszę zmieniać prześcieradła!

Żegnam się z Cristiną i Susaną i wreszcie wychodzę na ulicę. Jestem szczęśliwa, bo zarobiłam pięćdziesiąt tysięcy peset w ciągu dwóch godzin, i obiecuję sobie, że będę pracować w tym burdelu jak szalona. I pomimo nerwów wywołanych przez fakt posiadania pierwszego klienta, mam wrażenie, że zajmowałam się tym przez całe życie.

Miss Sarajewa

1 września 1999, nocą

Trzecia nad ranem.

Mija trochę czasu, zanim reaguję; moja komórka dzwoni chyba od wieków.

– Tak. Słucham? – zgłaszam się grobowym głosem.

– Cześć, Val, jestem Angelika, nocna służąca z burdelu – odpowiada mi bardzo miły głos po drugiej stronie telefonu. – Spałaś? Od dziesięciu minut usiłuję się do ciebie dodzwonić.

– Och, cześć! Tak, ale to nieistotne – mówię, stając nagle na równe nogi.

Gdy tylko usłyszałam słowo „burdel", obudziłam się natychmiast. Nie chcę stracić ani jednej okazji.

– Słuchaj, mam dla ciebie pracę. To świetny klient z Barcelony. Australijczyk. Czeka na ciebie za dwadzieścia minut w swoim domu. Płaci pięćdziesiąt tysięcy peset, poza tym za taksówkę. Jeśli mu się spodobasz, to co tydzień będziesz miała takiego klienta.

– Świetnie. Gdzie mieszka? – pytam, gwałtownie szukając długopisu, żeby zanotować.

– Już ci daję namiary.

Podczas gdy Angelika podaje mi adres, zastanawiam się, w co się ubrać.

– Kiedy już będziesz z nim i ci zapłaci, zadzwonisz do mnie. I jeszcze jak będziesz opuszczała jego dom. Następnie przyjedziesz natychmiast do burdelu, żeby przywieźć mi pieniądze. Zrozumiałaś?

– Tak, oczywiście. Nie ma problemu – odpowiadam. – Jak klient ma na imię?

Wydaje mi się, że to informacja o szczególnym znaczeniu.

– David – mówi i odkłada słuchawkę.

Angelika wydała mi się bardzo sympatyczna. Spodobała mi się i strasznie chciałabym ją poznać.

Biorę szybki prysznic, wzywam taksówkę i w ciągu kwadransa już jestem w drodze do domu Davida.

Dom stoi w górnej części Barcelony, to wspaniały budynek.

– Wejdź! – poleca mi głosem rozbrzmiewającym na pustej ulicy.

Znalazłam się twarzą w twarz z młodym, niedużym mężczyzną w okrągłych okularach, które nadają mu bardzo intelektualny wygląd. Nie jest przystojny, ale ma w sobie coś, co sprawia, że wydaje się sympatyczny i uczuciowy. Uśmiecha się do mnie i natychmiast pozwala mi wejść. Jego mieszkanie jest ładne, ale nie ma w nim zbyt wielu mebli, co pozwala sądzić, że jest kawalerem i nie ma czasu ani ochoty na zadbanie o wystrój mieszkania.

– Jesteś nowa? – pyta, zaprosiwszy mnie, bym usiadła obok niego na niebieskiej sofie.

– Tak – odpowiadam, uśmiechając się. – To widać, prawda?

– Nie, to nie to. Po prostu zawsze dzwonię do tej agencji i nigdy cię nie widziałem. Dlatego przypuszczam, że jesteś nowa. Od kiedy pracujesz?

– Od tego popołudnia – odpowiadam, oglądając bibliotekę pełną książek i płyt CD.

– Angelika powiedziała mi, że jesteś Francuzką. To rzeczywiście rzuca się w oczy – powiedział ze śmiechem.

– Tak. A ty Australijczykiem, prawda? Świetnie mówisz po hiszpańsku – mówię z naciskiem, gdy wstał i poszedł czegoś szukać.

– Możemy rozmawiać po francusku, jeśli wolisz, uczyłem się tego języka przez parę lat, ale czasami brakuje mi słownictwa – mówi, uśmiechając się.

Też się śmieję, z dobrej woli. Wydaje się taki sympatyczny. Chociaż moim zdaniem jest za niski.

Kładzie pięćdziesiąt tysięcy peset na stole w salonie i prosi mnie, żebym przeliczyła banknoty.

– A teraz zadzwoń do swojej agencji, żeby powiedzieć im, że wszystko w porządku. Jeśli tego nie zrobisz, będą mieli do ciebie pretensję.

– Widzę, że wiesz jak to działa – mówię, wybierając numer burdelu w swojej komórce.

Angelika odzywa się natychmiast.

– Wszystko w porządku? – pyta, tak jakby czekała tylko na mój telefon.

– Tak. W porządku.

– Świetnie. Masz godzinę. Kiedy skończysz, zadzwoń do mnie, że już jesteś wolna.

David pokazuje mi sypialnię i od tej pory przestaje się odzywać. Odpowiada mi to, ja też nic nie mówię, bo nie mamy sobie nic do powiedzenia. Zaczyna mnie rozbierać i zaskakuje mnie tym, jak delikatnie mnie dotyka. Zawsze sądziłam, że mężczyźni, którzy płacą za to, żeby być z kobietą, nigdy dobrze się nie kochają, a już zupełnie nie nadają się do pieszczot. Pomyliłam się, to pod żadnym względem nie ten przypadek. Pozwalam się ponieść i zapomnieć, w jakim celu tu przyszłam.

Całuje całe moje ciało, pośladki, stopy, nagle przesuwa się w górę, żeby ugryźć mnie w kark, i znów schodzi w dół.

Odkrywam to maleńkie ciało i odpowiednie do niego genitalia. Nieważne. Jest mi bardzo dobrze. Na nocnym stoliku widzę olejek do masażu, a on, widząc, że go zauważyłam, bez słowa bierze go w ręce, pozwalając mi się odwrócić na brzuch, i masuje mi plecy. Jest fantastycznie. Umie masować jak zawodowiec. To wrażenie jest tak przyjemne, że zgodziłabym się być budzona o trzeciej każdej nocy, żeby tylko z nim być.

Odzyskuję zmysły po godzinie, zaczerwieniona na całym ciele i z delikatnym pocałunkiem na ustach. Kiedy zjeżdżam windą z jego mieszkania, czuję się lekka, a poza tym zarobiłam pieniądze. Nie mogę w to uwierzyć!

Dzwonię do Angeliki, tak jak mnie o to prosiła, i biorę taksówkę. W ciągu kwadransa już jestem w burdelu. To prawdziwa przyjemność poruszać się po ulicach Barcelony o tej porze. Miasto jest kompletnie wyludnione. Kiedy dojeżdżam, Angelika schodzi, by mnie wpuścić, ponieważ ze względów bezpieczeństwa budynek nocą jest zawsze zamknięty.

Po cichym powitaniu, żeby nie budzić sąsiadów, zaprasza mnie na górę.

Wspaniała kobieta. Wysoka, rudowłosa, z wielkimi niebieskimi oczami i mleczną cerą. Nie wygląda na służącą. Jedyną jej wadą, na mój gust, jest zbyt męski wygląd.

Wchodzimy na piętro i prowadzi mnie prosto do kuchni.

– W sypialni trwają teraz usługi, a w drugim pokoju śpią dziewczyny – wyjaśnia.

I nieoczekiwanie całuje mnie w oba policzki.

– Jestem Angelika, witaj w domu!

Jej zachowanie wydaje mi się dziwne i trochę przesadne, w końcu widzimy się pierwszy raz.

– Masz pieniądze? – pyta, otwierając zeszyt, w którym widnieją imiona dziewczyn, godziny pracy i zarobki.

– Tak. Proszę. Pięćdziesiąt tysięcy peset.

– Świetnie. Dla ciebie dwadzieścia pięć tysięcy.

I robi krzyżyk obok mojego imienia.

– Jak było z Davidem? – pyta, obserwując z rozbawieniem moje rumieńce.

– Jak widzisz, świetnie. Jest kochany i potrzebuje wiele czułości.

– Tak. Wszystkie dziewczyny są zachwycone, gdy dowiadują się, że mają się z nim spotkać. Gdyby wszyscy byli tacy jak on... Masz na coś ochotę? Ja zapraszam.

– Przydałaby mi się kawa. Umieram z senności – odpowiadam, ziewając.

Angelika przygotowuje mi ją w ekspresie, a potem robi sobie czekoladę.

– Dziękuję – mówię, dmuchając w kawę, żeby przestygła.

– Cristina mówiła mi, że będziesz pracować dwadzieścia cztery godziny na dobę. Dużo zarobisz. A kiedy przyjdziesz na zmianę?

– Myślę, że w nocy. Nie wiem, wydaje mi się, że to zależy od ilości pracy, prawda?

– Zależy od dnia, czasami więcej pracy jest w ciągu dnia, a czasami nocą. Ale jeśli będziesz miała zawsze włączoną komórkę, będziesz dużo pracować, przekonasz się.

– A ile tu jest dziewczyn? – pytam zaciekawiona.

– Dużo, ale nie wszystkie przychodzą. Niektóre pracują tylko z portfolio i dzwonimy do nich, jeśli nie ma nikogo do dyspozycji. Żebyś miała jakieś pojęcie, powiem ci, że tej nocy przyszło sześć na swoją zmianę.

Rozumiem z tego, że zostałam przez nią uprzywilejowana, ponieważ mogła wysłać każdą znajdującą się tu dziewczynę. To ciekawe, gdyż burdel wydaje się pusty, nie słychać żadnych dźwięków, żadnych hałasów. Chyba wszystkie śpią w drugim pokoju.

– Pozostałe nie będą mi mieć za złe, że to ja spotkałam się z Davidem?

– Nie przejmuj się, zawsze chce nowych dziewczyn. A te wszystkie, które są na miejscu, już z nim były. Poza tym nie muszą o tym wiedzieć!

– Dobra, nie będę się przejmować.

– Co masz zamiar robić? Zostać czy wracać do domu i zacząć zmianę jutrzejszej nocy?

– Wolę wrócić do domu. Muszę się przyzwyczaić do tego nowego rytmu życia.

– Jak chcesz.

– Dziękuję, Angeliko.

Gdy już się z nią pożegnałam i wsiadłam do taksówki, zdałam sobie sprawę z tego, że zaczyna świtać. Uwielbiam brzask, który oświetla miasto. Powietrze jest czyste i czuję się szczęśliwa, że znów zauważam takie drobiazgi. Już od bardzo dawna tego nie czułam. Poza tym zarobiłam w niecałe dwadzieścia cztery godziny siedemdziesiąt pięć tysięcy peset, a z Davidem przeżyłam cudowne chwile. Mam nadzieję, że dalej wszystko będzie mi tak szło!

Uwaga, pilnują nas!

2 września 1999

Przespałam dzisiaj większą część dnia. Kiedy się obudziłam, miałam ochotę od razu iść do burdelu, żeby sprawdzić, czy jest praca. Ale przez cały dzień nikt do mnie nie zadzwonił.

Pojawiłam się tak, jak mówiła Cristina, około wpół do dwunastej, z torbą pełną nocnych koszul. Wciąż jeszcze drzwi do budynku są otwarte, wchodzę więc na górę, prosto do mieszkania, otwiera mi Susana.

– Cześć, kochanie! Jak wcześnie się zjawiasz tej nocy! Większość dziewczyn z nocnej zmiany przychodzi prawie o dwunastej, na pięć minut przed zamknięciem zmiany. Będziesz robiła tak samo, jak zaczniesz odczuwać zmęczenie – mówi Susana.

– Cristina powiedziała mi, że jeśli nie zjawię się przed dwunastą, nie wejdę do środka.

– Taki jest regulamin. – I dorzuca, zmieniając temat: – Są jeszcze dziewczyny z dziennej zmiany. Zaraz sobie pójdą i ja też. Chodź, przedstawię cię.

Regulamin! To brzmi, jakbym się znalazła w klasztorze mniszek!

Idziemy do salonu (sygnałem, że nie ma żadnego klienta, są otwarte drzwi, prowadzące prosto do sypialni), skąd dochodzą głosy i czasami śmiechy.

Siedzą tam trzy dziewczyny na sofie i jedna na podłodze. W zaskakujący sposób różnią się od siebie fizycznie. Rozpoznaję Isę, mulatkę, która wczoraj nie odpowiedziała na moje pozdrowienie. Ma średnio długie włosy, mięsiste usta i mały, zoperowany nos. Włożyła jasnobeżowy komplet, który podkreśla cynamonowy odcień jej skóry. Dekolt pozwala dojrzeć ogromne piersi, przynajmniej sto dziesięć, oczywiście operowane, jak poinformowała mnie wcześniej inna, złośliwa dziewczyna. Z czasem udało mi się „udomowić" Isę. Zaczęłyśmy prowadzić surrealistyczne rozmowy na temat szaleństw ludzi.

– Cały świat jest szalony, wiesz? Wszyscy są szaleni! A mężczyźni! Nawet nie będę ci o tym mówić! Są sfiksowani. Trzeba być zupełnym idiotą, żeby płacić kobiecie za pieprzenie! – mówiła mi bez przerwy.

Właściwie umiała mówić tylko o tym. Nigdy nie wypowiadała się na inny temat. Z jednej strony niesamowicie mnie rozśmieszała, a z drugiej było mi jej żal.

Kiedy zarabiała pieniądze, wydawała je na ciuchy. Pewnego dnia, gdy miała dużo pracy, wydała sto pięćdziesiąt tysięcy peset na szmaty. Wszystkim opowiada, że ma dwadzieścia dziewięć lat, chociaż w rzeczywistości liczy sobie czterdzieści dwie wiosny, ale trzeba przyznać, że jest dobrze utrzymana, bo zoperowała sobie chyba wszystko. Jest z nas najstarsza, i to sprawia, że uważa, że przysługuje jej więcej praw, właśnie dlatego wpada w zły humor z powodu każdej nowej dziewczyny.

Dzisiaj to ja jestem nowa i ledwie na mnie patrzy. Ale spodziewałam się tego.

Później zwracam uwagę na rudą dziewczynę o długich prostych włosach sięgających jej do bioder. Na początku myślałam, że Estefania jest Szwedką. Potem powiedziano mi, że jest Hiszpanką, i to z Valladolid! Nie komentuje tej nocy tego, że rano włożyłam jej czerwony strój, żeby zaprezentować się pierwszemu klientowi. Widocznie Cristina załatwiła tę sprawę na swój sposób. Ma anielską twarz z pełnymi słodyczy niebieskimi oczami. Pracuje tutaj, żeby utrzymać dużo starszego od siebie mężczyznę, który nie pracuje, bo nie ma ochoty. Nic więcej o niej nie wiem, ponieważ jest bardzo dyskretna i nie lubi mówić o swoim życiu. Wita mnie uśmiechem. Z czasem okaże się najsprytniejsza z nas wszystkich; będzie odzywała się bardzo rzadko i wciąż się uśmiechała. Dzięki niej dowiem się, że rozmowa z kimś w takim miejscu jest najgorszą rzeczą jaką można zrobić.

Mae też jest Hiszpanką, z Asturii, to krótkowłosa blondynka o długich nogach. Jest ładna, ale każdym porem swojego ciała wydziela z siebie antypatię i natychmiast czuję, że muszę na nią uważać, ponieważ robi wrażenie prawdziwej żmii. Zawsze chwali się tym, że była modelką. Widocznie nie zarabiała zbyt dużo w swoim zawodzie... Ma wielu takich, którzy zabiegają o jej względy, i żyje z mężczyzn, nawet poza burdelem. Znika na dłuższe okresy, ponieważ wiąże się z mężczyznami, którzy ją utrzymują. Kiedy pieniądze się kończą, i związek też, wraca do burdelu jak porzucony pies. Stara się sprawiać wrażenie damy, ale wydaje mi się, że jest najbardziej wulgarna z nas wszystkich.

Cindy, Portugalka o ciemnych oczach, jest jedyną, która się do mnie odzywa, kiedy się przedstawiam. Chodzi o tę czarownicę od cytryny i zapałek przy drzwiach do mieszkania. Ma czarne włosy, bardzo proste i lśniące, i jest bardzo zgrabna.

– Cześć! Ty jesteś Francuzką, prawda? – pyta.

– Tak, mam na imię Val.

– Bardzo mi miło – mówi, biorąc mnie za rękę.

Jej wyjątkowe zachowanie kontrastuje z okolicznościami i wulgarnym strojem, w jaki się ubrała. Ale przypisuję to brakowi znajomości hiszpańskiego. W gruncie rzeczy mówi okropną mieszanką hiszpańskiego i portugalskiego. Właśnie dlatego powtarza nieliczne grzeczne zwroty, których się nauczyła, mieszając je z bardzo wulgarnymi zdaniami, co sprawia wrażenie, że musiała pracować na ulicy. W jej przypadku mam pewność, że w tym burdelu mam przyjaciółkę. Zawsze miałyśmy dobre układy. Cindy pracuje na dzienne i nocne zmiany, ma bowiem poważne problemy finansowe.

– Mam *filha* do wyżywienia, do cholery – będzie mi powtarzała bez przerwy.

A ja śmieję się do rozpuku za każdym razem, ponieważ uważa się za Wielką Damę z tym mało eleganckim zakończeniem. To zupełnie surrealistyczne.

Naprzeciwko mnie siedzą cztery dziewczyny z najdłuższym stażem w burdelu. Susana daje mi znak, żebym jeszcze raz poszła z nią do kuchni.

– Posłuchaj, kochanie. Nie ma żadnego powodu, żebyś miała kłócić się z którąś z dziewczyn, zgoda? Między nimi zawsze są jakieś tarcia, więc radzę ci, nie mieszaj się w to. Mówię tak dla twojego dobra – powtarza Susana, tak jakbym zaprzeczała – pewnego dnia będziesz mi za to wdzięczna, sama się przekonasz! Jeśli coś by się działo, pogadaj o tym ze mną albo Cristiną. To ona jest szefową.

– Zgoda – mówię bez mrugnięcia okiem.

Nagle słyszymy dobiegający z salonu szloch.

To Isa.

– To pewne jak nic, że któraś z was, kurwy, ukradła mi żakiet od Versace! – krzyczy histerycznie.

– My? – pyta Mae. – Sama jesteś kurwą! Oszalałaś. Mogę sobie kupić wszystkie marynarki Versace, które mi się spodobają, kretynko!

– Ach tak? Więc dlaczego mój żakiet zniknął wtedy, gdy tu przyjechałyście? – upiera się Isa.

Susana wbiega do kuchni.

– Co tu się dzieje? – pyta z nieodłącznym papierosem w dłoni.

– Ukradły mi żakiet od Versace – wyjaśnia jej Isa. – Jestem pewna, że to któraś z nich.

Obserwuję sytuację z plastikową torbą mocno trzymaną w dłoniach ze strachu, że zaraz z jakiegoś kąta wyskoczy złodziej.

– A dlaczego uważasz, że ci go ukradziono? – pyta Susana.

W tym momencie odzywa się sygnał domofonu.

– Klient! Idźcie do pokoju i przygotujcie się. I koniec kłótni! – oznajmia Susana. I patrząc na mnie, dodaje: – Ty też!

Wchodzimy do małego pokoju, żeby się przebrać. Wyciągamy z toreb ciuchy odpowiednie do pracy, aż do momentu gdy Isa zaczyna przyglądać się mojej, i z góry wiem o czym myśli.

– Mogę zobaczyć twoją torbę? – pyta.

– Moją torbę? – pytam. – Po co chcesz oglądać moją torbę? Chyba nie sądzisz, że ja...?

Wyrywa mi torbę z rąk i wyrzuca jej zawartość na łóżko.

– Nie pozwolę na to...! – mówię obrażona.

– Skoro nie one, to kto? – pyta, przekonana, że znajdzie tam swój żakiet.

Ale żakietu nie ma.

– Widzisz, nic nie mam!

– Dobra! – woła Cindy. – Jak możesz uważać, że ta biedna dziewczyna, która właśnie przyjechała, ukradła twój żakiet?

– Nie pytałam cię o zdanie! – wrzeszczy Isa, i rzuca mi

plastikową torbę w twarz. – Poza tym nie pojawiła się teraz, tylko wczoraj po południu i ukradła mi klienta.

Myślę, że to wszystko po prostu mi się śni. Chcę coś powiedzieć w swojej obronie, ale Cindy nie daje mi dojść do głosu.

– A co ty sobie myślisz?! – wrzeszczy Cindy. – Że wszystkie klienty są twoje? Na miłość Boską! Isa, klienty są burdelu, burdelu! Rozumiesz?

Zaczynam się bardzo źle czuć w tym środowisku.

– Tutaj – dodaje Isa – jak zawsze jest zbyt wiele kur w kurniku!

– Oczywiście, że tak! – wtrąca się Mae, wyraźnie w złym humorze. – Ty chciałabyś pracować sama. Ale to NIEMOŻLIWE, rozumiesz, silikonowy cycku? My też mamy prawo pracować.

– Wolę mieć silikonowe piersi niż takie obwisłe, jak masz ty. Idź do diabła! – rzuca Isa, żeby zakończyć dyskusję.

Kiedy jestem już przekonana, że zaczną się bić jak wariatki, wpada Susana, żeby zaprowadzić porządek.

– W porządku! Słychać was aż na ulicy. Szybko, przygotujcie się, bo klient chce was wszystkie obejrzeć.

Tej nocy postanowiłam włożyć do pracy czarną chińską piżamę, spodnie i top, naprawdę świetne. Nie jest ani wulgarna, ani zbyt wymyślna. Jest doskonała. Ale wciąż nie wiem, jak się zaprezentować, a poza tym jestem bardzo zmieszana, przez to, co się właśnie stało.

– Spokojnie! – mówi mi Cindy, wolna od takich emocji. – Bo klient weźmie sobie inną.

Pierwsza prezentuje się Isa, jak diwa operowa. Wchodzi do salonu i natychmiast wychodzi. Ja jestem druga. Wchodzę i widzę młodego chłopaka z pryszczatą twarzą, który czuje się nie bardzo na miejscu; uśmiecham się do niego.

– Cześć, mam na imię Val i jestem Francuzką. – Wyciągam do niego rękę na powitanie, jak jakaś głupia.

Chłopak prawie na mnie nie patrzy i rozumiem, że nie zostanę wybrana.

Kiedy już wszystkie się pokazałyśmy, i dowiedziałyśmy się, że wybrana została Estefania, Cindy pyta mnie, jak się zaprezentowałam.

– Dziewczyno, wcale mnie nie dziwi, że cię nie wybrał, do

cholery! – krzyczy. – Klienta trzeba uwieść. Pocałuj go, ale nie podawaj mu ręki.

– Tak?

– Oczywiście! Nie może się przestraszyć, rozumiesz? Musisz umieć się sprzedać. I przestań chodzić w spodniach. Włóż spódnicę, najlepiej krótką.

To dziwne. Zawsze kiedy chciałam spotkać się z jakimś chłopakiem, którego zobaczyłam na ulicy albo w jakimś innym miejscu, nigdy nie miałam problemów z wciągnięciem go do łóżka. Tutaj wszystko wygląda inaczej, jest wiele dziewczyn, czyli prawdziwa konkurencja. Poza tym czuję się, jak bym została odrzucona. Nie mam odwagi.

– Jeśli chcesz wykonywać tę pracę i zarabiać pieniądze, musisz być największą k... ze wszystkich – wyjaśnia mi Cindy. I dziwi mnie, dlaczego nie chciała wymówić tego słowa.

– Dlaczego jej doradzasz? – pyta Mae, zmywając makijaż. – Żeby była sprytniejsza, jak będzie sama? Ta praca jest wystarczająco trudna, żeby jeszcze przekazywać nowym informacje o naszych sztuczkach. Będą nam kradły klientów.

Cindy udaje głupią i nadal zwraca się do mnie.

– Zrozumiałaś? – pyta mnie.

– Tak, Cindy. Dziękuję za radę.

– Nie ma za co, kobieto!

I wyciąga się na łóżku, podczas gdy Mae zbiera swoje rzeczy i wychodzi, nie żegnając się z nami. Znów jesteśmy tylko we trójkę, Cindy, Isa i ja. Zmywamy makijaż i postanawiam się chwilę przespać. Nic nie zrobiłam, po prostu jestem zmęczona. Wszystkie trzy śpimy w niewygodnych pozycjach w małym pokoju, kiedy Angelika otwiera drzwi. Podnoszę się wystraszona. Bardzo głęboko usnęłam.

– Iso, wstawaj! Masz za dwadzieścia minut być w hotelu, klient czeka. Już zamówiłam ci taksówkę, więc się pospiesz!

I zamyka drzwi, a Isa zaczyna się przygotowywać. To straszne, być budzonym w środku nocy. A najgorsze ze wszystkiego jest to, że musisz wstać, ubrać się, umalować i wyjść. Ale Isa wstaje bez protestów. Patrzę na zegarek. Jest trzecia w nocy, Boże Drogi! Kto ma takie pomysły, żeby dzwonić po dziewczynę o tej porze? Rozglądam się wokół i widzę Cindy, która nawet nie poruszyła rzęsami, chrapiąc na całe gardło. Nie ma śladu po Estefanii. Pewnie jeszcze jest z tym samym klientem w apartamencie. Gdy Isa kończy się przygotowywać, postanawiam wstać, ponieważ nie mogę już zasnąć. Idę w piżamie do kuchni, żeby porozmawiać z Angeliką.

– Cześć, Angeliko – mówię chrapliwym głosem.

Właśnie robi sobie paznokcie.

– Cześć! Co jest? Nie śpisz? Jak było dzisiaj? – pyta, unosząc głowę na parę sekund, żeby następnie znowu zająć się paznokciami.

– Jak dotąd nic – odpowiadam. – Nic a nic!

– Nie przejmuj się. Gdy tylko wrócisz do łóżka, telefon znowu zadzwoni. Zawsze tak jest. Praca przychodzi wtedy, kiedy najmniej się jej spodziewasz. To praca nieprzewidywalna – mówi ze zdegustowaną miną.

W drzwiach pojawia się kompletnie przygotowana Isa, a taksówkarz dzwoni przez domofon.

– Tu masz adres. Hotel Królowej Sofii. Pokój numer dwieście trzydzieści siedem. Pan Peter. Zadzwoń do mnie jak dojedziesz.

Isa bierze od Angeliki kartkę i wychodzi bez słowa komentarza.

– Dziwna jest ta dziewczyna, nie wydaje ci się? – pyta mnie Angelika.

– Tak, zdążyłam się już z nią dzisiaj pokłócić.

– Wiem, Susana mi opowiadała. W sumie to biedna dziewczyna, ma dwoje dzieci w Ekwadorze, wiesz?

– Ach tak? – stwierdzam ze zdziwieniem.

– Tak. Ale ich nie widuje. Nie rozumiem tego. To dziewczyna, która pracuje najwięcej w całym burdelu i bardzo dużo zarabia, a nie chce ściągnąć własnych dzieci do Hiszpanii. Jako matka mogę ci powiedzieć, że jej nie rozumiem!

– Ty też masz dzieci?

Jej twarz nagle się rozpromienia.

– Ślicznego syna – odpowiada. – A ty?

– Nie, jeszcze nie.

– Czyli nie wykonujesz tej pracy dlatego, że musisz utrzymać dziecko? To lepiej!

Jestem zaskoczona, że nie wypytuje mnie, dlaczego się w to wrąbałam. Czuję się niemal zobowiązana do udzielenia jej jakiegoś wyjaśnienia, kiedy pojawia się Estefania z rozmazanym tuszem do rzęs i potwornie zaspana.

– Płaci za następną godzinę. Masz tu pieniądze – mówi do Angeliki.

– To świetnie! Ależ masz noc, dziewczyno!

– Tak. Ale zaczynam być zmęczona.

I wychodzi, nie mówiąc nic więcej.

– Ależ to pracowita dziewczyna! – wykrzykuję.

– Ona i Isa pracują najwięcej. Przychodzi od wtorku do piątku i przez cały czas tu siedzi, nocami i dniami. Straszne, prawda? – wyjaśnia mi Angelika, widocznie przejęta sytuacją. I nagle pyta: – A wiesz, co jest najgorsze ze wszystkiego?

– Nie.

– Robi to wszystko, żeby utrzymać faceta, który próżnuje po całych dniach, wyobrażasz to sobie?

– Nie rozumiem. Jest alfonsem?

– Skoro ona pracuje w tej branży, a on z niej żyje, można powiedzieć, że jest jej alfonsem – odpowiada oburzona Angelika.

– Wiesz, każda z nas utrzymywała jakiegoś mężczyznę w pewnym okresie swojego życia – dodaję, przypominając sobie mój osobisty dramat.

– Ja nigdy! Kiedy widzę te biedne dziewczyny, które pracują jak szalone, sprzedając swoje ciała, uważam, że przynajmniej pieniądze, które zarabiają, powinny być tylko dla nich. Nie sądzisz? – Jest zaskoczona tym, że podniosła głos. – Muszę ciszej mówić, tu ściany mają uszy.

– Co masz na myśli? – pytam bardzo zaintrygowana.

– Właścicieli – odpowiada Angelika, tym razem niemal szeptem.

– Właścicieli? A co się dzieje? Mają mikrofony i nas nagrywają, czy co? – pytam niemal ze śmiechem.

Jestem przekonana, że sobie ze mnie żartuje.

Angelika boi się i kładzie mi palec na ustach.

– Ciii! Mogą cię usłyszeć. Właśnie tak – nadal mówi szeptem – w pokojach są mikrofony, tylko w kuchni ich nie ma, poza tym rejestrują wszystkie rozmowy telefoniczne.

– Co? – Podskakuję przerażona.

– Tak. Dziewczyny ci jeszcze o tym nie powiedziały? To służy kontrolowaniu was, żebyście nie dawały swoich telefonów klientom.

A telefon jest na podsłuchu, żeby było wiadomo, czy my, służące, dobrze wykonujemy swoją pracę. Zupełnie jak w filmie, prawda?

– Gorzej! – stwierdzam z naciskiem. – Uważam to za barbarzyństwo i gwałcenie osobistej wolności człowieka! Jak można tak kontrolować innych? Poza tym, jeśli dziewczyna chce dać swój telefon klientowi, kto jej może zabronić?

– Oczywiście! – przyznaje Angelika. – Jeśli jedziesz do klienta do hotelu, możesz robić to, na co masz ochotę. Ale trzeba bardzo uważać na właściciela, Manola. Jego żona Cristina jest urocza, ale on...

– Jeszcze go nie poznałam.

– Jest straszny! Wygląda jak kierowca ciężarówki. Ja nazywam go „prymitywem". Wiesz, co mam na myśli? Jest wulgarny i strasznie agresywny. Jeszcze go poznasz. Prowadzą podwójną grę, on robi awanturę, a ona pociesza. Ale kontrolują dziewczyny, jakby byli ich rodzicami.

Nareszcie! Pojawia się mój wymarzony alfons, kierowca ciężarówki! A do tego jeszcze „prymityw"! Brzmi obiecująco.

– Jeszcze będziesz miała czas sprawdzić, że to wszystko jest prawdą. Ale, proszę cię, nie mów nikomu, że ci o tym powiedziałam, dobrze? – prosi mnie Angelika. – Nie chcę stracić tej pracy. Kiepsko stoję finansowo i rano robię różne rzeczy. Ale łącznie z nocami tutaj jakoś sobie radzę, rozumiesz?

– Tak, oczywiście. Nie przejmuj się. Idę do łóżka, jestem strasznie zmęczona.

– A! I jeszcze jedno. – Angelika przyjmuje poważny wyraz twarzy. – Nie ufaj Susanie, dziennej służącej. To wariatka.

– Jasne. Dziękuję, że mnie uprzedziłaś – odpowiadam, ziewając i nie przykładając specjalnej uwagi do tego komentarza.

Wychodzę, żeby się położyć po raz drugi; zastanawiam się, dlaczego Angelika powiedziała mi to wszystko, nie znając mnie. Sytuacja wydaje mi się bardzo dziwna, jedno jednak jest pewne, coś tu się dzieje i muszę uważać. Manolo, mikrofony, Susana... To wszystko wydaje mi się rodem z telenoweli. Z drugiej strony, nie mogę zbyt wiele wymagać. W końcu jestem w burdelu. I w gruncie rzeczy już sam ten fakt podnosi mi poziom adrenaliny. Po raz pierwszy od dawna w moim życiu dzieje się coś, co sama wybrałam. A to jest najlepsze na świecie.

Otwieram drzwi do pokoju, uważając, żeby nie obudzić Cindy.

Ale ona leży w tej samej pozycji, w jakiej się położyła, i śpi jak dziecko. Myślę, że nic nie jest w stanie jej obudzić. Ponownie się kładę i udaje mi się zasnąć, aż do chwili, kiedy Angelika wchodzi do pokoju, jak za pierwszym razem, zapala światło i budzi mnie.

– Słuchaj! Dobrze mówisz po angielsku? – pyta, potrząsając moim ramieniem.

– Tak. Bardzo dobrze.

– Więc wstawaj. Mam klienta w Juanie Carlosie, który chce Europejki mówiącej po angielsku.

Znowu wstawać! Umieram! Ale najgorsze ze wszystkiego jest przygotowanie. Jak mam się umalować, żeby zlikwidować te ślady snu pod oczami? To już wcale nie wydaje mi się zabawne. I to dopiero pierwsza noc, którą tu spędzam.

– Wezwę ci taksówkę, chodź, pospiesz się! – naciska Angelika. – Tu masz dane klienta.

Sam, pokój trzysta piętnaście. Płaci sześćdziesiąt tysięcy peset za godzinę.

Cindy lekko unosi głowę, słysząc cenę, a kiedy widzi, że się przygotowuję, rzuca mi „powodzenia!" i znów zasypia. Już odkryłam, co wyrywa Cindy z letargu – pieniądze. Koło niej leży Estefania. Nie słyszałam nawet, jak weszła do pokoju. Już zasnęła i się nie rusza. Ile nas mieści się na tym łóżku? Spało w nim pięć dziewczyn! Prawdziwy rekord!

Jest piąta rano i myślę, że klient, który przypadł mi tej nocy, musi być w wielkiej potrzebie, skoro dzwoni o tej porze.

Schodzę po schodach bez hałasu i ze złością stwierdzam, że taksówki jeszcze nie ma. Na dole obok jacyś pijani faceci wychodzą z lokalu ze striptisem. Próbują zwrócić na siebie moją uwagę, ale to nie robi na mnie wrażenia. Żyjemy w odmiennych światach. Czuję się ważna. Będę uprawiać seks z mężczyzną, który płaci sześćdziesiąt tysięcy peset w luksusowym hotelu. Pięciogwiazdkowym. I jeśli będę miała trochę szczęścia, przyjemnie spędzę czas. Zaskakuje mnie, że tak myślę, czuję się śmieszna. To tylko kwestia ceny.

W końcu podjeżdża taksówka i kiedy podaję kierowcy adres, natychmiast rozumie, czym się zajmuję. Widzę, jak obserwuje mnie we wstecznym lusterku i próbuje nawiązać ze mną rozmowę. Ale ja tylko się uśmiecham i nic nie mówię.

Przyjechawszy do hotelu, kieruję się prosto do wind, bardzo pewna siebie, nie patrząc nawet na recepcjonistów, bo nie chcę, żeby się mnie czepiali. Zachowując się w ten sposób, robię wrażenie gościa hotelowego. Nikt mnie nie zaczepia i wjeżdżam bezpośrednio na trzecie piętro.

Kiedy klient otwiera mi drzwi, widzę bardzo wysokiego, śniadego mężczyznę. Wygląda na Hindusa, a jego azjatyckie rysy twarzy od razu mi się podobają. Ma na sobie biały szlafrok, co sprawia, że wygląda ciepło i sympatycznie.

– *Hello, are you Sam?* (Cześć, jesteś Sam?) – pytam, odpowiadając na jego uśmiech.

– *Yes, you must be the girl from the agency.* (Tak, musisz być tą dziewczyną z agencji).

– *Yes. My name is Val. My pleasure.* (Tak, Mam na imię Val. Bardzo mi miło).

Wpuszcza mnie i prowadzi do nocnego stolika, na którym leżą już przygotowane pieniądze.

– *You can take it.* (Możesz je wziąć) – mówi. – *It's yours.* (Są twoje).

– *Ok. Thank you* – dziękuję mu. – *Can I call my agency to say that everything is ok?* (Czy mogę zadzwonić do agencji, żeby powiedzieć, że wszystko w porządku?).

– *Yes, of course.* (Tak, oczywiście). – Znika w łazience.

Dzwonię do Angeliki, a później zaczynam się rozbierać. Sam wraca i mówi, że mogę iść do łazienki, jeśli chcę. Za to też jestem mu wdzięczna. Sam częstuje mnie odrobiną czerwonego wina z minibaru.

Spędzam z nim bardzo miło czas. Jest słodki i chociaż nie mam orgazmu, świetnie się bawię. Bosko umie pieścić. Następnie daje mi napiwek w wysokości dwudziestu tysięcy peset i swoją wizytówkę, gdybym czegoś potrzebowała. Obiecuje korzystać z moich usług za każdym razem, gdy będzie w Barcelonie. Muszę już iść, niemal biegiem, ponieważ dzwoni do mnie Angelika, żeby powiadomić mnie, że godzina już minęła. Zupełnie zapomniałam o upływie czasu.

– Ze mną nie ma sprawy – mówi mi Angelika – ale jak zdarzy ci się coś takiego przy Susanie, będziesz miała straszne kłopoty. Tak więc na przyszłość pilnuj czasu. Jeśli nie, pomyślą, że zostałaś z klientem, on ci zapłacił, a ty przychodzisz z pieniędzmi tylko za jedną godzinę, rozumiesz?

Wracam do agencji około szóstej rano, oddaję pieniądze Angelice, ale nie mówię jej nic o napiwku ani wizytówce klienta. I znów idę do łóżka.

Szofer Manolo

3 września 1999

Dziewiąta rano.

Obudziły mnie jakieś straszliwe hałasy i pełne furii krzyki wariata. W łóżku nie ma już nikogo poza mną i kupą pomiętych prześcieradeł, rzuconych w kąt. Wstaję i idę prosto do kuchni, żeby przygotować sobie kawę. W kuchni jest jakiś ciemnowłosy mężczyzna o szerokich plecach, w krótkich spodenkach i kieszenią na pasie, która właściwie za chwilę powinna rozlecieć się na kawałki z powodu nadmiernej zawartości. Na jego zielonej koszulce w stylu safari można przeczytać napis czarnymi literami: „I love Nicaragua". Wygląda na wściekłego, a Susana jest czerwona jak burak. Mężczyzna uważnie mi się przygląda przez kilka sekund, jakbym była intruzem. Rzeczywiście, nie znamy się, ale zgaduję po stylu ubrania i okrucieństwie rysów twarzy, że to jest Manolo, właściciel. Wygląda tak, jak mi go opisała Angelika. Jestem chyba jedyną dziewczyną, która jeszcze została w burdelu, a to sprawia, że nagle zaczynam się bać tego mężczyzny. Wszystkie dziewczyny zniknęły jak za sprawą jakiejś magicznej sztuczki.

– A kim ty jesteś? – Manolo pierwszy przełamuje lody.

– Cześć, jestem Val. Jestem nowa. Zaczęłam pracę dopiero dwa dni temu.

– A tak! Żona mi mówiła, że jest jakaś nowa dziewczyna. Cześć. Jestem Manolo! – mówi, szarpiąc mnie gwałtownie za rękę na znak powitania.

Nie patrzy mi w oczy, kiedy podaję mu rękę. Wydaje się, że myśli o czymś innym. I nagle, mówi do mnie: – Właśnie mówiłem tej głupiej Susanie, że nie życzę sobie więcej awantur między dziewczętami. Od tego jest służąca, żeby dopilnować, by wszystko było w porządku. Nie uważasz?

Jak może przy Susanie pytać mnie o zdanie? Nie uważam, żeby to było w porządku. Ale jak mam wyjaśnić temu „prymitywowi", co jest w porządku, a co nie? Ograniczam się tylko do patrzenia na niego. W ciągu tych niewielu godzin, które minęły, zdążyłam już sobie zdać sprawę z tego, że to, czy ma się pracę, czy nie, w dużej mierze zależy od służącej. Jeśli teraz wystąpię przeciwko Susanie, mogę być pewna, że nigdy w ciągu dnia do mnie nie zadzwoni.

– Zrozumiałaś, głupia? Mam już po dziurki w nosie tego, że dziewczyny dzwonią do mnie do domu i się skarżą. Albo będziesz dobrze wykonywała robotę, albo wylądujesz na kurewskiej ulicy!

Właśnie taki wulgarny jest Manolo. Jeśli Susana jest szalona, jak mówiła Angelika, wcale mnie to nie dziwi. Z takim szefem każdy miałby źle w głowie.

Począwszy od tego dnia, staram się mieć jak najmniej do czynienia z Manolem, żeby nie skaził mnie swoim sposobem bycia.

Robię sobie kawę, płacę Susanie sto pięćdziesiąt peset i idę do salonu, bo chcę być sama. Z piętra poniżej dochodzą potworne dźwięki walenia młotkiem i Manolo wściekły wychodzi z kuchni. Prawdę powiedziawszy, ten hałas każdego mógłby wyprowadzić z równowagi.

– Jak dalej będą tak tłuc, to rozwalą ten zasrany budynek! – wrzeszczy Manolo.

Susana idzie za nim jak pies, z papierosem w ręku, zapominając jak ją potraktował. Powtarza każdy jego ruch.

– Tak jest codziennie – wyjaśnia.

– Chcę, żeby skończyli już te pierdolone roboty. Zejdę tam na chwilę i dowiem się jak długo to jeszcze potrwa.

– Jasne.

Manolo odwraca się do Susany i pokazując na nią palcem, mówi:

– Żeby mi to było ostatni raz, te awantury tutaj. Jak nie, na bruk, zrozumiano? Na kurewską ulicę...

– Tak, Manolo – odpowiada Susana przestraszonym głosem.

Później szef patrzy na mnie, robiąc pożegnalny gest ręką.

– Nieprzyjemna sytuacja, prawda? – mówię do Susany głosem wspólniczki.

– Zawsze są jakieś problemy. Ale on ma rację. Nie mogę pozwolić, żeby dziewczyny dzwoniły do niego po nocy i użalały się na swój ciężki los.

Patrzy na mnie dziwnie kątem oka, jakby mnie podejrzewała. Ciekawe, że Susana nie obraża się na Manola. Może ma jakieś dziwne masochistyczne skłonności?

Ktoś dzwoni do drzwi. To klient; Susana szybko wprowadza go do salonu, a ja biegiem uciekam do małego pokoju, z kawą w ręku. Za chwilę Susana wchodzi i mówi, żebym się przygotowała, bo jestem jedyną dziewczyną w burdelu.

– Susano, nie mogę się pokazać w takim stanie. Spójrz, jak ja wyglądam! Mam podkrążone oczy i jestem śpiąca. Muszę iść do domu odpocząć.

– Kochana moja! Co ty mówisz? Myślałam, że chcesz pracować?

– Oczywiście, że chcę pracować, ale jak jestem w dobrej formie.

– No już, natychmiast się przygotujesz, umalujesz i przedstawisz klientowi. To on zdecyduje, czy wyglądasz dobrze, czy źle.

Nie odważam się jej odpowiedzieć, nie z tchórzostwa – powiedziałabym kilka rzeczy do słuchu tej kobiecie – tylko nie chcę wywoływać awantur. Oczywiście, że chcę pracować. Więc się przygotowuję.

Tak jak podejrzewałam, moja zmęczona twarz nie przypada klientowi do gustu. Pozdrawia mnie, a następnie prosi o *book* ze zdjęciami, ponieważ ja mu nie odpowiadam.

– Widzisz, mówiłam ci – opowiadam Susanie, wkładając dżinsy.

– Możesz już iść do domu. Zaraz wróci Estefania. Właśnie po nią dzwoniłam, jadła śniadanie na mieście. Ona na pewno zostanie z klientem. Nie wiem, co zrobiłaś, że tak po tobie widać nieprzespaną noc – mówi, przyglądając mi się z niesmakiem.

Słysząc tę wypowiedź, rozumiem, dlaczego dziewczyny są tak

próżne i bez przerwy sobie coś kupują i spędzają całe dni przed lustrem. Przy takich komentarzach biedna dziewczyna może wpaść w depresję, spędzić życie na sali operacyjnej i stracić szacunek dla siebie. Ale ponieważ moje poczucie wartości już znajduje się na najniższym poziomie, nie przejmuję się Susaną, zabieram swoje rzeczy i idę do domu.

Gąbka

4 września 1999

Wczoraj w nocy nie poszłam do pracy, bo zaczął mi się okres. Czułam się okropnie i przeleżałam w łóżku cały dzień.

I wtedy o jedenastej rano zadzwoniła Cristina, właścicielka, która chciała się dowiedzieć jak się czuję i zorganizować moją sesję z fotografem, żebym miała własne portfolio.

– Fatalnie, Cristino. Naprawdę, nie najlepiej. Będę w takim stanie przez jakieś sześć dni.

– Sześć dni?! – krzyczy. – Tak długo masz okres?

– Niestety, tak. Ale myślę, że za trzy dni będziemy mogły zrobić zdjęcia.

– Dobrze. Porozmawiam z fotografem. Chciałam pojechać na Costa Brava. To bardzo piękna okolica i można zrobić bardzo eleganckie zdjęcia. Co o tym myślisz?

– Fantastycznie.

– Trzeba będzie wyjechać wcześnie rano, tak koło szóstej, żeby wykorzystać światło.

– Rozumiem. Szósta to dość wcześnie, ale mi odpowiada. Chcę już zrobić te zdjęcia.

– Może wpadniesz po południu, porozmawiałybyśmy o strojach, jakie powinnaś zabrać? Będę na miejscu około czwartej.

– Dobra! Wobec tego spotkamy się po południu.

Kiedy przyjeżdżam do burdelu, jest tam więcej dziewczyn niż

zazwyczaj. Wszystkie są w salonie, jak zawsze, i oglądają jakąś telenowelę w telewizji. Cindy, portugalska dziewczyna, kręci się po całym pokoju z laską cynamonowego kadzidła.

– Cynamon przyciąga pieniądze – wyjaśnia mi, widząc, że przyglądam się jej zdezorientowana. – Później pójdę do kuchni i ustawię cynamon przy telefonie. Żeby klienci dzwonili.

Robi wrażenie poważnej, kiedy tłumaczy mi to wszystko. Zaczynam się śmiać, przestaję zwracać na nią uwagę i staję jak wryta na widok blondynki wychodzącej z łazienki. Wygląda jak lalka Barbie, z taką samą długą blond grzywą, w koszulce opinającej jej wielki silikonowy biust, który współgra z ustami wykonanymi z tego samego materiału, niesamowicie mięsistymi. Ta kobieta wygląda, jakby się miała udusić pod takimi piersiami. Oczy ma bez wyrazu, tak bardzo rozciągnięte, że mam wrażenie, że jej chirurg nieco przesadził. Jest niziutka, ale we wszystkich właściwych miejscach bardzo zaokrąglona. Jak może istnieć takie barbarzyństwo? Patrzy na mnie, ale się nie wita. Idzie i siada obok Isy, która właśnie wypróbowuje nową szminkę przed małym, kieszonkowym lusterkiem. Od razu rozumiem, że się przyjaźnią i dlatego ta Barbie mnie nie lubi. Isa z pewnością już zdążyła ją ustawić przeciwko mnie.

Cristina wychodzi z kuchni.

– Chodź, tu będzie nam wygodniej rozmawiać – mówi do mnie wesoło.

Porusza się z trudem. Jest już chyba w ósmym miesiącu ciąży. Ale za każdym razem, gdy ją widzę, jest w doskonałym humorze.

– Ta blondynka, którą widziałaś, to Sara. Jeszcze jej nie znasz, prawda?

– Nie, widziałam ją pierwszy raz – odpowiadam.

– Więc powiem ci, że pracuje z nami od wielu lat. Mężczyźni ją uwielbiają.

– Tak?

Myślę z obrzydzeniem, że mężczyźni w ogóle nie mają gustu.

– Jest trochę dziwna, na początku, ale nie przejmuj się, w końcu będziecie ze sobą rozmawiać.

Tak naprawdę mało mnie obchodzi, kto się do mnie odzywa, a kto nie. Zależy mi tylko na tym, żeby między dziewczynami w burdelu było więcej poczucia jedności i solidarności. Widzę jednak, że tak nie jest. A to mnie mocno rozczarowuje.

– Codziennie myślę, że eksploduję – mówi Cristina. – Nie mogę już znieść tej ciąży. Marzę o tym, żeby już urodziło się to dziecko...!

– Wyobrażam sobie – odpowiadam. – A przy tym potwornym upale musisz strasznie cierpieć, prawda?

– Tak, poza tym nikt mi nie pomaga. Jestem sama tutaj, na ulicy, w domu. Manolo jest bardzo dobry, ale zajmuje się tylko swoimi sprawami. Nie ułatwia mi pracy. Słyszałam, że poznałaś mojego męża.

– Tak, wczoraj rano. Bardzo źle wyglądałam, bo zbliżał mi się okres i w takim stanie widział mnie pierwszy raz.

– Strasznie wrzeszczy, prawda? – mówi, śmiejąc się. – Bez przerwy mu powtarzam: Manolo, nie denerwuj się, ale on nie zwraca na mnie uwagi. Oj! – wzdycha z ręką na brzuchu – ja jestem jego przeciwieństwem, przynajmniej tyle! W tej pracy nigdy nie wolno tracić zimnej krwi. Zawsze są jakieś problemy, i należy podchodzić do nich z dużym spokojem, prawda?

– Wydaje mi się, że tak.

– Manolo i ja mamy też sklep z odzieżą. Wpadnij któregoś dnia. Jest tam sporo ładnych rzeczy. Może powinnaś odnowić swoją garderobę. Dam ci dobrą cenę.

– Dlaczego nie?

– A wracając do tematu, jeśli termin ci odpowiada, pojedziemy pojutrze zrobić ci zdjęcia. Musisz przywieźć eleganckie ubrania, nocne stroje i twój własny zestaw do makijażu. Z całą pewnością trzeba cię będzie podmalować, bo będziesz się bardzo pocić – wyjaśnia, sprawiając na mnie wrażenie wszechwiedzącej. I dodaje: – Jeśli chodzi o twój okres, zdajesz sobie sprawę, że możesz stracić dużo pieniędzy, nie pracując przez te dni?

– Tak, wiem, ale co mogę zrobić? – odpowiadam z rezygnacją.

– Istnieje metoda na pracę podczas okresu, tak żeby klient się nie zorientował.

– Jaka?

To rzeczywiście niespodzianka. Każdego dnia przepracowanego w tym burdelu coraz bardziej się dziwię. A Cristina kontynuuje wyjaśnienia.

– To takie zawodowe sposoby, kochana. Kiedy masz klienta, zamiast zakładać tampax, używaj gąbki, takiej grubszej z dziurkami. Odcinasz kawałek nożyczkami, bo cała to za dużo. W czasie stosunku klient się nie zorientuje.

– I to naprawdę się udaje? – pytam z niedowierzaniem.

– Oczywiście, że tak! Spróbuj, to się przekonasz.

Ta kobieta ma niewzruszony zamiar uczynienia mnie maksymalnie rentowną.

– Mówię ci o tym, bo tej nocy trzeba razem z Cindy usłużyć dwóm politykom z Madrytu i uważam, że jesteś odpowiednią do tego osobą. Chcą dziewczyn, które nie są wulgarne, żeby wyjść z nimi i się czegoś napić. Na razie zapłacili za godzinę rozmowy i nic więcej. Później, jak im się spodobacie, na pewno będziecie mogły pójść z nimi do hotelu.

Zastanawiam się przez chwilę i takie spotkanie wydaje mi się interesujące. Godzę się więc.

– Dobrze. O której spotkanie?

– O północy. Tylko jeden z nich dwóch wie, że jesteście z agencji. To musi wyglądać na przypadkowe spotkanie, tak jakbyś była jego znajomą. Jego przyjaciel w żadnym wypadku nie może się dowiedzieć, że tamten wam zapłacił, rozumiesz?

– Tak, ale w jaki sposób? – pytam.

Ta historia wydaje mi się obmyślona bez głowy.

– Manuel, nasz wspólnik, tak go nazwijmy, przyjdzie do baru z kolegą około dwunastej. Będzie miał szary garnitur i czerwony krawat od Loewe. Kiedy go zobaczysz, zawołasz go, mówiąc, że jesteś dziewczyną, którą poznał w obojętnie jakim miejscu. Ty sama. Wtedy on zaproponuje, że was zaprosi na drinka, a wy usiądziecie z nimi. I gotowe!

– Dobra, postaram się, żeby wszystko poszło dobrze.

– Cieszę się! Manuel już widział zdjęcie Cindy i wspominałam mu o tobie. Skoro ty mówisz po hiszpańsku lepiej od Cindy, zajmiesz się tym, żeby doszło do spotkania. Przyjaciółka, która ci towarzyszy, właśnie przyjechała z Lizbony. – Cristina milknie na chwilę i zapisuje mi adres na kartce. – O północy w tym barze. Najpierw wpadnij tutaj po Cindy i pojedziecie we dwie.

– Zrozumiałam.

– A pojutrze widzimy się o szóstej, zgoda?

– Zgoda.

Niepoprawne politycznie...

Nocą 4 września 1999

Po spotkaniu z Cristiną idę do domu wybrać ubrania na dzisiejszy wieczór i sesję fotograficzną na pojutrze. Wracam później do burdelu z bardzo dziwnymi odczuciami. Lubię spotkania tego typu. To bardzo podniecające, poziom adrenaliny mi skacze, a skronie niemal eksplodują od szybkiego przepływu krwi.

Kiedy przyjeżdżam, Cindy już jest gotowa i łapiemy taksówkę, żeby pojechać do baru, w którym mamy spotkanie. Wyobrażam sobie tych polityków, bardzo poważnych, w eleganckich garniturach od Ermenegildo Zegna, z kieszeniami pełnymi papierów oraz wizytówek i skórzanymi teczkami, w których są zamknięte nie wygłoszone jeszcze przemowy napisane przez osoby sprawniejsze we władaniu słowem. Nigdy nie przebywałam z żadnym politykiem. Mamy rozmawiać przez godzinę. Co będziemy im opowiadać?

– Ty wiesz, jaki jest ten Manuel? – pyta Cindy, przerywając mój wewnętrzny monolog.

– Nie mam pojęcia! – wykrzykuję. – Wiem tylko, że ma szary garnitur i czerwony krawat od Loewe.

– A po czym się poznaje, że to krawat od Loewe? – pyta Cindy, obciągając spódnicę, która jej się zadarła przy wsiadaniu do taksówki. Szarpie ją delikatnie, bo część utknęła jej pod tyłkiem. Widzę wówczas bardzo ładne, ozdobione koronką, pończochy samonośne. Ubrała się bardzo seksownie na ten wieczór.

– Nie wiem, ale ich znajdziemy.

Bar znajduje się w Tibidabo i ma wspaniały widok na Barcelonę. Jest dość ciemny, a muzyka chyba nie może już grać głośniej. I w tej scenerii mamy znaleźć dwóch polityków z Madrytu. O Boże! Będziemy musieli wrzeszczeć, żeby się zrozumieć!

Zostawiam Cindy na chwilę samą, ponieważ muszę iść do łazienki, gdyż swoją gąbkę mam w torebce. Czekam do ostatniej chwili, żeby ją założyć. Już w domu zadałam sobie trud, żeby pociąć ją na trzy części, dlatego że cała była za duża. Kiedy już jestem zamknięta w toalecie, biorę kawałek gąbki i umieszczam ją ostrożnie we właściwym miejscu. Ta operacja zajmuje mi trochę czasu, nie jestem bowiem przyzwyczajona do wkładania czegoś tak suchego. Ponownie spotykam się z Cindy, która obserwuje mężczyzn wchodzących do baru. W ciemnym świetle lokalu wszystkie garnitury wydają się szare jak koty o zmierzchu i wydaje mi się, że zadanie polegające na znalezieniu dwóch facetów, których nie znamy, będzie dość trudne.

– Widzisz coś? – pyta mnie Cindy.

– Nie, nic. Jeszcze nie ma północy. Poza tym nie wierzę, żeby byli punktualni. Poczekajmy trochę.

Zamawiamy po drinku, Cindy gin z tonikiem, a ja whisky z coca-colą i zaczynamy rozmawiać. Ta dziewczyna wydaje mi się bardzo miła, ma własne poglądy i strasznie nie lubi mężczyzn, czego wcale nie próbuje ukryć.

– Nie chcę nic wiedzieć o mężczyznach. Ja tylko z nimi pracuję. Jeśli chodzi o inne sprawy, nic a nic – mówi, podnosząc szklankę, żeby się ze mną stuknąć.

– Ale nie masz nawet narzeczonego?

– Narzeczonego?! – niemal krzyczy. – Oszalałaś! Żeby mnie kontrolował, odkrył czym się zajmuję, a potem robił mi sceny? Nie, nie! Już wystarczająco dużo przeżyłam z ojcem mojej *filha*.

– I co się z nim stało?

– Dwa lata po urodzeniu córeczki zostawił mnie dla innej. To się stało, tak, proszę pani! Od tamtej pory prawie nie przychodzi zobaczyć swojej *filha*. Świnia! A w dodatku ten głupiec ma forsę! Dlatego nie mam chłopaka. Poza tym nie umiałabym już być z mężczyzną, który nie dawałby mi pieniędzy.

– O rany! – Nie wiem co jej powiedzieć. – A w burdelu jak ci idzie?

– Dobrze. Są momenty, że jest dużo pracy, a potem nic. Ale zawsze coś dziabnę!

– Dziabniesz? – Cindy jest bardzo sympatyczna, ale strasznie trudno mi ją zrozumieć w tym zgiełku ludzkich głosów i muzyki. Jej określenia i portugalskie wtręty w każdym zdaniu stają się kompletnie nieczytelne.

– Tak. Zawsze znajduję jakąś pracę, rozumiesz? Przedtem pracowałam w Nowym Jorku i Londynie. Już od dawna się tym zajmuję. A Ty? Dlaczego tu jesteś?

Nie chcę wchodzić w szczegóły swojego życia, chociaż Cindy budzi we mnie sporo zaufania.

– Z winy mężczyzny, który mnie okradł. Mam długi.

– Świetnie. A teraz ty odbierasz mężczyznom pieniądze. Rewanż?

– Nie wiem. Nie wydaje mi się, żeby chodziło tylko o to.

Kiedy usiłuję wyjaśnić Cindy powody mojego przyjścia do burdelu, czuję, że ktoś mi się przygląda. Instynktownie podnoszę wzrok i widzę mężczyznę mówiącego coś do ucha swojemu przyjacielowi. Dwóch samotnych mężczyzn. To na pewno oni! Nie udaje mi się rozróżnić koloru krawata. Wydaje mi się tylko, że to jakiś żywy kolor. To jedyna tu obecna męska para, więc nie zastanawiając się dłużej i zostawiając Cindy w pół słowa, postanawiam podejść do mężczyzny, który mi się przygląda. Ale gdy wstaję, czuję, że przeszkadza mi coś między nogami. To ta przeklęta gąbka, która się przesunęła i sprawia mi potworny ból. Poza tym mam okropne wrażenie, że chodzę jak kaczka.

Cindy, która dostrzega, że coś jest nie tak, bierze mnie pod rękę.

– Dobrze się czujesz? – pyta wyraźnie przejęta.

– Tak, tak. Nic mi nie jest. To ta wstrętna gąbka... Poczekaj, mam wrażenie, że to oni. Tam, w kącie baru. Zaraz wracam.

Czuję, że poci mi się twarz, ale skoro już wstałam i na nich patrzę, powinnam podejść. Robię co mogę.

– Manuel? To ty? – pytam z lekkim uśmiechem na ustach.

– Nie. Jestem Antonio, a to mój przyjaciel Carlos. A jak ty się nazywasz, ślicznotko? – odpowiada mi osobnik w prawdopodobnie szarym garniturze i krawacie w żywym kolorze.

Gdy tylko wymawia swoje imię, mina zmienia mi się natychmiast.

– Przepraszam, pomyliłam cię z kimś. Przykro mi, byłam pewna.

Szybko odchodzę, zanim zupełnie wypełni mnie uczucie wstydu. Niepotrzebnie podchodziłam, śmiesznie się poruszając, z tym okropnym wrażeniem, że noszę pieluszkę. Wracam do stolika, gdzie Cindy z zapałem rozmawia z jakimiś typami przy sąsiednim stoliku.

– Są z Kuwejtu – wyjaśnia mi. – Mówią po angielsku i ani słowa po hiszpańsku. Ja trochę mówię po angielsku, ale sprawia mi to trudność, a ty?

– Ależ Cindy, co ty wyprawiasz? Czekamy na dwóch klientów. Nie możesz rozmawiać z tymi facetami!

Kuwejtczycy przyglądają mi się z uśmiechami, które dużo mówią na temat ich intencji.

– Słuchaj, jeśli ci faceci nie przyjdą, pójdę z jednym z nich. Mają pieniądze i na pewno dobrze zapłacą. Wszystko dla mnie. Nie powiemy o tym w agencji.

– Oszalałaś, czy co? Susana wciąż czeka na mój telefon, a ci politycy się nie pojawili. Jeśli nie przyjdą, będziemy musiały wrócić do burdelu.

– Dobra, niech sobie jeszcze poczeka, poza tym pójdzie sobie i zastąpi ją Angelika, która jest w porządku. Wrócimy i powiemy, że czekałyśmy, ale się nie zjawili. A w tym czasie zajmiemy się tymi.

Dla niej to takie proste.

– *Do you want to drink something?* (Czy napije się pani czegoś?) – proponuje mi jeden z nich.

– *No, thanks. I am sorry, but we are waiting for some friends* (Nie, dziękuję. Przykro mi, ale czekamy na przyjaciół) – odpowiadam mu najgrzeczniej na świecie.

Denerwuje mnie ta sytuacja.

– Dam im swój numer telefonu – mówi Cindy. I zaczyna szukać długopisu w torebce, żeby zapisać im numer na kartce.

– *Don't hesiate to call me* (Możesz do mnie zadzwonić) – mówi do jednego z nich, podając mu papierek.

– Jesteś zadowolona? – mówię do niej z urazą. – Wszyscy na nas patrzą. Teraz widać, że jesteśmy dziwkami.

– Nie złość się. Z czasem zaczniesz robić to samo, co ja, przekonasz się! Facet, który na ciebie patrzy, to prawie pewne pieniądze w banku.

I zaczyna się śmiać.

Może ma rację, może jeszcze nie umiem tego robić?

– Val?

Odwracam się, żeby zobaczyć, kto się do mnie zwraca, i widzę naprzeciwko trzydziestosiedmioletniego mężczyznę w szarym garniturze i czerwonym krawacie. Jest przystojny i widać, że to facet z klasą. Odzywam się bez zastanowienia:

– Manuel? Oczom nie wierzę! Co ty tu robisz? Nie mieszkasz w Madrycie?

Całuje mnie w oba policzki, jakbyśmy się znali całe życie.

– Niech ci się przyjrzę. Nic się nie zmieniłaś!

Kontynuuję grę. Jest bardzo zabawnie. Widzę, że Cindy ukrywa uśmiech.

– Ty też nie! – mówię, uśmiechając się szeroko. – Pozwól, że przedstawię ci moją przyjaciółkę. Cindy, to Manuel, mój stary znajomy.

Manuel wita się z Cindy, całując ją w rękę. Potem Cindy przysuwa się do mnie i szepce:

– Wzruszająca scena!

Nie zwracając na nią uwagi, odwracam się do Manuela, obok którego teraz ktoś stoi.

– Przedstawiam ci mojego przyjaciela i kolegę, Rodolfa. Mieliśmy konferencję w Barcelonie, a on dziś ma urodziny. Postanowiliśmy więc tu je uczcić.

– Bardzo mi miło, Rodolfo, wszystkiego najlepszego – mówię, ściskając jego rękę.

– Bardzo miło i wszystkiego najlepszego – naśladuje mnie Cindy.

Rodolfo też jest dość przystojnym i bardzo sympatycznym mężczyzną. Ale Manuel podoba mi się bardziej.

– Czekacie na kogoś? – pyta mnie Manuel, z jawną intencją przyłączenia się do nas.

Problem będzie teraz polegać na tym, jak się podzielić. Jeśli dobrze zrozumiałam, Rodolfo ma pierwszeństwo, skoro to jego noc. Manuel zostanie z dziewczyną, której nie wybrał przyjaciel.

– Nie, proszę dotrzymajcie nam towarzystwa, jeśli macie ochotę – proponuję im grzecznie.

Po chwili wahania Rodolfo siada koło Cindy. Wygląda na to, że dokonał już wyboru. Manuel rozsiada się na wolnym krześle, a ja jestem uradowana.

– Nadal zajmujesz się polityką? – pytam go.

– Tak. Z czegoś trzeba żyć.

Rzeczywiście wygląda na to, że do perfekcji opanowaliśmy nasze role. Przysuwa się do mnie i pyta szeptem:

– Twoja przyjaciółka wie, że Rodolfo nie może się o niczym dowiedzieć, prawda?

– Tak. Nie przejmuj się.

– Dobrze. Wiesz, jesteś całkiem, całkiem! – mówi niespodziewanie.

– Och! Ty też. I cieszę się, że twój przyjaciel wybrał Cindy.

– Ja też! Bałem się! – mówi, patrząc mi w oczy.

Nie odpowiadam. Trochę mnie onieśmiela.

– Jesteś niewiarygodna! Naprawdę zachowujemy się jak starzy przyjaciele.

Podoba mi się ten polityk. I chcę z nim iść do łóżka.

Gdy już porozmawiałyśmy sobie z naszymi partnerami, przypominam sobie nagle, że miałam zawiadomić Susanę. Przepraszając, że muszę skorzystać z toalety, oddalam się od stolika.

Dzwonię, odpowiada mi Angelika, która już puszcza dym uszami przez słuchawkę. Wykorzystuję sytuację również po to, żeby poprawić sobie tę cholerną gąbkę, której nie mogę już znieść. Cóż za pomysł miała Cristina! To pierwszy i ostatni raz, kiedy zakładam sobie to świństwo!

Kiedy wracam do stolika, Rodolfo bardzo źle się czuje i jest mu niedobrze, ponieważ za dużo wypił tej nocy. Manuel jest zmartwiony, ale uświadamia mi, że lepiej będzie, jeśli wrócą do hotelu. Próbuję przekonać go, że możemy się spotkać później w jego pokoju, ale się nie zgadza. Wyjaśnia mi, że nie chce ryzykować, skoro jego przyjaciel jest w takim stanie.

Cindy i ja czujemy się głupio, a przede wszystkim jesteśmy sfrustrowane, bo obu nam podobali się ci mężczyźni. Obok nadal siedzą faceci z Kuwejtu, którzy chcą ponownie nawiązać rozmowę. Perswaduję Cindy, żebyśmy nie zwracały na nich uwagi, i po krótkim czasie wsiadamy do taksówki i wracamy do burdelu.

Walc markiza de Sade

5 września 1999

Czwarta po południu.

Budynek stoi naprzeciwko placu Barcelonety, w dzielnicy znanej wszystkim z tego, że pozostawia wiele do życzenia.

Zgodziłam się tam pójść między innymi dlatego, że Susana po raz pierwszy zadzwoniła do mnie w ciągu dnia, i czuję się uprzywilejowana. Chcę ją przekonać, że zawsze może na mnie liczyć. Susana dała mi dokładne wskazówki na temat tego szczególnego klienta i zbliżam się do jego mieszkania, pewna siebie, w dżinsach i białej koszulce.

– Nie ubieraj się wymyślnie – poradziła mi Susana. – Dżinsy i żadnego makijażu. On chce małą dziewczynkę, a ty nie masz piętnastu lat.

Ten bezsensowny komentarz rozzłościł mnie na chwilę, ale szybko podniecił mnie pomysł udawania podrastającej panienki. W końcu będę robić coś innego! Zaczynali mnie już nużyć mężczyźni płacący za normalny stosunek seksualny. Po spotkaniu z politykami miałam ochotę wyrwać się z tej rutyny, a to zlecenie zapowiadało się interesująco.

Kiedy wchodzę do budynku, zdaję sobie sprawę, że nie ma w nim windy. Jest bardzo stary, a parter w sobotnie noce służy za kwaterę główną drobnych przestępców, ponieważ ściany są pełne graffiti, a kąt pod schodami nosi ślady umyślnych podpaleń. Puszki po coca-coli leżą porozrzucane na ziemi, a smarkacze, widząc, że się zbliżam, zaczynają grać nimi w piłkę nożną, chcąc się przede mną popisać.

Klient mieszka na ostatnim piętrze. Zbieram całą odwagę i zaczynam wchodzić po schodach po dwa stopnie, na piąte piętro. Jestem trochę zdenerwowana, ponieważ zastanawiam się z jakiego typu człowiekiem przyjdzie mi się spotkać w tak ohydnym miejscu.

Kiedy pokonuję ostatni stopień schodów, dzwoni moja komórka.

– Tak?

Muszę niemal krzyczeć, bo dzieci z dołu strasznie hałasują.

– Dojechałaś? – pyta mnie niecierpliwie Susana. – Pół godziny jedziesz taksówką. Co ty robisz? Klient na ciebie czeka!

– Miałam do ciebie telefonować. Już prawie dzwoniłam do drzwi – mówię bez tchu i nagle czuję, że ze szczytu schodów ktoś mi się przygląda.

Ciemny mężczyzna, o mocnej budowie ciała patrzy na mnie z niechęcią, stojąc w drzwiach, do których zbliżam się z telefonem w ręce.

– Musimy kończyć – informuję Susanę, obserwując mężczyznę dającego mi znaki, że mam natychmiast wyłączyć komórkę. Wygląda na to, że jest wściekły.

Rozłączam się.

Wpuszcza mnie szybko, bez słowa, patrzy w głąb korytarza, żeby sprawdzić, czy ktoś mógł zobaczyć tę scenę.

W mieszkaniu prowadzi mnie do salonu, cały czas w milczeniu, i po jakimś czasie wybucha ze złością:

– No, przykładem dyskrecji to ty nie jesteś!

Aż do tego momentu wydawało mi się, że ten pan jest niemową. Ale jego groźny głos zaskakuje mnie i sprawia, że zaczynam się źle czuć.

– Przykro mi! Masz rację. Powinnam była wyłączyć komórkę.

– Powiedziałem o tym twojej szefowej. Żadnych komórek! Nie chcę, żeby moi sąsiedzi się dowiedzieli, że płacę kurwie.

To słowo źle na mnie działa. Ale patrząc w twarz tego człowieka, nie mam odwagi mu odpowiedzieć.

– Ile masz lat?

– Dwadzieścia dwa.

– Prosiłem o młodszą dziewczynę.

Zapala papierosa. Nie odzywam się. Już odjęłam sobie osiem

lat, więcej nie mogę. W mieszkaniu panuje ciężka atmosfera. Pokój śmierdzi starymi meblami i kurzem, a ten zapach sprawia, że źle się czuję. Staram się odprężyć.

– Jak miło jest mieszkać nad samym morzem! – mówię, podchodząc do tarasu.

– Co ty mówisz? Nie widzisz, że to gówniane mieszkanie?

Oczywiście ma rację. To stare mieszkanie, urządzone starymi meblami, z podartą sofą i szarą, brudną podłogą, wykonaną z tanich kafli upstrzonych czarnymi plamami, gdzie stoją rozchwierutane sprzęty, a ściany są pomalowane na bladożółty kolor, z białymi plamami po odpadniętym tynku. Wszystko to daje świadectwo, jak mało o to mieszkanie dbali lokatorzy.

– No, ale za oknami masz morze – upieram się.

– Mam w dupie morze! Mieszkam w gównianym mieszkaniu!

Oczywiście uparł się dyskutować z każdym moim komentarzem. Pada na sofę, przykrytą starym zmechaconym kocem w kratkę, ledwie ją osłaniającym. Moja praca zapowiada się nie najlepiej. Facet jest zgorzkniały i rozżalony, a poza tym chyba nie bardzo mu się podobam.

– Podejdź bliżej, niech ci się przyjrzę.

Rozwalił się na sofie. Zbliżam się ku niemu, on każe mi się obrócić, żeby móc mnie obejrzeć z przodu i z tyłu. Potem ściąga spodnie i prosi, żebym go naśladowała. Ponownie wstaje, w skarpetkach ozdobionych pyłkami z koca, które przyczepiły się do nich w dużych ilościach, po czym podchodzi do aparatury muzycznej. Włącza CD.

– Tańczysz? – pyta.

– Tak – mówię, sądząc, że odrobina muzyki może go ułagodzić.

Po pięciu minutach, znudzony tańcem i muzyką, rozkazuje mi:

– A teraz chcę, żebyś stanęła na czworakach.

Wyciąga z kieszeni spodni pieniądze, którymi ma mi zapłacić, i rzuca je na podłogę.

Przyglądam mu się przez chwilę, żeby zrozumieć o co mu chodzi; jestem posłuszna i się schylam.

Wówczas on wykorzystuje moją pozycję i dosiada mnie jak jeździec konia. Nie mam najmniejszej wątpliwości – spotkałam wściekłego szaleńca, który ma niewzruszoną chęć upokorzyć mnie. Tylko tego mi brakowało! Zaczyna mnie ujeżdżać, brutalnie ciągnie mnie za włosy, jak jakiś dzikus. Jego ciało dużo waży i uciska mi kości lędźwiowe.

– Co robisz?! – krzyczę, podnosząc się gwałtownie.

– Nie podoba ci się?

– Jak ma mi się podobać?! Sprawiasz mi ból.

– Skoro płacę, robię to, na co mam ochotę!

– Przepraszam – mówię, czerwona jak burak – ale bardzo się mylisz. Nie przyszłam z agencji sado-maso. Skoro chcesz upokarzać kobiety, są dziewczyny, które się w tym specjalizują! Ale ja do nich nie należę.

Zaczynam odczuwać nieprzyjemny dreszcz strachu, bo nie wiem jak może zareagować na to ten wariat.

– Więc tak, chciałem upokarzać i uważam, że można to robić z pierwszą lepszą kurwą. Ale widzę, że nie chcesz współpracować – mówi obraźliwym tonem.

– Przepraszam, ale nie jestem pierwszą lepsza kurwą, jak mówisz. Jeśli chcesz, mogę wyjść. Zapłacisz mi za taksówkę i z głowy – oznajmiam mu, pragnąc najbardziej ze wszystkiego, żeby się zgodził.

Atmosfera jest przygniatająca.

– Nie, nie! Zadzwoń do swojej agencji i powiedz, że zostajesz na godzinę.

Nic nie rozumiem.

– Ale bez fizycznego okrucieństwa, zgoda?

– Nie przejmuj się – mówi, patrząc na mnie jak morderca – bez fizycznego znęcania się.

Mało przekonana dzwonię do Susany, ale zupełnie nie mam ochoty zostawać z tym facetem, który wydaje mi się przedziwny. Mam nadzieję, że Susana usłyszy strach w moim głosie i każe mi wracać natychmiast. Poza tym ta nagła zmiana w nim nie wróży nic dobrego.

– A teraz natychmiast do pokoju – mówi, gdy tylko się rozłączyłam.

Wskazuje mi drogę do sypialni, która jest maleńka i brudna. Pośrodku stoi wąskie łóżko. Facet zdejmuje ze mnie bieliznę, przygląda mi się i dosłownie rzuca mnie na nie.

Później znika w łazience. Wykorzystuję tę chwilę samotności, żeby się rozejrzeć, próbując zrozumieć z jakim typem człowieka muszę się przespać. Są tu rozmaite książki, ustawione na regale, o tytułach przyprawiających o dreszcze, i kompletna kolekcja dzieł Sade'a, przetłumaczonych na hiszpański. I fetysze. Na ścianie wisi długi bat i skórzana maska. Znalazłam się w domu Hannibala Lectera we własnej osobie!

Wychodzi z łazienki w maleńkiej przepasce na biodrach i zaczyna się przede mną przechadzać jak ekshibicjonista.

– Obserwuj mnie i nic nie mów – mówi, patrząc na mnie wychodzącymi z orbit, strasznymi oczami.

Przepaska uciska mu genitalia w taki sposób, że musi ją zerwać gwałtownym ruchem, po czym zakłada prezerwatywę i bez gry wstępnej szuka palcami drogi do mojego wnętrza. Dobrze przynajmniej, że laboratoria farmaceutyczne wymyśliły glicerynę!

Kiedy mnie penetruje, mamrocze potworne rzeczy. A mnie w głowie tylko jedno – skończyć z tym jak najszybciej i wydostać się z tego miejsca. Waga jego obleśnego ciała na moim przypomina stutonową skałę, a każdy ruch, który wykonuje, sprawia, że czuję odór ciała dzikiego zwierzęcia. W chwili, gdy się spuszcza, tę masę ogarnia seria drgawek i konwulsji, trudnych do wytrzymania. Kiedy już jest po wszystkim, biorę swoje ubranie i zaczynam się ubierać już w drodze do drzwi. Zbiegam ze schodów i przed dziwnie cichymi łobuziakami wykonuję sprint godny mistrzostw w lekkiej atletyce. Chcę uciec od tego typa i pozostawić za sobą wszystkie wulgarne słowa, które do mnie mamrotał. Biegnąc, mam nadzieję, że te słowa rozwieje wiatr. W końcu, bez tchu, zatrzymuję się i nie próbując się powstrzymać, zaczynam płakać, wypłakuję wszystkie zgromadzone łzy, całą powstrzymywaną wściekłość.

W oku obiektywu

6 września 1999

Szósta rano.

– Susana wszystko mi opowiedziała – mówi Cristina, bez cienia współczucia, pojawiając się w drzwiach. – Na tym świecie wszystko się zdarza i będziesz musiała się przyzwyczaić, bo spotkasz jeszcze niejednego takiego świra.

– Niemal mnie zranił – mówię z naciskiem.

Mój głos brzmi groźnie, tym bardziej że prawie nie spałam i jestem w bardzo złym humorze. Wcale nie podoba mi się, że muszę ładnie wyglądać do zdjęć, ale będę robić dobrą minę. Od tego zależy moja praca.

Na ulicy czeka na nas samochód. Za kierownicą siedzi Ignacio, fotograf, a obok niego pomocnik, który okaże się bardzo przydatny przy poprawianiu makijażu.

– Poza tym chciałam ci przypomnieć, że to bardzo ważne, żebyś dzwoniła do Susany, gdy tylko znajdziesz się w domu klienta. W przeciwnym wypadku uznamy, że dojechałaś wcześniej i wyciągnęłaś od niego ekstra kasę. To się już kilka razy zdarzyło z innymi dziewczynami i dlatego Susana do nikogo nie ma zaufania. Tak samo przy wyjściu. Chcemy znać dokładne godziny waszej pracy. Jeśli klient życzy sobie więcej czasu, dzwonisz do Susany i mówisz jej o tym.

– Miałam zadzwonić do Susany, ale ona się pospieszyła. Klient mieszkał bardzo daleko i nawet jadąc taksówką, przy tych korkach spóźniłam się. Ale nie byłam z nim dłużej, Cristino!

– Susana jest przekonana, że tak.

Zanim znów zaprotestuję, Cristina postanawia zakończyć dyskusję.

– Tym razem nic się nie stało – mówi – ale niech to będzie pierwszy i ostatni raz!

Patrzę na nią oburzona, ale nic nie mówię. Zapowiada się napięty poranek.

Po drodze ledwie się do siebie odzywamy. Wszyscy są zmęczeni. Ja głównie dlatego, że dopiero przyzwyczajam się do wstawania o świcie. Poza tym jestem obrażona na Susanę. Nie pojmuję, jak może myśleć i mówić o mnie w ten sposób. Jestem kim jestem, ale nie złodziejką.

Przed rozpoczęciem sesji zdjęciowej zatrzymujemy się w jakiejś wiosce na śniadanie w barze.

– Cristina mi powiedziała, że odwalasz w burdelu świetną robotę – mówi Ignacio, przerywając milczenie.

– Tak, jak na razie idzie mi dobrze.

– Przekonasz się, że ze zdjęciami będziesz miała dwa razy więcej pracy – mówi, przekonany, że portfolio będzie największą inwestycją mojego życia.

– Mam nadzieję!

Po kilku kawach z mlekiem zaczynam czuć się lepiej i z niecierpliwością czekam na początek sesji.

9 września 1999

Dziś nie zdarzyło się nic znaczącego, wyjąwszy kłopot z Isą, dla odmiany. Znów ją okradziono. Tym razem podobno ze złotej bransolety i pierścionków od Cartiera, które podarował jej stary facet, utrzymujący ją przez ostatnie trzy miesiące.

Jestem w salonie, kiedy słyszę jej histeryczne krzyki i kilka słów, które wymienia z Sarą, Barbie.

– To na pewno ta Francuzka – mówi do Sary.

Wolę nie reagować, bo inaczej jestem gotowa na nią naskoczyć. A poza tym zdaję sobie sprawę, że właśnie o to jej chodzi, szuka jakiegoś pretekstu, żeby mnie wyrzucili.

Isa i Sara idą do kuchni porozmawiać z Susaną. Próbuję usłyszeć, co tam mówią, ale mamroczą coś niezrozumiale. Susana z papierosem w ręku nagle wychodzi ze swojej kwatery głównej i zbliża się do mnie.

– Mogę z tobą porozmawiać, kochana? – pyta mnie jak ktoś, kto wcale nie ma na to ochoty.

Wiem, o czym chce ze mną rozmawiać. Przyzwalająco kiwam głową.

– Słuchaj, nie wiem co się z tobą dzieje! Poprzednio zginął Isie żakiet od Versace. Później wysyłam cię do klienta, a ty jedziesz tam bardzo długo. Teraz Isa mówi, że ukradziono jej złotą bransoletę i pierścionki. Wybacz, ale bardzo dużo się dzieje od kiedy tutaj pracujesz.

– Co chcesz przez to powiedzieć? – pytam zmęczona bezpodstawnymi oskarżeniami.

– Nic, nic. Ale to wszystko wydaje mi się bardzo dziwne, kochana.

– Czy insynuujesz, że to ja ukradłam Isie żakiet i biżuterię? – Już wyszłam z siebie.

– Nie, nie mówię, że to ty, ale bardzo mnie to dziwi.

– A nie uważasz, że Isa mówi to wszystko dlatego, że jestem nowa i nie może na mnie patrzeć, nawet na zdjęciu? I nie widzisz, że wszystko, czego pragnie, to to, żeby wszyscy byli przeciwko mnie? Nie znosi mnie, Susano, i zaczynam odnosić wrażenie, że ty też mnie nie znosisz.

– Jak możesz tak mówić, kochana? W żadnym wypadku. Ja tylko wykonuję swoją pracę. Nic więcej! Kiedy są jakieś problemy między dziewczętami, muszę je rozwiązywać. Nie chcę, żeby było tak jak ostatnim razem i żeby Isa wydzwaniała do Manola. Później ja za to obrywam.

A skoro o wilku mowa, drzwi się otwierają i pojawia się Manolo, w krótkich spodenkach i tych samych mokasynach oraz z kieszenią, która tym razem wygląda na pustą.

– Nic nie mów – ostrzega mnie Susana. – Sama z nim porozmawiam.

– Co tu się dzieje?! – wrzeszczy Monolo. – Żadnych potajemnych zebrań!

– Nic się nie dzieje. Po prostu rozmawiamy.

Susanie drży głos i kiepsko kłamie, od razu można zauważyć. Teraz to jasne, że boi się Manola.

– Więc jeśli nic się nie dzieje, wracaj do kuchni, kretynko!

Tym razem bardzo żal mi Susany. Traktuje ją jak zwierzę. Biegnie do kuchni, z której wychodzą Isa i Sara.

– A wy co robicie w kuchni? – pyta Manolo.

– Czy mogę z tobą chwilę porozmawiać, Manolo? – nagle prosi go Isa.

Patrzy na mnie złośliwie i rozumiem, że opowie mu, co się stało. Postanawiam nabrać wody w usta i czekać na rozwój wydarzeń, podczas gdy Isa zamyka się z Manolem w małym pokoju. Siedzą tam długo i po jakimś czasie Manolo wychodzi razem z Isą.

– Nie ma problemu. To mi się podoba, kiedy zostaję zawiadomiony na czas! Oczywiście możesz wziąć na Boże Narodzenie dwa tygodnie wolnego – mówi jej Manolo i żegna się z nami.

Isa nic mu nie powiedziała, zawiadomiła go tylko, że chce spędzić święta z rodziną w Ekwadorze. Ale zdaję sobie sprawę, że zrobiła to wszystko, by mnie przestraszyć. Kiedy Manolo wychodzi, Isa spojrzeniem daje mi do zrozumienia: „Następnym razem wpędzę cię w kłopoty".

Plastik jest fantastyczny...

15 września 1999

Barbie nie mówi, nie ma swojego zdania, nie uśmiecha się, nie patrzy. Barbie tylko dotyka swoich włosów. Spędza całe godziny na ich gładzeniu. Pojawia się David, klient z Australii, z którym byłam pierwszej nocy, kiedy poznałam Angelikę. Zajrzał do burdelu, ponieważ wyszedł z kolegami na miasto i po zamknięciu wszystkich dyskotek w Barcelonie nie miał ochoty sam wracać do domu, postanowił więc ofiarować sobie trochę przyjemności.

Nigdy nie był z Barbie, gdyż zawsze kiedy dzwonił, nie była dyspozycyjna. Ale tej nocy tak. I Barbie prezentuje się Davidowi, z wygładzonymi przez tyle godzin spędzonych przed lustrem włosami. Natychmiast wybiera ją.

– Podnieca mnie – zwierza się Angelice. – Ma taki ogromny biust!

I dumna Barbie opuszcza salon.

Po jakichś dziesięciu minutach wybiega sama, naga, cała zapłakana. Widząc ją pojawiającą się w takim stanie, nie spodziewając się tego, opadają nam szczęki. Z ciekawości wszystkie pytamy ją, co się stało. Czy klient zrobił jej krzywdę? Szczerze w to wątpię, ponieważ David był bardzo czuły, kiedy z nim byłam. Zmienił zdanie i przestraszył się, że się udusi pomiędzy jej piersiami? Niechcący zgniótł jej organ wypełniony silikonem? Tyle tajemnic do odkrycia... Nastrój tej nocy jest bardzo ożywiony.

Po kilku sekundach z salonu wybiega z krzykiem klient i żąda zwrotu pieniędzy.

– Ta kobieta to nie kobieta! – krzyczy David. – To transwestyta, transwestyta!

Jest wściekły.

– Ale co ty mówisz, Davidzie? – odpiera zarzut Angelika. – To nie jest transwestyta. To prawdziwa kobieta. Zapewniam cię.

– Mówię ci, że to zoperowany transwestyta. Poza tym ma piersi twarde jak kamienie! Cóż za obrzydliwość! Jestem pewien, że zmienił płeć.

– Człowieku, rzeczywiście jest zoperowana! Ale tylko piersi, nic więcej. Davidzie, zapewniam cię, że Sara jest kobietą.

– To transwestyta. Natychmiast oddajcie mi pieniądze!

– Ale...

Angelika próbuje go przekonać, ale nie ma takiej możliwości. David nie chce ustąpić, a Barbie zaczyna obrzucać go wyzwiskami, a potem płakać jak głupia.

– Jak on mógł powiedzieć, że mam twarde piersi? Operował mnie najlepszy chirurg w Hiszpanii. A jeszcze ile mnie kosztowała ta operacja!

Jest to pierwszy i bez wątpienia ostatni raz, kiedy słyszę głos Sary.

20 września 1999

Zaczynam się coraz lepiej czuć w burdelu. Już prawie wszystkie dziewczyny mnie zaakceptowały, z wyjątkiem Isy, która nadal krzywi się na wszystkich. Poza tym zrobiło się jakoś spokojniej, zaczynam mieć własnych regularnych klientów. Jestem zadowolona i zniknęła moja nerwowość, towarzysząca pierwszym dniom.

Czuję się dobrze w swoim ciele, a przede wszystkim z głową wszystko już w porządku. To nie jest trudniejsza praca niż jakakolwiek inna, naprawdę. Jest odmienna, nic poza tym. Teraz, gdy minęły początkowe burze, zaczęła się rutyna, która pozwala cieszyć się z każdego spotkania i przeżywać do woli własną seksualność.

Od czasu epizodu z Barbie David chce się widywać tylko ze mną. To znaczy tylko tak mówi, bo wiem, że dzwoni do innych agencji i spotyka się z innymi dziewczynami. Lubi seks, a ja znam reguły gry. Dwa razy w tygodniu ze mną mu nie wystarczają. Bardzo lubię z nim być, chociaż nie jest mężczyzną w moim typie.

Zdobyłam jeszcze jednego klienta. Początkowo to nie ja miałam się z nim spotkać tylko inna dziewczyna, ale padło na mnie. Ma na imię Pedro.

21 września 1999

Jestem z pewnym Amerykaninem w hotelu Princesa Sofia, kiedy dzwoni do mnie Angelika, żeby mi powiedzieć, że jak skończę usługę, mam złapać taksówkę i pojechać do hotelu pod Barceloną. Zanim zadzwoniła do mnie, wysłała tam Ginę, blondynkę, która czasami pracuje dla burdelu, bo chce spłacić mercedesa, którego właśnie sobie kupiła, ale gdy tam dojechała, klientem okazał się... jej szef! Cała historia... Gina uciekła, wsiadła do swojego wspaniałego mercedesa i z prędkością stu osiemdziesięciu kilometrów na godzinę wróciła do burdelu. Na szczęście klient jej nie rozpoznał, ponieważ w korytarzu nie było światła, i kiedy otworzył jej drzwi, nie zorientował się, że to ona. Ale biedny facet jest teraz sfrustrowany i z niecierpliwością oczekuje innej dziewczyny.

Kiedy poznaję Pedra, od razu wydaje mi się strasznie nerwowy, niemal neurotyczny. Wydałam mu się osobą bardzo spokojną i od razu mu się spodobałam. Podobno przeciwieństwa się przyciągają. Z jego punktu widzenia to prawda, z mojego nie. Przez pięć dni w tygodniu mieszka w hotelu, w pobliżu firmy, którą zarządza. A na weekendy przyjeżdża do domu, gdzie odgrywa rolę dobrego ojca i męża.

Tej nocy, kiedy jesteśmy w łóżku, bardzo się upiera, żebym wzięła jego członek do ust bez prezerwatywy, bo już od czterech lat nie dotykał swojej żony. Ponieważ odmawiam zrobienia czegokolwiek bez zabezpieczenia, zaczyna płakać jak dziecko, a później podczas stosunku spuszcza się w ciągu pięciu minut. Ja nie mam z tego żadnej przyjemności. Jest bardzo miły, ale jako kochanek do niczego. Jestem zrezygnowana, ale myślę, że w każdym razie nieźle zarobiłam.

23 września 1999

Pedro dostaje obsesji na moim punkcie. Zadzwonił, żeby dowiedzieć się, czy jestem wolna, i pojawia się na początku nocy, żeby ją całą spędzić ze mną. Najpierw płaci za kilka godzin i idziemy do apartamentu. Mówi mi, że w gruncie rzeczy seks tak bardzo go nie interesuje. Usiłuje we mnie znaleźć przede wszystkim kogoś w rodzaju doradczyni – psychologa. Ale jeśli będę przez cały czas gotowa na seks, tym lepiej!

Czuję do niego szczególną czułość. Jasne, że wolę być z nim, bo dobrze mnie traktuje, niż z jakimś degeneratem, który może zażądać ode mnie jakichś wstrętnych rzeczy. Mówi, że czuje, że robi coś dobrego, ponieważ dzięki temu nie muszę być z innymi mężczyznami. Później postanawia wyjść i zabiera mnie, żebyśmy sobie potańczyli, uprzedzając mnie wcześniej, że nie znosi alkoholu. Ja, w przeciwieństwie do niego, znoszę wszystko. W końcu właśnie się odrodziłam i mam wewnętrzną siłę, która pozwala mi przetrzymać wszystko. Tej nocy postanawiam wykorzystać swoją wyższość. Pedro zaprasza mnie na drinka do baru w centrum i wtedy mówi mi, że rozmyśla nad możliwością zaręczenia się ze mną. Chce mi nawet podarować pierścionek z białego złota. Odrzucam kategorycznie tę propozycję.

– Nie chcę, żebyś był moim narzeczonym. Nie chcę żadnego narzeczonego.

Poza tym w tej chwili jestem niezdolna do miłości. Chcę zarabiać pieniądze, spłacić swoje długi i koniec!

– Zrobię wszystko, żebyś się we mnie zakochała, obiecuję.

– Nie chcę się zakochiwać, nie rozumiesz? Poza tym nie jesteś w moim typie, pod żadnym względem. Przykro mi!

Każde odrzucenie zdaje się go coraz bardziej motywować. Dla niego jest jak wyzwanie, pierwsze wielkie wyzwanie, z jakim spotyka się w życiu. Im jestem okrutniejsza, tym bardziej się przy mnie upiera, ponieważ – jak mówi – potrzebuje obok siebie apodyktycznej kobiety. Sądzę, że w głębi duszy odpowiada mu rola dobrego samarytanina i wybawcy dziewczyny, która znajduje się w najskrajniejszej nędzy. To łechce dumę Pedra i nadaje, po raz pierwszy, sens jego nudnemu życiu. Ale fizycznie brzydzę się Pedrem, a tej nocy postanawiam zrobić wszystko, żeby nie mieć z nim stosunków seksualnych. Jego narząd przypomina cienkie spaghetti, którego jedyną prawdziwą rolą jest zwisanie pomiędzy nogami. Nic poza tym.

Zaczynamy tańczyć, ale kiedy widzę, jak skręca się na parkiecie, robi mi się go żal. Rusza się gorzej niż drewniany kołek. Nie przestaję zamawiać whisky i przelewać zawartości swojej szklanki do jego, żeby pił. Chyba nie zdaje sobie z tego sprawy. Postanowiłam nie dawać mu swojego ciała. Już wystarczająco dużo robię, znosząc jego pojękiwania.

Nagle oświadcza mi:

– Rozwiodę się.

– To znaczy, że tak źle się czujesz w domu? – pytam.

Nie wierzę, żeby mówił poważnie. Poza tym jest kompletnie pijany.

– Jak prawdziwy palant! Od kiedy cię znam, zdaję sobie sprawę, jak bardzo się oszukiwałem przez te wszystkie lata. Nie zniosę dłużej swojej żony, to małżeństwo jest prawdziwą farsą.

– Skoro tak jest, bez wątpienia musisz zmienić swoje życie. Ale dla siebie, nie dla mnie. Nie domagaj się, żebym pomogła ci bardziej, niż pomagam. Nie chcę być twoją jedyną kochanką.

– Nie chcę, żebyś była moją kochanką, chcę żebyś była moją narzeczoną!

– I znów się oszukujesz, Pedro. Zakochałeś się w kimś, kogo poznałeś w bardzo szczególnym środowisku. Czujesz się wolny, mogąc przyjść i odejść kiedy ci się spodoba. To tylko kwestia pieniędzy. W prawdziwym życiu byłabym inna, nie zniósłbyś mnie.

– Jak możesz tak mówić? Nawet nie wiesz jak bardzo cię kocham! Kocham cię bardziej niż własne dziecko!

To potwierdzenie moich podejrzeń wydaje mi się mocne i groźne, więc postanawiam podać mu więcej alkoholu. Nie znoszę tego typu rozmów i tego człowieka, który nie wiem jak bardzo kocha swoje dziecko. Oczywiście, do końca nie wie, co mówi. Ale nie mam zamiaru słuchać już ani słowa na ten temat!

– Poza tym nie wiem, co taka kobieta jak ty robi w takim miejscu. To nie jest miejsce dla ciebie. Dlaczego wykonujesz tę pracę, ty – taka wykształcona? – dorzuca.

– Robię to dlatego, że istniejesz! – odpowiadam obrażona.

O co chodzi? Czy nie można mieć studiów uniwersyteckich, być menedżerem i robić tego, co robię? Czy to oznacza, że jestem przestępczynią albo złym człowiekiem, że zdecydowałam się pracować w tej branży? Pedro patrzy na mnie, ale zdaje się niczego nie pojmować.

Po chwili zaczyna się bardzo źle czuć i z wielkim trudem wyprowadzam go z lokalu. Wszyscy patrzą na nas z zaskoczeniem. Prawie niosę go w ramionach; Pedro nie waży dużo więcej niż ja, ale scena musi być komiczna.

Kiedy w końcu wychodzimy na ulicę, mam dylemat i nie wiem jak przekonać taksówkarza, żeby zawiózł nas do jego hotelu. To trudne zadanie, ponieważ widząc stan, w jakim znajduje się mój towarzysz, nikt nie odważy się nas zabrać, ze strachu, że pasażer zwymiotuje na tylne siedzenie. Pewien starszy pan, gruby i dobroduszny, w końcu się zgadza, gdyż nie do końca zdaje sobie sprawę ze stanu Pedra, który siedzi na ławce, kiedy ja łapię taksówkę. W połowie drogi oczywiście musimy się zatrzymać na zapasowym pasie szosy, ponieważ mój kompan gotów jest zostawić na siedzeniu wszystko co wchłonął podczas całej nocy. Szczęśliwie nic takiego nie następuje. W tym czasie taksówkarz obrzuca mnie wyzwiskami i twierdzi, że go oszukałam. Zawstydzona, nie przestaję go przepraszać.

W końcu dojeżdżamy do hotelu i podejmuję się wywołać u niego wymioty, za wszelka cenę, bo jeśli nie, będę musiała czuwać przy nim całą noc i go pilnować. Zwłaszcza że teraz straszy mnie, że się rzuci przez okno, mówiąc, że jest zakochany w kobiecie, która go nie kocha. Tak melodramatyczne zachowanie wyczerpuje moje zapasy cierpliwości, łapię go więc od tyłu w łazience i chwytam oburącz na wysokości żołądka, po czym naciskam mu brzuch, żeby się wreszcie wyrzygał. Zaczyna się seria długich i bolesnych wymiotów, a potem Pedro idzie do łóżka. W końcu mnie też udaje się zasnąć.

Następnego dnia rano Pedro wstaje z potwornym kacem i zaczyna palić papierosa za papierosem, aż mnie to budzi. Uwolniłam się z tej seksualnej uwięzi, której nie mogłam już znieść, i jestem bardzo dumna ze swojej małej gierki. Dziś wracam do burdelu świeża i szczęśliwa.

– Bardzo lubisz tego klienta, prawda? – pyta mnie Susana.

Właściwie bardziej stwierdza niż pyta. Oczywiście nie powiem jej, że zarobiłam pieniądze, nie robiąc nic. Ponieważ ją znam, wiem, że byłaby gotowa powiedzieć o tym Manolowi i Cristinie, a to niewątpliwie oznaczałoby kłopoty. Poza tym, że jest ciekawska, Susana okazała się donosicielką.

– To pewne, że jest ci z nim bardzo dobrze w łóżku.

Uśmiecham się do niej, odbieram swoje pieniądze i idę do domu.

Dzisiaj ja stawiam...

23 września 1999

Jestem w sali gimnastycznej, kiedy dzwoni do mnie Susana. Na szczęście komórkę mam przy sobie, dźwięk dzwonka odbija się od ścian ogromnej sali, do której przychodzę kilka razy w tygodniu. Muszę odpowiadać przyciszonym głosem, żeby nie wywoływać zainteresowania wszystkich ciekawskich, którzy już unoszą głowy, niezadowoleni, bo przeszkadza im to w ćwiczeniach.

– Musisz wracać. Żadnej dziewczyny nie ma w burdelu, a klient wybrał twoje zdjęcie.

– Susano, jestem w sali gimnastycznej. Przygotuję się, ale to chwilę potrwa.

– Pospiesz się!

Zawsze noszę ze sobą odpowiedni ubiór, na wypadek gdyby coś takiego się zdarzyło, i dobrze, że jestem tak przewidująca. Dzięki temu nie muszę wpadać do domu, żeby się przebrać. Przygotowuję się w damskiej przebieralni i łapię taksówkę, która zawozi mnie na miejsce.

Dzień jest pochmurny, trochę padało, a ja mam pieski humor. Niestety, praca to praca.

Susana oczekuje mnie z niecierpliwością. Zawsze taka jest. Profesjonalizm nie pozwala jej na to, by klient wymknął się jej z rąk tylko dlatego, że jakaś dziewczyna spóźnia się z przyjazdem.

Zawsze robi się od tego nerwowa, a w konsekwencji łuszczyca pojawia się na całym jej ciele. Żyje w ciągłym strachu, że ją wyrzucą, i z tego powodu nigdy nie pozwala nam poczuć się komfortowo. Właśnie to jej zachowanie sprawiło, że zacieśniają się moje więzy z Angeliką, która jest dużo bardziej elastyczna niż ona.

– Idź, przedstaw się w końcu klientowi, inaczej sobie pójdzie...

– Wiem o tym, Susano. Ale byłam w zupełnie innej części Barcelony i nie mogłam dojechać szybciej.

Poprawiam włosy przed lustrem i wchodzę do salonu. Klient ogląda telewizję, sącząc Cuba Libre. Wygląda na to, że wypił ich już kilka, oczekując na moje przybycie. Kiedy mnie widzi, uśmiecha się, ale nic nie mówi, więc to ja muszę rozpocząć rozmowę. Okazuje się, że jest inżynierem aeronautykiem, ojcem rodziny (jak wszyscy), który czuje się samotny. Wcale nie jest przystojny. Jeśli mam być szczera, fizycznie jest dość odpychający, ale ma w sobie coś, co sprawia, że jest charyzmatyczny. Kiedy siadam obok niego, czuję się oszołomiona wrażeniem, jakie na nim wywarłam. Dosłownie zaczyna się trząść. Zwierza mi się, że bardzo się boi, i to mnie tak wzrusza, że próbuję go uspokoić i przechodzimy do sypialni, w której gwałtownie zdejmuje z siebie ubranie, rzuca się na łóżko i przykrywa całkowicie, żebym nie mogła widzieć jego nagości. Świetnie zaczynamy! Myślę, że skoro zachowuje się w ten sposób, będzie to kolejna klapa seksualna, ale... Okazuje się, że jest nam cudownie. Mam orgazm, nie musząc udawać. Jego pieszczoty na całym moim ciele sprawiają mi przyjemność. Jest prawdziwym ekspertem w dziedzinie kobiecej anatomii, do tego stopnia, że zaczynam wątpić, czy mężczyzna, z którym jestem w łóżku, to ten sam, którego kilka minut wcześniej widziałam w salonie.

Gdy jest już po wszystkim i on bierze prysznic, wyjmuję z torebki portmonetkę i po przeliczeniu banknotów daję mu pięćdziesiąt tysięcy peset.

– Co to jest? – pyta zdziwiony, wycierając energicznie plecy ręcznikiem.

– Zwrot pieniędzy, które dałeś Susanie, żeby ze mną być – szepcę, żeby nie usłyszały mnie mikrofony.

– Co...?

– To co słyszysz! Proszę, weź je!

– Ale dlaczego?

– Żeby podziękować ci za ten moment. Dziś ja zapraszam. Ale nie przyzwyczajaj się... i ani słowa Susanie! – Uśmiecham się do niego.

Muszę się upierać, żeby wziął pieniądze, ponieważ nie chce się na to zgodzić.

– Z każdą chwilą mniej rozumiem kobiety.

Kiedy wychodzi z pokoju, mruczę mu do ucha:

– Nie ma czego rozumieć.

Może raczej mówię to do siebie, bo w żadnym wypadku nie jest w moim typie.

Stan oblężenia

30 września 1999

Tego ranka Manolo strasznie pokłócił się z Angeliką. Śpię w małym pokoju i budzą mnie wrzaski kierowcy ciężarówki. Usłyszałam Angelikę, która w końcu też podniosła głos, i przestraszona, poszłam zobaczyć, co się dzieje. Znajduję się w domu wariatów, w związku z czym wszystko może się zdarzyć.

Pozostałych dziewczyn to nie wzrusza. „Kiedy szef interweniuje, chodzi o rację stanu", powiedziały mi. „Zajmij się swoimi sprawami", dorzuciła Mae pewnego dnia. Ale to jest silniejsze ode mnie. Wygląda na to, że Manolo jest gotów uderzyć Angelikę, więc muszę się wtrącić.

Manolo robi jej wyrzuty, między innymi ma do niej pretensję, że nie wypełniła swoich obowiązków poprzedniej nocy i usnęła. Dowodem na to ma być fakt, że kiedy o czwartej rano zadzwonił telefon, to ja odebrałam.

– Zapomniałaś już, głupia, że wszystko nagrywamy! – rzuca jej w twarz Manolo. – Mamy nagrany głos Val. Dlaczego odebrała zamiast ciebie? Jesteś odpowiedzialna czy nie?

Chcę interweniować, ponieważ widzę, że Angelika jest roztrzęsiona.

– Ona była w ubikacji – tłumaczę, próbując dać alibi Angelice.

– Też chcesz skończyć na ulicy? – Manolo z każdą chwilą coraz bardziej podnosi głos. – Dlaczego jej bronisz, kłamiąc? Wiemy, że spała. Sama powiedziałaś o tym Isie. To też zostało nagrane.

Zaczynam się zastanawiać i zdaję sobie sprawę, że taka rozmowa rzeczywiście się odbyła. Znów wdepnęłam, tym razem na całego. Angelika i ja patrzymy na siebie, następnie ona zbiera swoje rzeczy i mówi, że nie ma zamiaru ani minuty dłużej zostawać w tym domu wariatów, gdzie śledzą ją pilniej niż w domu Wielkiego Brata.

– Świetnie, zabieraj swoje graty, wiesz dobrze gdzie jest wyjście! – mówi Manolo.

Angelika wychodzi, trzaskając drzwiami, tak że wszyscy sąsiedzi musieli to usłyszeć.

– Nie przejmuj się – mówi Manolo. – Jeszcze tej nocy będzie tu ktoś inny. Tym razem prawdziwy zawodowiec!

Czuję się porzucona i nie umiem udawać, że jest inaczej. Angelika była jedyną osobą w tym burdelu, z którą mogłam rozmawiać zupełnie szczerze. W jakiś sposób czuję się winna, że wyrzucono ją tak nagle. Jedyne, co zostało mi po Angelice, to jej numer telefonu. Obiecuję sobie dzwonić do niej, żeby nie stracić kontaktu.

Cały dzień jestem smutna, rozmyślając o Angelice, ale nocą wracam na dyżur. Rzeczywiście zatrudnili już kogoś nowego, jakąś Dolores. Jest szczuplutka, właściwie dość ładna, ma kruczoczarne włosy i cudowne oczy w kolorze miodu. Prawdziwa laleczka. Przedstawiamy się sobie i od razu zdaję sobie sprawę z tego, że usiłuje być miła. Normalka. Tyle kobiet w jednym miejscu – każdy by się przestraszył! Musi się przyzwyczaić.

Kiedy wchodzę do salonu, żeby zostawić swoje rzeczy, dzieje się coś niespotykanego. Wszystkie zgromadzone tu dziewczyny są ciche i patrzą na mnie z przejęciem. To pierwszy raz, gdy czuję, że coś nas łączy.

Wszystkie palą, i robią to już od dłuższego czasu, bo popielniczka jest pełna petów. Domyślam się, że dzieje się coś złego i są zdenerwowane. Cindy odzywa się pierwsza.

– Zamknij drzwi i siadaj, proszę.

Robię, o co mnie prosi.

– Co się wam wszystkim stało? Dlaczego tak się zachowujecie?

– Co nam się stało? – mówi Isa.

– Nie widzisz? – dodaje Mae.

– To jakiś koszmar! – stwierdza Estefania.

– Mogę pożegnać się ze swoim mercedesem! – mówi Gina, patrząc przed siebie niewidzącym wzrokiem.

Jedyną, która się nie odzywa, jest Barbie. Jestem pewna, że właśnie zastanawia się nad swoją najbliższą operacją plastyczną.

– To nasz koniec! – krzyczy Cindy.

Nic z tego nie rozumiem. Co takiego strasznego mogło się stać, żeby wszystkie były tak zdenerwowane? Dlaczego przestały się nagle kłócić? Z jakiegoś powodu wszelkie konflikty zniknęły jak za działaniem magii.

– Czemu skończone? – pytam.

Już nie mogę znieść tej tajemniczości.

– Ta kobieta... – mówi Isa.

– Z pewnością będzie odbierać nam klientów! – kończy za nią Mae.

– Ale o czym wy mówicie? To nowa nocna służąca. Dziś rano wyrzucili Angelikę, a Manolo powiedział mi, że zatrudni prawdziwą profesjonalistkę – wyjaśniam z zapałem, żeby je uspokoić. – Dlaczego miałaby odbierać nam klientów?

– Bo jest ładna – odpowiada Estefania. – I jak tylko zda sobie sprawę z tego, że płacą jej grosze, w porównaniu z tym, co my zarabiamy, zacznie nam kraść klientów. Przekonasz się! Już to kiedyś przeżyłam.

– Nie przesadzaj!

– Nigdy nie powinno się zatrudniać tak ładnej służącej. To zawsze jest ryzyko. Nie rozumiem Manola! – stwierdza Gina.

Barbie kiwa głową i gładzi włosy.

– No, skoro tak twierdzicie... To co można teraz zrobić?

– Musimy trzymać się razem – podkreśla Cindy. – I jesteśmy z tobą!

– Tak. Trzeba jej pilnować i słuchać wszystkiego, co mówi klientom. Przy najmniejszym podejrzeniu powiemy o wszystkim Manolowi – podsumowuje z przekonaniem w głosie Isa.

– Zgoda. Możecie na mnie liczyć, ale naprawdę nie sądzę, dziewczyny, żeby to było możliwe!

– Jeszcze się przekonasz! – wykrzykuje Gina. – Ale na razie udawajmy, że nic się nie stało.

Bolesna strata Angeliki zjednoczyła nas jeszcze bardziej. Zaczynamy więc organizować „straże". Zdecydowałyśmy, że wszystkie, które są na miejscu, w burdelu, muszą obserwować Dolores. Tej nocy

Dolores wywiązuje się ze swoich zadań, bardzo dobrze zachowuje się w stosunku do nas i nic nie można jej zarzucić. Ani jednego błędu! Jestem nawet gotowa zrezygnować z naszego stanu podniesionej gotowości.

4 października 1999

Dzisiaj dzwoniło wielu zagranicznych klientów, którzy w ogóle nie znają hiszpańskiego. I zaczęły się kłopoty z Dolores. Ponieważ jestem jedyną, która włada wieloma językami, Dolores budzi mnie w środku nocy, prosząc, żebym odbierała telefony. Wydaje mi się to bezczelne z jej strony, ale zgadzam się, ponieważ dziewczyny i ja wiemy, że Manolo wcześniej czy później to odkryje. To doskonały pretekst, żeby się jej pozbyć. Telefon jest na podsłuchu i pewnego dnia Manolo lub Cristina usłyszą mój głos. Dolores zapewniła, że świetnie włada angielskim i francuskim. Teraz wyjdzie na jaw, że ich okpiła.

I rzeczywiście, Manolo pojawia się następnego dnia rano, żeby porozmawiać z Dolores, a właściwie, żeby zrobić jej awanturę. Mówi jej, że to bez znaczenia jak to zorganizuje, ale to ona powinna obsługiwać klientów, a nie my. Zdając sobie sprawę, że wcześniej czy później straci pracę, Dolores kokietuje klientów przez cały dzień, po tym jak ze mną porozmawiała o mojej pracy.

– Powiedz, ile możesz zarobić tygodniowo?

– To zależy, Dolores. Nie wszystkie tygodnie są takie same.

– No, ale tak mniej więcej...

– Sześćset, siedemset tysięcy peset.

Oczywiście zawyżyłam trochę zarobki.

– Co? Co za barbarzyństwo! I pomyśleć, że mnie płacą dwieście tysięcy peset miesięcznie! To skandal!

– Tak. Ale ja oddaję się mężczyznom, a ty nie. To normalny proporcjonalny podział zysków, nie uważasz?

Zamyśla się. Sądzę, że już przyszło jej do głowy, że umawiając się z niektórymi klientami, zarobi sporo pieniędzy, zanim ją wyrzucą. Dziewczyny miały rację.

6 października 1999

Dziś złapałyśmy Dolores, jak dawała swój numer telefonu jednemu z klientów, który odwiedza nas co tydzień. Zadzwoniłyśmy do Manola i, pomimo że wszystkiemu zaprzeczyła, po południu Dolores ląduje na ulicy.

– Zabieraj swoje rzeczy i wynoś się...! – wrzeszczy Manolo.

Zmiany personelu

7 października 1999

Po historii z Dolores w roli głównej dziewczyny przestają wreszcie patrzeć na mnie jak na ewentualną złodziejkę rzeczy Isy. To dziwne, ale w burdelu przestały się zdarzać kradzieże.

Kiedy dziś pojawia się Sofía, jest jak zastrzyk tlenu do kartonowego pudła z małymi otworkami. Ma jakieś pięćdziesiąt lat i bardzo zabawny wygląd hipiski – nosi długie różnokolorowe spódnice, ogromne kolczyki i aksamitny kapelusz. Od razu domyślamy się, że z tą nową nocną służącą będziemy mieć bardzo dobre układy. Jest wykształcona, miła, a poza tym ma w sobie coś, co przypomina mi moja babcię ze strony ojca. Jej prawdziwym powołaniem jest opieka nad zwierzętami. Uwielbia je i zabiera z ulicy każde czworonożne stworzenie.

Zawsze uważałam, że człowiek, który kocha zwierzęta, ma dobre serce i nie jest zdolny do krzywdzenia innych. W przypadku Sofii nie pomyliłam się. Jest osobą uroczą i szlachetną.

Sofía ma pieska, którego nazwała Jordi, żeby podkreślić jego katalońskie korzenie. Tak naprawdę Jordi nie ma w sobie nic z Katalończyka. To kundel znaleziony na ulicy Paryża, w którym jakieś dziesięć lat temu Sofía spędziła długi czas ze swoim kochankiem. Dla niej Jordi jest wszystkim i poprosiła Manola o pozwolenie przyprowadzania go czasem do burdelu, ponieważ jej zdaniem zwierzątko popada w depresję, kiedy jest samo w domu. Właściciel zgodził się pod warunkiem, że pies nie będzie szczekał w środku nocy. Zaczynam wierzyć, że Manolo jednak ma serce.

Spędziłam całą noc z Pedrem, a po powrocie proponuję Sofii, że przespaceruję się z Jordim. Oddając mi pieniądze zarobione w nocy, mówi:

– Nie bądź głupia. Jak skończysz spłacać długi, zaoszczędź coś. Nie rób tak jak inne dziewczyny i nie wydawaj wszystkiego na ciuchy. Zaoszczędź ile tylko możesz! I nie zakochuj się!

Ale prawdziwa miłość, gdy się zjawia, uderza jak piorun z nieba. I spotkało mnie to w najmniej odpowiednim miejscu i z najmniej spodziewaną osobą. Było to 10 października 1999.

Pierwsze spotkanie z Giovannim

10 października 1999

Po miesiącu uprawianie seksu z nieznajomymi całkowicie przestało mnie interesować. Przekształciło się w zwykłą „gimnastykę". Zarobiłam już prawie dwa miliony peset, i to w tak krótkim czasie. Myślę, że utrzymując takie tempo, będę mogła spłacić swoje długi dużo szybciej, niż się spodziewałam. Jeśli wszystko pójdzie dobrze, w ciągu pięciu miesięcy skończę spłacać zadłużenie; sądzę, że popracuję w burdelu nieco dłużej, żeby finansowo stanąć na nogi, a następnie zmienić tryb życia.

Tego popołudnia jestem w domu i sprzątam, kiedy dzwoni do mnie Susana.

– Przyjeżdżaj natychmiast, mam dwóch włoskich klientów, którzy na ciebie czekają. Musisz się pospieszyć, bo niedługo mają samolot. Dobrze, kochanie?

– Dobrze. Przygotuję się tylko, ale wiesz przecież, że nie umiem latać. Powiedz im, żeby zaczekali.

Natychmiast przystępuję do akcji. Szybko nakładam makijaż i po chwili wybiegam na ulicę w poszukiwani taksówki. Ironia losu... Nie ma żadnej wolnej taryfy. A czas ucieka i po półgodzinie znów dzwoni moja komórka.

– Co robisz, kochanie? Jeśli się nie pospieszysz, będę musiała zadzwonić po inną dziewczynę.

– Wiem. Próbuję złapać taksówkę, ale są godziny szczytu, wszyscy wracają z pracy i to nie jest takie proste. Proszę, powiedz klientom, że jestem w drodze i że jest strasznie duży ruch. Susano, proszę!

Pewnego dnia obraziłam się na nią, ale teraz coś mi mówi, że powinnam zachować spokój. W końcu, z godzinnym spóźnieniem, docieram do burdelu z rozmazanym od potu tuszem do rzęs. Susana się na mnie gniewa, a włoscy klienci właśnie chcą wychodzić.

Natychmiast do nich podchodzę. To dwaj bardzo eleganccy mężczyźni, typowi Włosi. Jeden jest mały, gruby i łysy, i ma na imię Alessandro, a drugi wysoki i szczupły. Czaruje szelmowskim spojrzeniem, które sprawiło, że natychmiast go polubiłam. Giovanni nie jest pięknym mężczyzną, ale na jego twarzy maluje się opanowanie i sympatia. Niestety, to jasne, że po raz kolejny nie mam prawa wyboru. Wracam do małego pokoju, w którym znajdują się Estefania i Mae. Obydwie już widzieli, ale tylko Estefania spodobała się Alessandrowi. Czuję głęboką ulgę na myśl, że mnie przypadł ten, który mnie bardziej pociąga.

Mae pozostaje w zawieszeniu, siedzi na łóżku i pali, ale nie jest na mnie bardzo zła, ponieważ już ustalił się między nami swego rodzaju kodeks honorowy: „Klient wybrał mnie, więc się nie wpierdalaj!".

Giovanni i ja przechodzimy do sypialni. On bierze szybki prysznic, ja się rozbieram, a kiedy wychodzi z łazienki, mocno chwyta mnie w ramiona, co bardzo mnie zaskakuje, ponieważ mężczyźni raczej nie mają tego w zwyczaju. Wszyscy wolą robić swoje od razu. Jesteśmy przez jakiś czas spleceni w uścisku, a później on patrzy na mnie z czułością i pogrążamy się w głębokim pocałunku. Oboje mamy ochotę się całować, jest między nami jakaś przyciągająca nas ku sobie energia. W gruncie rzeczy jesteśmy oboje bardzo zaskoczeni tym przyciąganiem i zaczynamy rozmawiać o Włoszech i przyczynach jego podróży do Hiszpanii. W tym czasie słyszymy dobiegające z pokoju obok krzyki Estefanii, mieszające się z odgłosami wydawanymi przez Alessandra. Nasza aktywność seksualna jest bardzo daleka od osiągnięcia tego poziomu. Spotkanie kończy się wówczas, gdy masturbuję Giovanniego, który jest zbyt zmęczony, żeby mieć stosunek. Ja zadowalam się jego pocałunkiem i nie czuję się sfrustrowana. To, co wydarzyło się między nami, jest dla mnie wielką nagrodą. Mam dziwne wrażenie, że znam tego mężczyznę całe życie, jego zapach, uśmiech, dotyk. Żegnając się ze mną, mówi, że wróci za dwa dni i ma nadzieję, że znów się spotkamy. Potem pyta mnie, jak mam naprawdę na imię.

– Tak jak ci powiedziałam. To moje prawdziwe imię, zapewniam cię.

– *Dai! Non é vero. So che il tuo nombre é diferente.* (Przestań! To nie prawda. Masz inaczej na imię).

– Nie, nie. Zapewniam cię. Nie mam pseudonimu, jeśli o to ci chodzi.

Odchodzi, śmiejąc się i zapewniając, że następnym razem w końcu podam mu swoje prawdziwe imię i numer telefonu. Nic o nim nie wiem, nie wiem nawet czy jeszcze się zobaczymy. Mężczyźni wiele obiecują, a potem nie spełniają przyrzeczeń. Ale w duszy coś mówi mi, że nasze drogi niedługo znów się skrzyżują.

Człowiek ze szkła

11 października 1999

To spotkanie z Giovannim kazało mi się mocno zastanowić nad drogą, którą przebyłam do tej pory. Wierzę, że przeznaczenie zawsze bawi się ludźmi i zna wiele dróg. Sądzę, że ta, którą ja wybrałam, doprowadziła mnie do Giovanniego, za pośrednictwem domu publicznego. Gdybym nie podjęła decyzji, że będę to robić, z pewnością nigdy bym go nie poznała. Wydaje się, że mamy ze sobą mało wspólnego, a prawdopodobieństwo, że znów się spotkamy, jest niewielkie. W gruncie rzeczy jedynym, czego szukam, jest miłość. Może dlatego że nigdy nie czułam się kochana. Wszystko, co robiłam, było spowodowane pragnieniem odnalezienia miłości. Randki w ciemno, przygody na jedną noc, burdel, tyle środków zaangażowanych w to, żeby odnaleźć coś, czego zawsze szukałam. Dziś czuję się szczęśliwa, że to odkryłam, i sądzę, że powinnam to wszystkim przekazać.

I tak świetnie nastrojona, idę do pracy, jak zazwyczaj, zdecydowana przekazać swoje przesłanie wszystkim wokół, nie wiedząc, że moją „ofiarą" tej nocy będzie osoba, która najbardziej tego potrzebuje.

O drugiej nad ranem budzi mnie Sofía, z Jordim na rękach, żeby mnie poinformować o zleceniu. Nowy klient, młody, prosi o jakąś europejską dziewczynę, wyjątkowo czułą. „Później sama zrozumie dlaczego" – wyjaśnił Sofii klient.

Tej nocy Isa i ja jesteśmy jedynymi dziewczynami w burdelu, które przyszły do pracy. Ale Sofii wydaje się jasne, że Isy nie może wysłać.

Jadę więc do domu klienta. Mieszka w wyżej położonej części miasta, w bardzo ładnym budynku z całodobową ochroną.

Kiedy otwiera mi drzwi, nie jestem w stanie ukryć wyrazu zaskoczenia i strachu na twarzy, chociaż próbuję być jak najbardziej naturalna. Iñigo uśmiecha się do mnie, siedząc wygodnie na inwalidzkim wózku. Natychmiast prowadzi mnie do salonu, ponieważ, „nie ma najmniejszego sensu prowadzić cię do sypialni", tłumaczy mi, śmiejąc się w głos. Mieszkanie jest duże i nowoczesne, ale panuje w nim jakiś stęchły zapach, który trudno znieść. Wszystkie progi są zaadaptowane do przejazdu wózkiem i zaczynam się bardzo źle czuć z powodu nieszczęścia tego chłopca, który na pewno nie ma więcej niż dwadzieścia sześć lat.

– Jestem niemal całkowicie sparaliżowany – oznajmia w najnaturalniejszy sposób na świecie.

Na to stwierdzenie siadam w rogu sofy – bo niemal się przewracam – i proszę go, żeby pozwolił mi zapalić papierosa.

– Ja też palę – odpowiada. – Możesz dla mnie zapalić i podać papierosa do ust?

Robię to natychmiast, pragnąc sprawić mu przyjemność, i wsuwam mu filtr w usta. Zaciąga się kilkakrotnie i wzrokiem prosi mnie o kolejną przysługę, żebym zabrała jego papierosa.

– Dziękuję! – mówi. – A teraz, czy mogłabyś mnie położyć na sofie? Potrafię zrobić to sam, ale tracę wtedy sporo sił.

Ten chłopiec budzi we mnie szacunek i przez kilka minut zastanawiam się, czy mogę go podnieść. Boję się go dotknąć, żeby nie zrobić mu krzywdy.

– Bez obaw! Nie przejmuj się, nic nie czuję. Jedyne miejsce, w którym coś odczuwam, to szyja i troszeczkę ręce.

Jakby czytał w moich myślach.

Kiedy już leży, prosi mnie, żebym go rozebrała. Jest bardzo chudy, we wszystkich członkach nastąpił zanik mięśni, a jego nogi nie są grubsze od moich rąk. Nie czuję się komfortowo. Jego maleńki członek, ku mojemu zaskoczeniu, jest w stanie erekcji.

– Od wypadku zawsze tak jest. To nie podniecenie – tłumaczy mi – tam, na dole, nie czuję nic.

I zaczyna się śmiać. Czuję się jak idiotka i w myślach daję sobie kilka razy po pysku, za to, że parę razy w swoim życiu chciałam umrzeć. Jakie miałam prawo poczuć się nieszczęśliwa, kiedy prawdziwy dramat widzę dopiero teraz?

Oczywiście do niczego między nami nie dochodzi, spędzam godzinę, całując jego szyję, na co reaguje cichymi pojękiwaniami.

Wracam do burdelu, przekonana, że już nigdy więcej nie będę narzekać, i nie chcę opowiadać na temat Iñigo niczego, żadnej dziewczynie ani służącej. To zdarzenie jest przesłaniem przeznaczonym wyłącznie dla mnie, żebym zaczęła właściwie reagować, żyć teraźniejszością i chwytać szansy, jakie tylko się pojawią, bez zastanowienia.

Jaki on jest? Gdzie się w tobie zakochał?

12 października 1999

Giovanni znów zadzwonił. Tak, znów zadzwonił! Zrobił tak, jak powiedział. I razem z Alessandro będzie czekał na mnie w burdelu o czwartej. Susana zawiadomiła mnie o tym tego ranka, a ja aż skaczę z radości.

– Co ci się stało, kochanie? Zachowujesz się jakbyś miała zamiar za niego wyjść!

Oczywiście muszę trochę się kontrolować, kiedy Susana jest obok. Jeśli nie, zacznie coś podejrzewać. Nie mam zamiaru dawać Giovanniemu swojego numeru telefonu przy drugim spotkaniu. Po pierwsze, dlatego że chcę go bliżej poznać. Poza tym mogę mieć kłopoty w burdelu. Kontroluję się i boję właścicieli.

Tym razem Alessandro postanowił spędzić godzinę z Mae. Widać, że teraz mu się podoba. Wchodząc, widzę tylko czekającego na mnie Giovanniego, ponieważ i tym razem się spóźniłam. Ale jego uśmiech, gdy się pojawiam w salonie, sprawia, że rozumiem, że chęć zobaczenia się ze mną była silniejsza od niecierpliwości.

Tym razem przypada nam mały pokój, ponieważ sypialnia jest zajęta przez Alessandra. Mimo pewnej niewygody kochamy się tak, jak nigdy bym się nie spodziewała w miejscu takim jak to. Pozwalamy sobie na wszelkiego rodzaju zabawy, a kiedy czas dobiega końca, Susana puka do drzwi, żeby przypomnieć nam, że pora wychodzić.

– Daj mi swój numer telefonu – prosi Giovanni.

– Nie, przykro mi, nie mogę – odpowiadam, niczego mu nie wyjaśniając.

– Ale dlaczego? Nie chcesz mnie więcej widzieć? Mogłabyś czasami ze mną wyjechać. Płaciłbym ci tak samo, jeśli o to chodzi.

– Oczywiście, że chcę się z tobą jeszcze spotkać! Ale tylko tutaj.

I wskazuję palcem na sufit, żeby zrozumiał, że jesteśmy nagrywani.

– Co ci się stało?

Wygląda na to, że nic nie rozumie, i bierze mnie za ręce w niemej prośbie, żebym powiedziała mu, co się dzieje.

Wtedy zaczynam szukać w torebce papieru i długopisu i piszę „W pokoju są mikrofony".

Odbiera mi długopis i pisze „Daj mi swój telefon, *per piacere*".

Nie daję mu go. Umieram z chęci uczynienia tego, ale sama nie wiem co się ze mną dzieje. Nie daję mu go tym razem. Giovanni odchodzi, trochę zasmucony, ale obiecuje mi, że wróci 25 listopada, żeby spędzić ze mną całą noc poza burdelem. Do tego dnia zostało jeszcze wiele czasu i nie wiem, jak zniosę jego nieobecność. To drugie spotkanie z Giovannim było dla mnie wstrząsem i z całą pewnością wpłynie na moją pracę w burdelu. Walczę ze sobą, gdyż sądzę, że to może być wielka miłość mojego życia, ale nie wiem, co on czuje. Bez wątpienia bardzo mu odpowiadam, ale nic więcej. Nie chcę ponownie grać o własne życie z jakimś mężczyzną. W ogóle nie przychodzi mi do głowy, że on się we mnie zakochał bez pamięci.

Wypadek przy pracy

22 października 1999

Chodzę z głową w chmurach jeszcze dziesięć dni po spotkaniu z Giovannim. Nie mam sposobu nawiązania z nim kontaktu. Tylko on może to zrobić za pośrednictwem Susany albo Sofii. Myślę o nim przez dwadzieścia cztery godziny na dobę i coraz rzadziej pracuję. Fizycznie nie czuję się na siłach. Z psychologicznego punktu widzenia myśli mam zajęte jedną tylko osobą: nim. Widuję się z nielicznymi klientami, chociaż nadal dobrze zarabiam. Ale ograniczam się wyłącznie do tych stałych. Problem niewierności nigdy nie wywoływał u mnie wyrzutów sumienia. W gruncie rzeczy zawsze uważałam, że niewierność nie istnieje. Uważałam, że można być wiernym, nawet utrzymując stosunki seksualne z innymi osobami. Ciałem można się dzielić, ale duszą zdecydowanie nie. Odkąd znam Giovanniego, za każdym razem, kiedy jestem z jakimś nowym klientem, czuję się źle i nie potrafię sobie wyjaśnić dlaczego.

Dziś przyszedł po mnie Pedro, żeby spędzić ze mną noc. Idę niechętnie, nieco zirytowana, ponieważ wiem, że będę musiała po raz kolejny wysłuchiwać jego jęków. Mam już dość! Myślę, że nie chcąc znów robić za jego matkę, będę musiała uprawiać z nim seks. Dzięki temu się uspokoi i może zostawi mnie w spokoju. Kiedy proponuje, żebyśmy poszli na kolację, odmawiam i zapraszam go prosto do jego hotelu. W jego oczach widzę zachwyt wywołany tym pomysłem. To pierwszy raz, kiedy wykazuję tego typu inicjatywę. I Pedro nie może w to uwierzyć. Ale nie pozwala prosić się dwa razy. W końcu dochodzi do tego, czego się bałam, a do czego powinno dojść już dawno temu.

Jesteśmy nadzy i leżymy na narzucie służącej dziś bardzo określonemu celowi – osuszeniu moich łez, które płyną bez przerwy. Płaczę jak głupia.

– Proszę, nie zachowuj się tak. Nic się nie stało, przekonasz się, że mam rację – szepce Pedro, żeby mnie uspokoić.

Mam w gardle supeł, który nie pozwala mi oddychać i sprawia, że łzy sprawiają jeszcze większy ból.

– A co ty możesz o tym wiedzieć? Sam mi mówiłeś, że nigdy nie robiłeś sobie testu – mówię. – Jesteś tchórzem. Tym właśnie jesteś! Ja zawsze robiłam. Zawsze, zawsze, zawsze!

Pedro jest przerażony, widząc mnie w takim stanie, i próbuje mnie przekonać o czymś, czego nie może pominąć.

– Przestań, proszę! Nie robiłem sobie testu, ponieważ nie było powodu. Powiedziałem ci już, że od czterech lat nie utrzymuję stosunków z żoną. Poza tobą nie miałem żadnego związku pozamałżeńskiego.

– Nie jestem żadnym związkiem pozamałżeńskim! – wyrzucam z siebie jednym tchem.

Powoli powietrze zaczyna przechodzić mi przez gardło.

Ale na widok pękniętej prezerwatywy w jego ręku znów dostaję ataku paniki. Wstaję i zamykam się w łazience.

– Słuchaj. Zrobimy coś. Już jutro zrobię sobie test na AIDS i, skoro go nie mam i ty też nie, będziesz spokojniejsza. Odpowiada ci to?

Jego słowa odbijają się od drzwi łazienki. Nie udaje mi się mu odpowiedzieć i nienawidzę go ze wszystkich sił, za to że bez mojej zgody wlał we mnie swoje nasienie, chcąc dać mi zbyt dużo miłości, chociaż ja go o to nie prosiłam. Nienawidzę go z całej duszy i czuję obrzydzenie do tego, co się stało.

Myślę, że to kara boska. Wchodzę pod prysznic, żeby pozbyć się wszelkich śladów grzechu.

Wyjście z szafy

30 października 1999

Od tygodnia jestem dręczona przez Pedra. Odbiło się to na mojej pracy w burdelu. Często odrzucam proponowane mi wykonanie usługi i znów jestem w strasznym stanie psychicznym. Prosiłam Pedra, żeby nie pokazywał mi się na oczy, dopóki nie będzie miał wyników badań.

Z dziewczynami nadal mam dobre układy, a Cindy nawet zwierzyłam się z tego, co się stało. Zrobiła groźną minę i próbowała mnie pocieszyć, mówiąc, że istnieje niewielkie prawdopodobieństwo, że złapałam jakąś chorobę od takiego faceta jak Pedro. Poza tym opowiedziała mi, że jej przydarzyło się to dwukrotnie i że to jest ryzyko zawodowe.

– Zawsze istnieje możliwość, że prezerwatywa może być uszkodzona – tłumaczy mi. – Im więcej masz stosunków, tym bardziej jesteś narażona na to, że zdarzy się coś takiego.

Zastanawiające, że nigdy dotąd o tym nie myślałam, przez co jeszcze bardziej nienawidzę samej siebie. W gruncie rzeczy ten chłopak nie ponosi żadnej winy. Każdemu się może zdarzyć. Ale obwiniam go o wszystko, nawet o nieobecność Giovanniego.

Pedro przestał się pojawiać, co sprawia, że boję się najgorszego. Gdybym znów spędziła z nim całą noc, chociaż mi się nie podoba, oznaczałoby to koniec mojej „paranoi związanej z AIDS". Ale jest jeden problem – Pedro więcej nie przyszedł do burdelu.

Do tych zmartwień należy dodać jeszcze podejrzenia właścicieli, że widuję się z Pedrem poza burdelem i biorę pieniądze za swoje usługi, nie oddając im połowy zarobków. To oczywiście nieprawda. Gdyby tylko wiedzieli!

Tej nocy zgadzam się pójść do domu pewnej kobiety. Klientka jest drobną dwudziestoletnią dziewczyną, która otwiera mi drzwi w białej przezroczystej koszuli z koronkami na rękawach i dekolcie. Jest bardzo ładna, ale zaskakuje mnie widok tak młodej osoby.

Mieszkanie wydaje się ogromne, z wysokimi sufitami i niekończącym się korytarzem. Dziewczyna prowadzi mnie do małego pokoiku, który pełni rolę salonu, gdzie proponuje mi drinka.

– Mam na imię Beth – mówi, podając mi szklankę z whisky, o którą poprosiłam.

– Jesteś sama dzisiejszej nocy?

– Tak. Moi rodzice wyjechali i strasznie się nudziłam, więc zadzwoniłam, żeby mieć towarzystwo. Jesteś zaskoczona, że spotkałaś się z kobietą?

– Nie, zupełnie nie – odpowiadam. – Zaskakuje mnie tylko to, że spotkałam tak młodą kobietę o tak wyrobionych poglądach. Właśnie to mnie zaskakuje!

– Wiele razy już to słyszałam. Ale o co chodzi? Tak samo lubię mężczyzn, jak kobiety. A tej nocy pragnę być z kobietą. Poza tym rzucił mnie chłopak i chcę o nim zapomnieć.

W czasie, gdy spokojnie rozmawiamy, słyszę jakiś dziwny hałas dobiegający z innego pokoju. Nie jesteśmy same w domu. Najwyraźniej na mojej twarzy widać niepokój, ponieważ Beth natychmiast próbuje mnie uspokoić.

– To Paki, mój pies. Nie przejmuj się!

W salonie pojawia się piękny owczarek niemiecki, dyszący, z wywalonym ozorem.

– Cześć, kochanie moje! Chodź tu, kochanie. Chodź!

Pies się zbliża, obwąchuje mnie, a potem wkłada nos pod koszulę Beth. Nie przeszkadza jej zuchwałość zwierzęcia i zaczyna głaskać jego boki.

– To przyjaciółka. Widzisz? Jesteśmy przyjaciółkami – mówi do psa, jakby chciał mnie zaatakować i odgryźć mi część twarzy.

Słowa Beth nie uspokajają mnie, wprost przeciwnie.

– Co się dzieje? Twój pies jest agresywny? – pytam półżartem, choć tak naprawdę jestem przerażona.

– Nie. Bądź spokojna! Tylko nie lubi intruzów. Ale to dobry chłopiec. – Teraz Beth drapie psa po grzbiecie.

W Beth jest coś zmysłowego, co wywołuje u mnie dreszcz. Ma w sobie słodycz dorastającej panienki, a jednocześnie dużą seksualną przebiegłość w oczach. Podczas gdy się jej przyglądam, ponownie słyszę hałas dochodzący z innej części mieszkania.

– Beth, ktoś tu jeszcze jest, prawda?

– Skąd! Nie przejmuj się. Prawdopodobnie coś spadło. Pójdę sprawdzić. Ty zostań tutaj!

– Beth, proszę. Nic się nie stanie. Wolałabym tylko, żebyś powiedziała mi prawdę.

Ignorując moje słowa, wychodzi z salonu.

– Zaraz wracam – mówi, odwracając się do mnie plecami.

Jestem przekonana, że w mieszkaniu ktoś jeszcze jest. Poza tym pies się nie poruszył, więc z pewnością jest to ktoś, kogo zna, a Beth mnie okłamała.

Mija jakieś pięć minut, podczas których nie odważam się poruszyć. Paki ponownie mnie obwąchuje, ziewa i kładzie się.

– Widzę, że już się zaprzyjaźniliście – mówi Beth po powrocie, przyglądając się psu ułożonemu u moich stóp.

– Tak, mniej więcej. Bardzo lubię psy i myślę, że Paki to wyczuł. I co to było?

– Nic. Drewno w kominku, który mam w pokoju. Chcesz go zobaczyć?

To oczywiste zaproszenie, żeby przejść do jej sypialni. Idę za nią, z naszymi drinkami w jednej ręce, torebką w drugiej i z psem za plecami. Sypialnia jest bardzo duża i ładna, z rustykalnymi meblami i łóżkiem w kształcie łodzi. Śnieżnobiałe prześcieradła są mocno pogniecione na całej długości łóżka, a naprzeciwko znajduje się świeżo rozpalony kominek.

Na nocnym stoliku stoi mnóstwo szklanek z resztkami napojów alkoholowych, a obok, na blacie widnieją białe plamy.

– Mój chłopak przyszedł dziś po południu. Byliśmy w łóżku, a potem się rozstaliśmy. Dziwne, prawda? – mówi Beth, wkładając sobie rurkę do nosa. – Chcesz?

Kończy przygotowywać rurkę z resztkami białego proszku z nocnego stolika. Palcem zbiera to co zostało i zlizuje.

– Nie, dziękuję. Nie lubię tych rzeczy.

Wyobrażam sobie przez chwilę Beth z rozłożonymi nogami, leżącą pod ciemnoskórym, muskularnym chłopcem, wydającą jęki rozkoszy. Pewnie zażywali kokainę przez całe popołudnie, a potem ona, bardzo ułożona, ze łzami w oczach rozkazała mu, żeby sobie poszedł i na zawsze zniknął z jej życia. Tej nocy, jak już trochę oprzytomniała, zadzwoniła do burdelu, żeby zamówić sobie dziewczynę i zemścić się na wszystkich mężczyznach świata, a przede wszystkim na swoim chłopaku. Już ją rozumiem.

Oplata rękami moją szyję i całuje mnie w usta. Ma gorący język, bardzo gorzki od koki, którą właśnie zjadła i po krótkiej chwili mój język drętwieje. Z tym nieprzyjemnym uczuciem kładę się z nią i znowu słyszę hałas. Nie pochodzi z kominka, włożyłabym za to rękę w ogień. Cóż za trafne określenie! Wydobywa się z ogromnej szafy stojącej koło okna. Zaalarmowana, podnoszę się, mimo że Beth próbuje mnie zatrzymać.

– Nic się nie dzieje! Wracaj, nie możesz mnie tak zostawić, w połowie.

Nie zwracam na nią uwagi i otwieram drzwi szafy.

– To jest to drewno z kominka! – wykrzykuję, dostrzegając sylwetkę w głębi szafy. Ciągnę mężczyznę za rękaw.

– Ty, wyłaź stamtąd! Już się skończyła zabawa w chowanego!

Facet wychodzi tak gwałtownie, że grozi mu to natychmiastowym upadkiem. Nie mogę uwierzyć, że zrobił mi coś takiego! Mam przed sobą Pedra, zawstydzonego swoją nieudaną gierką i tym, że został zdemaskowany.

– To ty?! – krzyczę, kompletnie zapominając o swoim dobrym wychowaniu. – Co, do kurwy nędzy, tu robisz?! Możesz mi wyjaśnić?

Pedro, zdezorientowany, siada obok Beth, która sprawia wrażenie, jakby wpadła w histerię. Jej śmiech rozlega się w całej sypialni, a Paki zaczyna szczekać.

– Przykro mi, kochanie – decyduje się wyrzucić wreszcie z siebie Pedro. – Chciałem zrobić ci specjalny prezent i zatrudniłem tę kobietę, żeby sprawić ci przyjemność. Później chciałem pojechać za tobą do burdelu i powiedzieć ci, że wyniki testu są negatywne.

Opuszcza głowę, a podbródek przykleja mu się do szyi, jak u dziecka, które właśnie coś zbroiło.

– Więc twój prezent jest w bardzo złym guście! I z pewnością chciałeś się przyłączyć. Powinieneś sam otworzyć mi drzwi, głupcze. Śmiertelnie mnie przestraszyłeś. Skoro nie jesteś w stanie mieć erekcji w normalnych warunkach, przekazujesz pracę innym. I w dodatku zatrudniasz do tego kobietę. Nie chciałeś, żeby było mi dobrze z innym mężczyzną. Egoista!

Sprawiło mi to ogromną przyjemność, ale już żałowałam połowy wypowiedzianych słów.

– A kim ty jesteś? – pytam Beth, która w końcu się uspokoiła i poszukuje resztek białego proszku na stoliczku.

– Ja? – pyta, jakby w pokoju była jeszcze jedna osoba. – Jestem taka jak ty. Wykonuję taką sama pracę jak ty, ale przyjmuję u siebie w domu.

I znów zaczyna się śmiać. Wszelkie próby Pedra uspokojenia jej nie dają skutku. Biorę torebkę i wychodzę, trzaskając drzwiami, przed nosem biednego Paki, który odprowadził mnie do drzwi.

Pedro postanawia iść za mną i na ulicy zaczyna biec, żeby zmniejszyć dzielący nas stumetrowy dystans.

– Zaczekaj! Zaczekaj, proszę! – krzyczy bez tchu.

Daję znak pierwszej taksówce, która przejeżdża ulicą.

– Wyjdź za mnie, proszę! Błagam!

– Idź do diabła – szepcę.

I wracam prosto do domu.

Wymiany

25 listopada 1999

Siódma po południu.

Dziś ani śladu Giovanniego. Obiecał mi, że przyjedzie i że spędzimy razem całą noc. Ale Susana nie zadzwoniła, żeby mnie zawiadomić, że mam zarezerwowaną noc. Przez cały dzień byłam bardzo nerwowa i miałam świetnie znane mi odczucie, że zostałam oszukana, drugi raz w życiu. Próbowałam trochę się przespać, żeby zapomnieć, ale nie mogłam zmrużyć oka. Zatem poszłam do siłowni. Oczywiście zabrałam ze sobą komórkę, licząc, że Giovanni zadzwoni w ostatniej chwili. W głębi duszy nie tracę nadziei, że znów zobaczę Włocha, który ukradł mi serce.

Kwadrans po dziewiątej wieczór.

Już od godziny podnoszę ciężary, w myślach obrzucając inwektywami wszystkich mężczyzn na świecie, kiedy wreszcie odbieram najbardziej oczekiwany telefon listopada.

– Przypominam ci, że o jedenastej masz być w hotelu Hilton.

– Jak to „przypominasz mi"? Susano, aż do tej chwili, nic o tym nie wiedziałam!

– Więc teraz już wiesz – mówi trochę zakłopotana. – Mae i ty idziecie z Włochami na całą noc. Ciesz się! Kochanie, to dla ciebie więcej pieniędzy.

Jest późno i mam mało czasu. Biegiem wracam do domu ubrana w dres i błyskawicznie wskakuję pod prysznic. Wściekłość, jaką odczuwałam cały dzień, ustąpiła miejsca radości, postanowiłam już nawet nie kłócić się z Susaną, że tak późno mnie zawiadomiła. Niestety, nie mam zbyt dużo czasu, żeby zrobić się na bóstwo i wypróbować różne warianty, muszę więc ubrać się w pierwszą rzecz, jaka wpada mi w ręce, to znaczy w czarny nocny komplet i kaszmirowy płaszcz. Muszę najpierw wpaść po Mae i proszę taksówkarza, żeby na nas zaczekał. Wbiegam po schodach, pokonując po cztery stopnie na raz. Mae wygląda bosko i podejrzewam, że została zawiadomiona dużo wcześniej niż ja, ponieważ miała nawet czas pójść do fryzjera.

Susana czeka na mnie z karteczką, na której są wypisane numery pokoi hotelowych, i odkrywam kolejną potworność:

Val i Alessandro, pokój 624.
Mae i Giovanni, pokój 620

Nie mogę uwierzyć własnym oczom.

– Wydaje mi się, że tu jest błąd! – natychmiast uprzedzam Susanę.

– Błąd? Gdzie?

– W imionach! Źle nas podzieliłaś. Jest odwrotnie, prawda?

Mae przygląda mi się wyzywająco i rzuca ironicznie:

– Więc przekonamy się, czy chcą się zamienić. Ostatnio to mi przypadł Alessandro. Teraz jest twój. Poza tym nie podobał mi się. Ten drugi robi wrażenie lepszego w łóżku. Opowiem ci jak było w nocy!

Muszę się powstrzymać, żeby się na nią nie rzucić i nie powyrywać włosów z głowy. Nie mogę w to uwierzyć. Jak można być tak okrutnym? Jak ten mężczyzna mógł okazywać mi, że mu się podobam? A poza tym prosi o mnie po to, żebym była z jego przyjacielem! Robi mi się słabo i prawie mdleję. Nie wiem, czy uciec, czy spędzić noc z Alessandro i być najlepszą kochanką, jaką kiedykolwiek miał, żeby następnego dnia opowiedział Giovanniemu, jak cudownie spędził ze mną czas. Chcę sprawić, żeby Giovanni cierpiał i umarł z zazdrości. W końcu postanawiam się nie rozpraszać i jedziemy taksówką do hotelu. Przyjeżdżamy dziesięć minut za wcześnie i proponuję Mae, żebyśmy wstąpiły na drinka do baru. Potrzebuję czegoś mocniejszego, żeby znieść upokorzenie, przez które muszę przejść. Czy Giovanni spojrzy mi w oczy? I przede wszystkim, czy w ogóle się zobaczymy?

Zamawiam czystą whisky, bez lodu, i wypijając ją jednym haustem, widzę, że Mae aż promienieje ze szczęścia, pijąc swoją pomarańczową fantę przez czerwoną słomkę. Wszyscy się ze mnie nabijają i nie rozumiem, dlaczego właśnie mi przypadła w udziale ta zaimprowizowana rola pajaca.

Odstawiamy na bar puste szklanki, opróżnione w rekordowym tempie, i wjeżdżamy na szóste piętro. Jestem czerwona ze złości. Kiedy dochodzimy do pokoju 620, Mae chce się ze mną szybko pożegnać.

– Dobra, ja tu zostaję. Twój pokój jest trochę dalej, w głębi korytarza.

I puka do drzwi.

Stoję tam nadal, jak wmurowana, z nieugiętym postanowieniem zobaczenia Giovanniego.

– Już ci mówiłam, że twój pokój jest dalej! – powtarza zirytowana Mae.

Giovanni otwiera drzwi, a tuż za nim pojawia się Alessandro. Spotkali się w pokoju 620 i wpuszczają nas obie, ku wielkiemu rozczarowaniu Mae, która, próbując ukryć wściekłość, zaczyna żartować na temat możliwości zorganizowania orgii. Ja oczywiście mam grobową minę i Giovanni natychmiast zdaje sobie z tego sprawę.

– Coś ci się stało?

– Nie, nie! Wszystko w porządku... – kłamię. – Czy można tu zapalić?

– Tak, oczywiście! Pal. Pal wszystko, co zechcesz. Ale pozwól, że to z ciebie zdejmę.

I podchodzi do mnie, żeby pomóc mi zdjąć płaszcz. Mae siada na łóżku i wyciąga papierosa, a Alessandro rozsiada się obok niej i zaczynają rozmawiać. Nie mam nic do powiedzenia, chcę już stąd wyjść i nie wiem dlaczego zdecydowałam się przyjechać. Po jakimś czasie, patrząc na zadowoloną z siebie Mae, nie mogę wytrzymać i zaczynam w środku wrzeć.

– Dobra. Przejdźmy do rzeczy. Skoro spędzam noc z Alessandro, a Mae z Giovannim, myślę, że powinniśmy już iść – mówię, zwracając się do Alessandra, który zachwyca się właśnie dekoltem tej, która obecnie jest moim największym wrogiem.

Giovanni skamieniał jak pomnik, a Alessandro zaczyna się śmiać, zarażając swym rozbawieniem Giovanniego, który również wybucha głośnym śmiechem, podczas gdy Mae patrzy na mnie z wyrzutem za moją zuchwałość, a ja mam ochotę dać im wszystkim w zęby.

– Głuptasie, ty zostajesz tutaj! – mówi Giovanni, kiedy przestaje wreszcie płakać ze śmiechu.

– Tak? Czyli nie idziesz z Mae?

– Z Mae? To Alessandro chce być z Mae! Ja wybrałem ciebie. Co to za historia? – pyta, poważniejąc.

– Nie wiem! Ty mi wytłumacz! Powiedziano mi, że mam iść do 624, z Alessandro.

– *Ma* nie, głuptasie! – nagle wyskakuje z włoskim.

Dobrze mówi po hiszpańsku, ale czasami zdarza się, że wymknie mu się jakieś słowo w rodzimym języku. Jakiż on seksowny! – myślę.

– Jest dokładnie odwrotnie. Musieli się pomylić! – mówi.

Co to za żart? Chce mi się płakać z radości, a jednocześnie jest mi wstyd, że tak się zachowywałam, i proszę o pozwolenie skorzystania z łazienki. Zamykam się tam na jakieś pięć minut, po których przychodzi po mnie Giovanni.

– Dobrze się czujesz? – pyta z niepokojem.

– Teraz tak. Jest mi lepiej. To prawda, że nie chciałeś iść z Mae?

– Oczywiście, że nie! Obiecałem ci, że spędzę z tobą całą noc, i mnie masz.

– Nawet nie chciałeś z nią być?

Widać, że jest zmartwiony tym niefortunnym zdarzeniem i w odpowiedzi bierze mnie w ramiona. Tamci dwoje już wyszli, w końcu zostaliśmy sami.

– Nawet przez sekundę?

Kochamy się przez całą noc i odkrywam, z wielkim zaskoczeniem, że mogę mieć wiele orgazmów z rzędu. Nie obchodzi go to, kim jestem, nie obchodzi go to, czy zapłacił, nie obchodzi go czas ani moja prawdziwa tożsamość, chce tylko, żebym była szczęśliwa. Nie interesuje go nic więcej.

Następnego dnia, po obfitym śniadaniu zamówionym przez Giovanniego do pokoju specjalnie dla mnie, daję mu swój numer telefonu, prosząc, żeby o tym nikomu nie mówił.

Ten uczynek był niczym podpisanie wyroku śmierci na siebie samą w burdelu. Dni mojej pracy są policzone, a ja jeszcze nawet tego nie podejrzewam.

Mój anioł stróż

W moim upadku do piekła znalazłam kawałek raju.

Kiedy Giovanni i ja się poznaliśmy, wiedziałam, że już nigdy do nikogo nie będę należeć. To było tak, jakby w jednej chwili uspokoiło się rżnięcie w kiszkach, które odczuwałam przez te wszystkie lata w dole brzucha, a jednocześnie odpowiedź, raz na zawsze, na wszystkie moje pytania na temat miłości, seksu, wierności i przygód na jedną noc.

Ponieważ w moim upadku do piekła odnalazłam maleńki raj.

Mój osobisty bóg wyglądał jak mężczyzna dojrzały, wysoki, ciemnowłosy i lekko siwiejący. Miał twarz w kształcie bardzo dojrzałej gruszki, intensywnie zielone oczy, silne ręce o trochę nierówno obciętych paznokciach. Nie obgryzał ich, a tylko skórki wokół. Z nosa wystawały mu dwa albo trzy włoski. Bóg miał niewielki brzuszek, co mnie zachwycało. Nadawał mu on wyraz czułości, zwłaszcza kiedy kładł na nim moją głowę i delikatnie ją pieścił. Czasami wkładał sobie mój palec do pępka. Zawsze budziło to moją ciekawość, ale wiem, że tego nie lubił. Bóg pachniał bryzą i siekanymi migdałami, kroplami rosy w ogrodzie o poranku i świeżo pociętym drewnem, i słomą, i bardzo zieloną trawą po ulewnym deszczu. Popołudniami pachniał stronicami świeżo wydrukowanej książki i naturalnym jogurtem mlecznym, a gorącym lwem, kiedy zapadała noc. I brzoskwinią, miękką, białą, bez tego niemiłego wrażenia, które czuje się w zębach, gdy się ją ugryzie zbyt mocno. Bóg miał zwichrowany włosek nad prawą brwią, z którym zawsze się witałam, kiedy się spotykaliśmy. Pewnego dnia zniknął, więc desperacko rzuciliśmy się na poszukiwania go między prześcieradłami. Zwichrowany włosek odszedł na zawsze.

Po miesiącu pojawił się następny. Właśnie wtedy przekonałam się, że istnieje nieśmiertelność. Bóg zawsze mnie zaskakiwał!

Bóg miał ciekawe zęby. Białe, ale nakładające się jedne na drugie. I kiedy się śmiał, wyglądał jak małe dziecko z mlecznymi zębami, które nigdy nie wypadną. Bóg nigdy się ze mną nie kłócił. Kiedy się obrażałam, przyglądał mi się swoimi wielkimi oczami i całował delikatnie po twarzy, żeby mnie uspokoić. Bóg miał instynkt matki, której dziecko płacze. Kiedy się bałam, brał mnie w ramiona i huśtał w niewidzialnej kołysce.

Usta boga były delikatne, pastelowo różowe, jakby używał szminki, i odmieniał mnie, kiedy mówił, że myśli o mnie w każdym ułamku sekundy. Bóg nauczył mnie dawać najpiękniejszy z prezentów – pocałunki. Pożerał moje usta. Ja, prawdę mówiąc, nie robiłam tego zbyt dobrze. Ale rzadko kiedy mi o tym mówił.

Bóg również płakał całymi nocami, ukryty pod poduszką, słuchając symfonii „Nowego Świata" Dworzaka, kiedy wiedział, że jestem w ramionach innego. I wtedy odkryłam, po raz pierwszy w życiu, że łzy mężczyzny są najlepszym prezentem dla zakochanej kobiety.

Bóg miał mały defekt: nie umiał wymawiać c. Próbowałam go nauczyć, ale mogliśmy trenować całymi nocami, bezskutecznie. Bóg był bardzo zabawny! Ale najbardziej w nim lubiłam to, jak mnie błogosławił. Bóg był wspaniałomyślny i błogosławił mi za każdym razem, gdy go o to poprosiłam.

Odyseja w Odessie

8 grudnia 1999

Od czasu, gdy dałam Giovanniemu swój numer telefonu, zaczęliśmy utrzymywać kontakt. Początkowo dzwonił do mnie raz w tygodniu, ale później nie mogliśmy wytrzymać ani dnia, nie słysząc swoich głosów. Nadal jestem w burdelu, pracuję, więc kiedy Giovanni dzwoni, a mam wyłączoną komórkę, natychmiast wie, co robię. Do tej pory nie powiedział mi nic na ten temat ani nie robił wyrzutów. Ale wiem, że mu się to nie podoba. Raz usłyszałam, jak mu się łamie głos i że powstrzymuje łzy.

Nie opowiedziałam mu historii swojego życia, nawet o to nie spytał. Z szacunku także ja nie pytam go o jego sytuację.

Dziś Giovanni zadzwonił do mnie, żeby dowiedzieć się, czy w połowie miesiąca będę mogła wziąć kilka dni wolnego i z nim wyjechać. Musi podpisać jakiś kontrakt i chce, żebym z nim pojechała. Znalezienie wyjaśnienia mojej nieobecności w burdelu przez kilka kolejnych dni nie będzie łatwą sprawą. Przede wszystkim dlatego, że Mae doniosła już Cristinie, że zauważyła między Włochem a mną duże „przyciąganie". I podejrzewa, że dałam mu swój numer telefonu. Oczywiście jest zazdrosna i sądzę, że wymyśliła wiele nieprawdziwych historii na mój temat. Z każdym dniem atmosfera robi się coraz bardziej napięta, a Manolo zaczął mnie przesadnie kontrolować. Posunął się nawet do tego, że gdy dzwonią moi stali klienci, próbuje podsunąć im inną dziewczynę, tłumacząc, że mnie nie ma. W ten sposób chce sprawić, żeby dziewczyny wyciągały od nich informacje. A ja, w gruncie rzeczy, nie uważam żebym zrobiła coś złego.

Dlatego też muszę znaleźć jakąś wymówkę, żeby spokojnie wyjechać z Giovannim. Będę udawać, że złapałam jelitową grypę końską, żeby móc opuścić burdel.

12 grudnia 1999

Odessa to miasto na Ukrainie, które znajduje się na brzegu Morza Czarnego. Giovanni i ja przyjechaliśmy tutaj w towarzystwie oficjalnego tłumacza, bliskiego przyjaciela Giovanniego, który znalazł dla nas nocleg w jednej z dacz, w starym sowieckim centrum wypoczynkowym.

Popołudnie jest bardzo zimne. Do naszego okna przylatuje mewa. Nigdy nie widziałam mewy z tak bliska. Siada na balkonie i przygląda się nam z uwagą, gdy kochamy się oparci o komodę w pokoju. Ja też ją obserwuję. Chwilami pożera wzrokiem tosty z kawiorem, które przygotował nam Borys. Ale nadal tkwi nieruchomo, odnosząc się z szacunkiem do tego, co widzi. W tej chwili próbuję wyobrazić sobie, jak kochają się mewy i czy dziób służy im do jakiegoś poprzedzającego stosunek rytuału.

Później Giovanni pyta mnie, dlaczego jestem tak spokojna i czy mewa nadal tam jest.

– Obserwuje nas.

Giovanni zaczyna wrzeszczeć.

– *Porca putana! Fuori!*

Mewa pozostaje obojętna, gruba jak pluszak. Nadal siedzi... Wyobrażam ją sobie na swoim nocnym stoliku, unieśmiertelnioną przez wypychacza zwierząt. Nie! Nie zmieści się. Jest ogromna. Giovanni nadal mnie penetruje, dysząc, jak to ma w zwyczaju. Czując go w sobie, kiedy obserwuje mnie ptak, mam wrażenie, że przenoszę się w inny wymiar. To tylko przyjemność i natura. Giovanni nagle przerywa. Nie może się dzisiaj skoncentrować.

Po akcie miłosnym Giovanni idzie pod prysznic. Wykorzystuję tę chwilę samotności, żeby wziąć jego koszulę i przyglądać się wyszytym na niej inicjałom. Wszystkie jego koszule mają ten haft. Lubię przesuwać po nim palcem, czuć wypukłość nici. Przesuwam tak raz i drugi, zamykając oczy, wyobrażając sobie, że jestem ślepa i czytam brajlem. To dla mnie wyjątkowy moment i nie chcę, żeby Giovanni mnie na tym przyłapał. Kiedy słyszę, że zaraz wyjdzie z łazienki, odkładam koszulę z powrotem na miejsce.

14 grudnia 1999

Przyjechała czarną limuzyną o przyciemnionych szybach. Giovanni i ja jesteśmy poza domem, patrzymy na morze i rozumiemy dlaczego tak się nazywa. Jest tak ciemne, że przypomina wielką plastikową torbę. Tylko szum fal, które odbijają się od brzegu, przypomina nam, że to woda. W oddali nieśmiało odbija się księżyc, a wielkie, ciemne i gorzkie chmury co chwila go zasłaniają.

Szofer wysiada z samochodu i otwiera tylne drzwiczki. Giovanni i ja wstrzymujemy oddech. I wysiada ona, przepiękna, ubrana w czarny nocny strój i srebrne buty na obcasie. Ma bardzo krótkie włosy przycięte w V na karku. Jej szyja jest tak delikatna, że mogłabym objąć ją dłonią, obojczyki wystające, i to nadaje jej wygląd modelki z wybiegu, nie odkrytego jeszcze skarbu, o ledwie uformowanym ciele z dwiema pinezkami zamiast piersi, które wbijają się w ubranie, nadając mu bardzo wdzięczną formę. Jest prześliczna. Giovanni podaje jej rękę i nic nie mówiąc, eskortuje do domu. Tam jest Borys, nasz oficjalny tłumacz, z butelką wódki w ręku. Gwałtownie napełnia sobie szklankę, jakby właśnie miał zdawać jakiś egzamin. Giovanni chce mu zrobić prezent i dlatego zaprosił księżniczkę.

Księżniczka nad księżniczkami siada na stole obok Borysa i nie pytając go o zgodę, zaczyna pić wódkę z jego szklanki. Giovanni i ja obserwujemy z rozbawieniem tę scenę. Jestem zaskoczona jej młodym wyglądem, więc pytam ją o wiek, żeby się upewnić, że jest przynajmniej pełnoletnia. Borys tłumaczy.

– Ma szesnaście lat – mówi do mnie z dziecinnym uśmiechem.

Niemal się przewracam. Giovanni jest zaskoczony. Czuję się nagle wspólniczką zbrodni, czegoś strasznego, i nie podoba mi się ten pomysł. Proszę Giovanniego, żeby odesłał ją do domu, nie mogę bowiem znieść myśli, że tej dziewczynce coś się stanie. Proszę go, błagam, proszę na kolanach. Giovanni zgadza się ze mną, ale jednocześnie tłumaczy mi, że może ona dobrze się tu czuje. Dla niej lepiej jest przebywać w naszym towarzystwie, gdzie będzie dobrze traktowana, niż z jakimś sadystą zdolnym do wszystkiego. Z nami czy bez nas, nadal będzie się tym zajmowała. Wygląda na zadowoloną. Tak więc na pytanie, czy chce sobie pójść, oczywiście z zapłatą, księżniczka odpowiada, że woli zostać, a ja przez chwilę się jej przyglądam, widząc swoje odbicie w tym dziecku. Patrzę, jak się porusza, jak się śmieje. Na prawej kostce nosi małą bransoletkę z dzwoneczkami, które się zderzają przy każdym jej ruchu i wydają cichutki, egzotyczny dźwięk rozbrzmiewający w całym salonie daczy.

Magnetofon kasetowy z radiem robi straszny hałas, ale ona nadal delikatnie się porusza, siedząc na stole. Borys trzyma szklankę w ręce i siedzi jakieś dwa metry od niej, przyglądając się jej uważnie. Giovanni i ja patrzymy na spektakl, rozłożeni na potwornie starej sofie, pełnej podejrzanych plam i małych dziurek wypalonych papierosami, dowodów wcześniejszych nocnych imprez. Jana zaczyna rozpinać ubranie i czuję, że się rumienię. To przez ten jej czysty, szczery uśmiech, który w tym kontekście sprawia, że źle się czuję. Sprawia wrażenie szczęśliwej i z przyjemnością wykonuje swój taniec dla trzyosobowej publiczności. Zbliża się do Borysa i coś mu szepce do ucha.

– Co mówi? – pytam spontanicznie.

– Mówi, że jesteś bardzo ładna i że zachwycają ją twoje kolczyki – tłumaczy Borys, pociągając łyk ze szklanki.

Czuję się jeszcze gorzej i spuszczam głowę, tak jakby to mogło mi pomóc zniknąć. Kiedy odważam się znów spojrzeć na scenę, Jana siedzi na Borysie, prowokując go ruchami swoich małych, okrągłych piersi na jego twarzy. Ma na sobie tylko zieloną, błyszczącą przepaskę. Giovanni wstaje i gasi światła w daczy. Ja przyglądam się rozwiązłym ruchom małego, migającego zielonego V i jest mi słabo. Biorę swojego kochanka za rękę i idziemy do schodów prowadzących do pokoju. Kochamy się, słysząc krzyki Jany. Następnego dnia rano schodzę na dół i znajduję kompletnie nagą księżniczkę śpiącą na sofie w salonie. Wracam na górę, niemal biegnąc po schodach i bardzo uważając, żeby nie hałasować. Kiedy wreszcie bez tchu wpadam do pokoju, zaczynam ich szukać z zapałem. Gdzie je zostawiłam? Rzuciłam obok butów, pod łóżko. Biorę je, upewniając się, że Giovanni nadal głęboko śpi, ponownie schodzę ze schodów i szukam torebki Jany. Boję się nawet jej dotknąć. Otwieram ją i do wewnętrznej kieszonki wkładam swoje kolczyki.

15 grudnia 1999

Biała emalia odpadła w wielu miejscach wanny, a trzonek prysznica zupełnie sczerniał. Nie ma ciepłej wody lub jest tylko chwilami, ale nigdy w porach, gdy Giovanni i ja bierzemy prysznic. Nie ma innego wyjścia jak tylko to przeżyć. Robię niezadowoloną minę, kiedy tego ranka strumień zimnej wody dotyka mojej skóry. Giovanni przygląda mi się z rozbawieniem, ze szczoteczką do zębów w ustach i bielusieńką pianą niemal całkiem przykrywającą jego różowe usta. Szybko nacieram się mydłem, które kupiliśmy w Europie (ukraińskie mydło ma podejrzany kolor; kiepsko pachnie i wygląda jak kamień, do tego stopnia, że kiedy je zobaczyłam, zawołałam: „Popatrz, pumeks!") i wyskakuję spod prysznica, z resztkami mydła na ciele, szukając jakiegoś w miarę czystego kawałka podłogi. Giovanni musi mnie zatrzymać, żebym nie upadła pupą na zimną podłogę. Zaczynamy się śmiać. Tak wygląda nasze luksusowe życie. Borys się myje na dole, w malutkiej łazience, w której jest tylko umywalka, co jak twierdzi, zupełnie mu wystarcza. Budzi to moją odrazę, ale kto ma ochotę wchodzić pod lodowaty prysznic? W pokojach znajdują się ślady dawnego reżimu komunistycznego, stare mikrofony umieszczone we wszystkich ścianach i czujniki przy oknach. Oczywiście mikrofony prześladują mnie wszędzie. Taras, prawdopodobnie wychodzący na morze, ma cementowe kolumny, zasłaniające widok. Tam wystawiam swoje sportowe buty, które pod koniec dnia śmierdzą dzikim psem. Nawet Giovanni, który akceptuje mnie w całości, powiedział:

– Albo trampki, albo ja.

Jestem posłuszna, ponieważ tak naprawdę ja też nie znoszę swojego odoru.

Kochamy się z Giovannim trzy, cztery razy dziennie. Dobrze mi z nim. Uczę się robić szaloną żabkę (ja siedzę na brzegu łóżka z szeroko rozsuniętymi nogami i onanizuję się przed nim, z butelką wody mineralnej bez gazu, z której co jakiś czas polewam sobie brzuch), francuski okręt podwodny (malutkie usteczka w kształcie serca, które przesuwają się pod prześcieradłem i rotacyjnym ruchem warg wciągają do środka całego penisa, który się tam znajduje) i *„leveretiña"* (etymologicznie wywodząca się z francuskiego *levrette*, na czworakach, żeby być bardziej dokładną, we włoskim stylu). Giovanni i ja wyprawiamy różne rzeczy na tym kulawym łóżku. Ale nigdy się mną z nikim nie dzieli, chociaż jutro będzie jeden wyjątek, który ma na imię Katierina.

16 grudnia 1999

Borys chce się ponownie spotkać z Księżniczką, ale ponieważ jest dobrym uczniem, chce się podzielić. To absolutnie nie do pomyślenia, żebyśmy we troje kochali się z Janą (tak postanowiłam i Giovanni się ze mną zgadza). Przyszedł mu więc do głowy pomysł, żeby zaprosić Janę z koleżanką, starszą koleżanką, specjalistką w trójkątach, jak nas zapewnił facet z agencji. I właśnie w ten sposób poznaliśmy Katierinę. Przyjeżdżają obie tą samą limuzyną, którą przyjechała Jana za pierwszym razem. Ku naszemu zaskoczeniu, Jana jest ubrana jak nastolatka – w króciutkie czarne szorty, biały podkoszulek i buty na koturnach godnych przedstawienia Drag Queens. Jedyne, co chroni ją przed zimnem, to bardzo długie futro, które zarzuciła na ramiona i które zupełnie nie pasuje do reszty ubrania. Mam wrażenie, że nabrała do nas zaufania i już nie musi się przebierać za „kobietę fatalną". Wydaje się jeszcze bardziej rozluźniona niż tamtej nocy i całuje nas wszystkich na powitanie, jakby znała nas całe życie. Wszyscy jesteśmy na dworze przed daczą, ja siedzę na balustradzie przy plaży. Patrzy na mnie z szerokim uśmiechem i rozumiem, że chce mi podziękować za kolczyki, które założyła. Nagle odwraca się i, w swoim języku, woła koleżankę. Katierina jest blondynką o kręconych włosach, niziutka, ubrana w niebieski strój ozdobiony czerwonymi kwiatami i szeroki, skórzany niebieski pas, ściskający jej biodra, które – jak podejrzewam – są zbyt krągłe. Ma wielkie turkusowe oczy i maleńki nosek, bardziej pasujący do Japonki. Nie uśmiecha się zbytnio, wygląda jak przestraszony szczeniak. Witamy się uściskiem dłoni, bardzo chłodno, i ponownie zaczynam czuć się winna. Jana stara się ją po swojemu rozruszać, a ja desperacko próbuję spotkać spojrzenie Borysa, żeby zrozumieć, co się dzieje. Jana zaczyna gadać i gadać, a Katierina odpowiada jej krótkimi zdaniami. Dla mnie to wszystko brzmi jak chiński, ale rozumiem, że sytuacja nie bardzo jej się podoba. Kiedy Jana bierze Katierinę za rękę i wchodzi z nią, prawie biegiem, do daczy, przez taras do salonu, idziemy za nimi. Jesteśmy posłuszni tej małej księżniczce, która stała się wodzem naszego plemienia. Jana kręci głową we wszystkie strony. Wydaje się jasne, że czegoś szuka. Borys jest całkowicie zahipnotyzowany przez Janę i nie reaguje. Jeśli chodzi o Katierinę, czuje się nieswojo i nie wie, co ze sobą zrobić, aż do chwili, gdy przynoszę butelkę wódki, przewidując, że właśnie tego szukała Jana. Między nią a mną nawiązał się pewien rodzaj wzrokowego kontaktu. Katierina dosłownie rzuca się na butelkę i pije prosto z gwinta. Wydaje się, że alkohol podziałał na nią niemal natychmiast, ponieważ zaczyna tańczyć, a Jana nadal do niej mówi, aprobując jej zachowanie.

– Co ona mówi? – pytam Borysa.

Borys aż podskakuje. Robi wrażenie człowieka wyrwanego z głębokiego snu, przez chwilę się zastanawia i odpowiada:

– Mówi jej: „Kocham cię, ty mnie kochasz i tylko to się liczy. Myśl o tym, że cię kocham, że się kochamy. I wszystko będzie dobrze".

Tej nocy w całym salonie ustawiliśmy świece i Giovanni zaczyna je zapalać, jedną po drugiej, żeby stworzyć intymny nastrój. Ubranie Katieriny staje się w świetle świec przezroczyste i pozwala zobaczyć ciało bogate w krzywizny. Jana zaczyna rozpinać guziki ubrania Katieriny, nie przestając się delikatnie kołysać. Giovanni, jak zwykle, siedzi na starej sofie, z uwagą przyglądając się tej scenie, i co jakiś czas spogląda na mnie, żeby sprawdzić moją reakcję. Podchodzę i siadam obok niego. Bierze mnie w ramiona i całuje w czoło. W tym czasie Jana i Katierina pogrążyły się w głębokim pocałunku, pozwalając nam chwilami dostrzec dwa ruchliwe języki poszukujące jak szalone najczulszych miejsc. Giovanni i ja robimy to samo. Delikatnie zdejmuje ze mnie wełniany sweter, który mam na sobie. I tak padam w ramionach Giovanniego, uwięziona przez ciekawość tego lesbijskiego pocałunku. Aż do chwili, gdy czuję zimne ręce Katieriny pieszczące moje plecy i bawiące się zapięciem mojego stanika.

17 grudnia 1999

Nie mogłam tego zrobić z Katieriną. I przez całą drogę powrotną tłumaczyłam Giovanniemu, że bardzo źle się czuję z powodu tego, co wydarzyło się w Odessie. Kiedy rozstajemy się na lotnisku we Frankfurcie, nie przyjmuję pieniędzy, które Giovanni chce mi dać za to, że mu towarzyszyłam. Nie chcę nic. Zostawiam Giovanniego z zaskoczoną miną i wsiadam do samolotu do Barcelony.

Kiedy siedzę w taksówce, którą złapałam na lotnisku w Barcelonie, przypominam sobie sceny z naszego pobytu: mewę, nasz śmiech w łazience, plaże pokryte czarnymi kamieniami, które uwierały nas w stopy, małą Janę, która umie lepiej niż ja polizać, nie śliniąc się. I wszystkie towarzyszące okoliczności, śmieszny, groteskowy, kompletnie surrealistyczny, zrobiony z komunistycznego cementu dom. Lesbijski pokaz, jaki dały nam Jana i jej przyjaciółka Katierina, a potem chwilę, gdy Katierina podeszła do mnie, żeby pieścić moje plecy i zdjąć mi stanik. Cały czas to widzę. Jedno tylko jest pewne: zakochałam się w Giovannim.

Nowy wiek, nowa skóra

19 grudnia 1999

Wróciłam do burdelu trochę przestraszona. Dziś są wszystkie dziewczyny. Nagle Isa, która przygotowuje swój świąteczny wyjazd do Ekwadoru, chwyta mnie za ramię i mówi Susanie, że wychodzimy na chwilkę, bo musimy pogadać przy kawie.

– Wiesz, że ludzie są szaleni, prawda? Mężczyźni, którzy płacą kobietom za to, żeby się z nimi przespać, to wariaci, ale my, kobiety, które zgadzamy się sypiać z mężczyznami za pieniądze, jesteśmy jeszcze gorsze.

– Tak. Co chcesz mi powiedzieć, Iso?

– Są pewne rzeczy, które te wariatki mówiły tu na twój temat, bo są zazdrosne.

– Na przykład?

– Więc, że kradniesz wszystkich klientów burdelu, z którymi spotykasz się na zewnątrz. Pedra, który zawsze przychodził co tydzień i ponownie się pojawił, kiedy byłaś chora, Włocha i wielu innych.

– I co z Pedrem?

– Przyszedł i poszedł z Mae, która jest żmiją. Powiedział, że był w tobie strasznie zakochany, a ty nie zwracałaś na niego uwagi. Ona to przekręciła i opowiadała, że widywałaś się z nim poza burdelem. Mae chce ci się przysłużyć.

Te zwierzenia wydają mi się przedziwne, zwłaszcza że pochodzą właśnie od Isy.

– Sądziłam, że wcześniej czy później musi dojść do czegoś takiego.

– Mae mówiła też, że dałaś Włochowi swój telefon.

To była prawda, ale Mae opierała się na podejrzeniach, a nie na dowodach, między innymi dlatego, że ich nie miała.

– To oczywiste, że może opowiadać na mój temat niestworzone rzeczy.

– Tak, ale Mae pracuje tu dłużej niż ty i Manolo jej uwierzy, rozumiesz? Będziesz miała kłopoty.

Manolo pokazał już, jak bardzo jest okrutny, i najbardziej się teraz boję, że może mi zrobić krzywdę.

– Poza tym mówi się, że masz AIDS.

– Co to, to nie!

Trochę przegięły. Z pewnością Pedro, wypłakując się Mae na temat swojej nieodwzajemnionej miłości do mnie, opowiedział jej o tej historii z pękniętym kondomem. A ona ubarwiła ją na swój sposób.

– Kto to powiedział?

– A kto mógł? Zawsze ta sama szalona blondynka. Próbuje wystraszyć klientów, żeby się więcej z tobą nie spotykali.

Przychodzi mi do głowy bardzo wiele obraźliwych słów, odpowiednich dla Mae, ale muszę trzymać nerwy na wodzy, żeby nie popaść w jeszcze większe kłopoty.

– Potraktują mnie jak donosicielkę, jeśli opowiesz, co ci powiedziałam. Proszę, ani słowa – mówi Isa z naciskiem.

– Nie przejmuj się i dziękuję, że mi to wszystko powiedziałaś!

Wracamy na górę i Mae, która ubiera się do wyjścia z jakimś facetem, cynicznie przygląda się nam w lustrze. Udaję, że nic nie wiem. Potem pojawia się Manolo, a za nim Sofía, która przychodzi na swoją nocną zmianę.

– Mogę z tobą porozmawiać? – prosi mnie Manolo z tak groźną miną, że wygląda, jakby właśnie kogoś zamordował.

– Tak, oczywiście – odpowiadam, myśląc już o tym, że będę zaprzeczać wszystkiemu, co mi zarzuci.

Widzę zadowoloną twarz Mae, która patrzy, jak Manolo zieje ogniem, i wychodzi, żegnając się z ironią w głosie.

– Szykuje się grubsza afera – rzuca, zamykając drzwi.

– Czy to prawda, że widujesz się z Pedrem na zewnątrz?

– Nie, to nie prawda – nie kłamię. – Kto ci to powiedział?

– Sam klient.

Kamienieję.

– Więc cię okłamał. Usiłował się ze mną umówić wiele razy, ale nigdy nie chciałam.

– A z Włochem?

– W sumie widziałam Włocha trzy razy. Nic poza tym. Weź pod uwagę, że on tu nie mieszka i nie wiem jak mogłabym się z nim umówić na zewnątrz. – Tym razem sama jestem zaskoczona, że tak dobrze kłamię.

– Mówi się, że tak nie jest.

– Wyobrażam sobie, że to musiała wymyślić Mae, żeby mi zaszkodzić.

– A dlaczego miałaby chcieć ci zaszkodzić?

– A skąd mam wiedzieć? Podejrzewam, że jest zazdrosna.

– Więc się dowiedz, że my tu nie lubimy, gdy się nas oszukuje. Masz szczęście, nie mam żadnego dowodu na to wszystko. Ale będę cię pilnował i przy najmniejszej wpadce lecisz na kurewską ulicę. Zrozumiałaś?

Już mi grozi, podnosi ręce. Sofía przygląda mi się z kuchni i daje znaki, że będzie lepiej, jak się zamknę, bo może się stać coś niedobrego.

Nie uważam, że złamałam regulamin burdelu, ponieważ z Pedrem nigdy nie spotkałam się na zewnątrz, a od Giovanniego nie wzięłam ani grosza. Nie mam więc poczucia, że wzięłam coś, co nie należało do mnie.

Wolę nie odpowiadać Manolowi, ponieważ chcę pracować w burdelu do końca roku, chociaż od wyjazdu do Odessy i małej Jany brzydzę się trochę tym wszystkim.

31 grudnia 1999

Koniec wieku we wszystkich rozbudził libido. Może dlatego, że tyle się mówiło na temat tego, że to będzie koniec świata, że wybuchnie wojna, że przestaną pracować wszystkie komputery. Ludzie się boją i chcą przeżyć ostatnie godziny życia bez zmartwień.

Tej nocy przyszły kobiety ze swoimi partnerami, żeby zrealizować marzenie, którego nigdy nie mieli odwagi spełnić. Pracowałam bardzo dużo, z Cindy.

Moja komórka była wyłączona przez większą część nocy. Kiedy ponownie ją włączyłam, zobaczyłam, że mam dużo wiadomości, i zaczęłam je przeglądać.

Giovanni próbował mnie wielokrotnie złapać i zostawił wiadomości, życząc mi szczęśliwego Nowego Roku. Potem przesłał mi SMS-a, który był największą niespodzianką tej nocy:

„Mówić o miłości jest pięknie, ale także trudno. Myślę, że cię kocham". Tak naprawdę napisał po angielsku: *I think I love you*, bo nie umie pisać po hiszpańsku. Nie oczekiwałam takiej wiadomości.

Okup

4 stycznia 2000

Opowiedziałam o wszystkim Giovanniemu. O komentarzach Mae na mój temat, podejrzeniach i groźbach Manola, swojej sytuacji osobistej i wrażeniu, że też się w nim zakochałam.

– Nie wracaj tam więcej! – zawołał Giovanni do telefonu, strasznie zaniepokojony.

– A jak mam to zrobić? Poza tym w burdelu zostały jeszcze moje rzeczy, które powinnam zabrać.

– Zapomnij o rzeczach i złap pierwszy samolot. Może wiedzą gdzie mieszkasz i przyjdą cię pobić. Spędzisz jakiś czas we Włoszech. A kiedy wrócisz, zmienisz mieszkanie. Zrozumiałaś?

Myślę, że Giovanni trochę przesadza. Ale jest tak zdenerwowany, że zgadzam się na wszystko, co mówi.

23 stycznia 2000

Dzisiaj śniła mi się Mami. Biegła przez gęsty las, popychając przed sobą dziecięcy wózek na oksydowanych kółkach. To musiała być jesień, wiele różnokolorowych liści leżało już na ziemi. Mami zebrała włosy w skomplikowany, ale doskonały kok, żeby jej było wygodniej. Przebrała się w długi czarny płaszcz zapinany na guziki od góry do dołu, taki jak ten, które noszą wojskowi. Jej ruchy, pomimo że zdeptała mnóstwo liści, które przykleiły się do jej nóg i utrudniały kroki, były harmonijne i delikatne. Nagle zatrzymała się i zaczęła głaskać buzię dziecka w wózku.

Jej pieszczoty ogrzewały moje serce, a słodka twarz przywracała mi poczucie bezpieczeństwa. Czuję, że zawsze była przy mnie, nigdy się nie oddaliła. Okręca sobie pasemka moich włosów wokół palców. Opanowuje mnie uczucie nieskończonej miłości i kiedy odwracam głowę, żeby na nią spojrzeć, ma zamknięte oczy, ale się uśmiecha, bo wie, że na nią patrzę. Jej wargi wyglądają na pomalowane delikatną różową szminką i nie przestają się poruszać, próbując mi coś powiedzieć.

– Odpocznij, moja dziewczynko.

I żeby podkreślić jej słowa, Giovanni przytula mnie do siebie. Ponownie zasypiamy w tej pozycji w małym pokoiku hotelu, w którym umieścił mnie na jakiś czas.

I co teraz?

Hassan znów do mnie zadzwonił. Nie zrezygnował z próby przekonania mnie do wyjazdu do Maroka, do wspólnej pracy. Odmówiłam mu. Nie chcę już nic wiedzieć, między innymi dlatego, że pragnę znów móc smakować gorzki, apteczny smak coca-coli.

Nie mam żadnych wiadomości o Felipe. Wiem tylko, że zamknął swój biznes. Widać historia kawałków życia nie funkcjonowała zbyt dobrze. Oczywiście, ludzie są strasznie nudni.

Od czasu zerwania ze skrzypkiem Sonia jest samotna.

Angelika i ja jesteśmy w kontakcie. Właściwie bardzo się zaprzyjaźniłyśmy. Nie ma znaczenia jak długo się nie widziałyśmy. Jeśli chodzi o Susanę i Sofię, to nigdy więcej o nich nie słyszałam.

Wiem, że dziewczyny odeszły z burdelu. Manolo zrobił się nieznośny, więc postanowiły przenieść się w inne miejsce. Z tego co wiem, wszystkie nadal pracują w tej samej branży.

Carolina definitywnie zerwała ze mną kontakt i boję się, że z powrotem wpadła w ramiona Jaime'a. Ja – rzecz jasna – założyłam mu sprawę sądową, ale po dziś dzień nie przyniosła ona żadnych efektów.

Jeśli chodzi o Pedra, żyje z żoną w separacji, później nawet się zaprzyjaźniliśmy. Czasami wychodzimy razem czegoś się napić i pogadać.

Nie jesteśmy już razem z Giovannim, ale utrzymujemy kontakt. Wielokrotnie usiłowałam mu wyjaśnić moje procesy wewnętrzne przedstawione w tym dzienniku. Wspiera mnie i zawsze mówi mi: „tak", żebym się dobrze czuła, uznając to być może za część mojej psychoanalizy. Wiem, że postępując tak, robi to w najlepszej wierze. Powiedział mi, że zawsze mogę na niego liczyć. Ale to już nie to samo.

Łazienka nadal jest moim ulubionym miejscem, w którym mogę się ukryć przed tym, co nadal mi ciąży. Wszystko płynie, wszystko mija, to tylko kwestia zerwania łańcucha.

Nie żałuję absolutnie niczego. Nawet więcej – gdybym musiała przeżyć te same okoliczności, zachowywałabym się tak samo, bez cienia wątpliwości. Trochę mnie kosztuje to wyznanie, a niektórym wyda się zaskakujące, ale chwile przeżyte w burdelu należą do najlepszych w moim życiu, chociażby dlatego, że poznałam Giovanniego i odnalazłam tę nową kobietę, którą teraz jestem. Czuję, że z każdym dniem zmieniam skórę, jak węże w niektórych porach roku. Moja jest teraz lżejsza, delikatniejsza, odpowiednio gładsza i bardziej wytrzymała na to, co mnie otacza.

I niech czytelnik się nie pomyli! Ta książka to nie jest *mea culpa* ani portret ofiary zbyt niesprawiedliwego i karzącego przeznaczenia. Nie chcę niczego. Napisałam tę książkę dla siebie. Chodzi tylko o egoistyczny gest.

Byłam zagubioną kobietą, owszem. Ale chciałam, w gruncie rzeczy, używać seksu jako środka, który pozwoli mi odnaleźć to, czego wszyscy szukają: uznania, przyjemności, szacunku dla siebie, a w końcu miłości i czułości. Czy jest w tym coś patologicznego?